Spanish II
Teacher's Guide

CONTENTS

Author: Katherine Engle, M.A.

Managing Editor: Alan Christopherson, M.S.
Revision Editor: Christine E. Wilson, B.A., M.A.

804 N. 2nd Ave. E., Rock Rapids, IA 51246-1759
© MMI by Alpha Omega Publications, Inc. All rights reserved.
LIFEPAC is a registered trademark of Alpha Omega Publications, Inc.

Spanish II Scope & Sequence

Unit 1 – Grammar Review
Present tense (regular, irregular,
    stem-changing verbs)
Numbers
Dates
Telling time
Noun/Adjective agreement
Ser and *estar*
Present progressive tense
Reflexive verbs

Unit 2 – Forms of the Past Tenses
Home and leisure activities
Expressions of time
Preterit tense
Imperfect tense
Spanish-speaking countries (map)
Formal and informal address

Unit 3 – Uses of the Past Tenses
The home and the workplace
Preterit and imperfect tenses
Mayans
Geography of Mexico
Por vs. *para*
Pero, sino, and *sino que*
Porque vs. *a causa de*

Unit 4 – Possession & Present Participles
Clothes, clothing
Possession (with nouns, adjectives,
    pronouns)
Present participles

Unit 5 – Prepositions & Pronouns
Home and office
Passive and impersonal voice with *se*
Prepositions of place
Subject, prepositional, and object pronouns
Holiday season

Unit 6 – Comparisons & Negatives
The resumé
Flamenco dancing
Comparisons, superlatives, and
    expressions of equality
Double negatives
Demonstrative, reflexive, and possessive
    pronouns

Unit 7 – Future & Conditional Tenses
Airport
Future and conditional tenses
Celebrations in Mexico

Unit 8 – Compound Tenses
Car
Present perfect tense
Pluperfect tense
Geography of Central America and the
    Caribbean

Unit 9 – Adverbs & Commands
North American celebrations
Celebrations: *Quinceañera* and *Semana
    Santa*
Review of verbs and tenses
Adverbial expressions
Imperative mood

Unit 10 – Subjunctive Mood
Accidents and illnesses
Relative pronouns
Subjunctive mood (tenses, forms, usage)

STRUCTURE OF THE LIFEPAC CURRICULUM

The LIFEPAC curriculum is conveniently structured to provide one teacher handbook containing teacher support material with answer keys and ten student worktexts for each subject at grade levels two through twelve. The worktext format of the LIFEPACs allows the student to read the textual information and complete workbook activities all in the same booklet. The easy-to-follow LIFEPAC numbering system lists the grade as the first number(s) and the last two digits as the number of the series. For example, the Language Arts LIFEPAC at the 6th grade level, 5th book in the series would be LAN0605.

Each LIFEPAC is divided into three to five sections and begins with an introduction or overview of the booklet as well as a series of specific learning objectives to give a purpose to the study of the LIFEPAC. The introduction and objectives are followed by a vocabulary section which may be found at the beginning of each section at the lower levels, at the beginning of the LIFEPAC in the middle grades, or in the glossary at the high school level. Vocabulary words are used to develop word recognition and should not be confused with the spelling words introduced later in the LIFEPAC. The student should learn all vocabulary words before working the LIFEPAC sections to improve comprehension, retention, and reading skills.

Each activity or written assignment has a number for easy identification, such as 1.1. The first number corresponds to the LIFEPAC section and the number to the right of the decimal is the number of the activity.

Teacher checkpoints, which are essential to maintain quality learning, are found at various locations throughout the LIFEPAC. The teacher should check 1) neatness of work and penmanship, 2) quality of understanding (tested with a short oral quiz), 3) thoroughness of answers (complete sentences and paragraphs, correct spelling, etc.), 4) completion of activities (no blank spaces), and 5) accuracy of answers as compared to the answer key (all answers correct).

The self test questions are also number coded for easy reference. For example, 2.015 means that this is the 15th question in the self test of Section II. The first number corresponds to the LIFEPAC section, the zero indicates that it is a self test question, and the number to the right of the zero is the question number.

The LIFEPAC test is packaged at the centerfold of each LIFEPAC. It should be removed and put aside before giving the booklet to the student for study.

Answer and test keys have the same numbering system as the LIFEPACs and appear later in this handbook. The student may be given access to the answer keys (not the test keys) under teacher supervision, so that they can score their own work.

A thorough study of the Curriculum Overview by the teacher before instruction begins is essential to the success of the student. The teacher should become familiar with expected skill mastery and understand how these grade level skills fit into the overall skill development of the curriculum. The teacher should also preview the objectives that appear at the beginning of each LIFEPAC for additional preparation and planning.

TEST SCORING and GRADING

Answer keys and test keys give examples of correct answers. They convey the idea, but the student may use many ways to express a correct answer. The teacher should check for the essence of the answer, not for the exact wording. Many questions are high-level and require thinking and creativity on the part of the student. Each answer should be scored based on whether or not the main idea written by the student matches the model example. "Any Order" or "Either Order" in a key indicates that no particular order is necessary to be correct.

Most self tests and LIFEPAC tests at the lower elementary levels are scored at 1 point per answer; however, the upper levels may have a point system awarding 2 to 5 points for various answers. Furthermore, the total test points will vary; they may not always equal 100 points. They may be 78, 85, 100, 105, etc.

ex. 1

ex. 2

A score box similar to ex. 1 above is located at the end of each self test and on the front of the LIFEPAC test. The bottom score, 72, represents the total number of points possible on the test. The upper score, 58, represents the number of points your student will need to receive an 80% or passing grade. If you wish to establish the exact percentage that your student has achieved, find the total points of their correct answers and divide it by the bottom number (in this case 72.) For example, if your student has a point total of 65, divide 65 by 72 for a grade of 90%. Referring to ex. 2, on a test with a total of 105 possible points, the student would have to receive a minimum of 84 correct points for an 80% or passing grade. If your student has received 93 points, simply divide the 93 by 105 for a percentage grade of 89%.

The following is a guideline to assign letter grades for completed LIFEPACs based on a maximum total score of 100 points.

LIFEPAC Test =   60% of the Total Score (or percent grade)
Self Test   =   25% of the Total Score (average percent of self tests)
Reports   =   10% or 10* points per LIFEPAC
Oral Work   =   5% or 5* points per LIFEPAC

*Determined by the teacher's subjective evaluation of the student's daily work.

Example:

LIFEPAC Test Score	=	92%	92 x .60	=	55 points
Self Test Average	=	90%	90 x .25	=	23 points
Reports				=	8 points
Oral Work				=	4 points

TOTAL POINTS   =   90 points

Grade Scale based on point system:

100	–	94	=	A
93	–	86	=	B
85	–	77	=	C
76	–	70	=	D
Below		70	=	F

TEACHER HINTS and STUDYING TECHNIQUES

LIFEPAC Activities are written to check the level of understanding of the preceding text. The student may look back to the text as necessary to complete these activities; however, a student should never attempt to do the activities without reading (studying) the text first. Self tests and LIFEPAC tests are never open-book tests.

Writing complete answers (paragraphs) to some questions is an integral part of the LIFEPAC curriculum in all subjects. This builds communication and organization skills, increases understanding and retention of ideas, and helps enforce good penmanship. Complete sentences should be encouraged for this type of activity. Obviously, single words or phrases do not meet the intent of the activity, since multiple lines are given for the response.

Review is essential to student success. Time invested in review where review is suggested will be time saved in correcting errors later. Self tests, unlike the section activities, are closed-book. This procedure helps to identify weaknesses before they become too great to overcome. Certain objectives from self tests are cumulative and test previous sections; therefore, good preparation for a self test must include all material studied up to that testing point.

The following procedure checklist has been found to be successful in developing good study habits in the LIFEPAC curriculum.

1. Read the Introduction and Table of Contents.
2. Read the objectives.
3. Recite and study the entire vocabulary (glossary) list.
4. Study each section as follows:
    a. Read all the text for the entire section, but answer none of the activities.
    b. Return to the beginning of the section and memorize each vocabulary word and definition.

   c. Reread the section, complete the activities, check the answers with the answer key, correct all errors, and have the teacher check it.

   d. Read the self test but do not answer the questions.

   e. Go to the beginning of the first section and reread the text and answers to the activities up to the self test you have not yet done.

   f. Answer the questions to the self test without looking back.

   g. Have the self test checked by the teacher.

   h. Correct the self test and have the teacher check the corrections.

   i. Repeat steps a–h for each section.

5. Use the SQ3R* method to prepare for the LIFEPAC test.

> **S**can the whole LIFEPAC.
> **Q**uestion yourself on the objectives.
> **R**ead the whole LIFEPAC again.
> **R**ecite through an oral examination.
> **R**eview weak areas.

6. Take the LIFEPAC test as a closed-book test.

7. LIFEPAC tests are administered and scored under direct teacher supervision. Students who receive scores below 80% should review the LIFEPAC using the SQ3R* study method and retake the LIFEPAC Test. The final test grade may be the grade on the retaken test or an average of the grades from both tests.

GOAL SETTING and SCHEDULES

Basically, two factors need to be considered when assigning work to a student in the LIFEPAC curriculum.

The first factor is time. An average of 45 minutes should be devoted to each subject, each day. Remember, this is only an average. Because of extenuating circumstances, a student may spend only 15 minutes on a subject one day and the next day spend 90 minutes on the same subject.

The second factor is the number of pages to be worked in each subject. A single LIFEPAC is designed to take three to four weeks to complete. Allowing about 3–4 days for LIFEPAC introduction, review, and tests, the student has approximately 15 days to complete the LIFEPAC pages. Simply take the number of pages in the LIFEPAC, divide it by 15 and you will have the number of pages that must be completed on a daily basis to keep the student on schedule. For example, a LIFEPAC containing 45 pages will require three completed pages per day. Again, this is only an average. While working a 45-page LIFEPAC, the student may complete only one page the first day if the text has a lot of activities or reports, but go on to complete five pages the next day.

FORMS

The sample weekly lesson plan and student grading sheet forms are included in this section as teacher support materials and may be duplicated at the convenience of the teacher.

The student grading sheet is provided for those who desire to follow the suggested guidelines for the assignment of letter grades found in this section. The student's self test scores should be posted as percentage grades. When the LIFEPAC is completed, the teacher should average the self test grades, multiply the average by .25 and post the points in the box marked self test points. The LIFEPAC test percentage grade should be multiplied by .60 and posted. Next, the teacher should award and post points for written reports and oral work. A report may be any type of written work assigned to the student whether it is a LIFEPAC or an additional learning activity. Oral work includes the student's ability to respond orally to questions which may or may not be related to LIFEPAC activities or any type of oral report assigned by the teacher. The points may then be totaled and a final grade entered along with the date that the LIFEPAC was completed.

The Student Record Book, which was specifically designed for use with the Alpha Omega curriculum, provides space to record weekly progress for one student over a nine-week period as well as a place to post self test and LIFEPAC test scores. The Student Record Books are available through the current Alpha Omega catalog; however, unlike the enclosed forms, these books are not for duplication and should be purchased in sets of four to cover a full academic year.

WEEKLY LESSON PLANNER			
			Week of:
Subject	Subject	Subject	Subject

Monday

Subject	Subject	Subject	Subject

Tuesday

Subject	Subject	Subject	Subject

Wednesday

Subject	Subject	Subject	Subject

Thursday

Subject	Subject	Subject	Subject

Friday

WEEKLY LESSON PLANNER

Week of:

	Subject	Subject	Subject	Subject
Monday				

	Subject	Subject	Subject	Subject
Tuesday				

	Subject	Subject	Subject	Subject
Wednesday				

	Subject	Subject	Subject	Subject
Thursday				

	Subject	Subject	Subject	Subject
Friday				

LP #	Self Test Scores by Sections 1	2	3	4	5	Self Test Points	LIFEPAC Test	Oral Points	Report Points	Final Grade	Date
01											
02											
03											
04											
05											
06											
07											
08											
09											
10											

LP #	Self Test Scores by Sections 1	2	3	4	5	Self Test Points	LIFEPAC Test	Oral Points	Report Points	Final Grade	Date
01											
02											
03											
04											
05											
06											
07											
08											
09											
10											

LP #	Self Test Scores by Sections 1	2	3	4	5	Self Test Points	LIFEPAC Test	Oral Points	Report Points	Final Grade	Date
01											
02											
03											
04											
05											
06											
07											
08											
09											
10											

QUESTIONS & ANSWERS ABOUT HOW TO USE THE LIFEPAC SPANISH AUDIO SCRIPTS ON CD

What is contained on the CDs? Why do I need them?

There is more to learning Spanish than merely recognizing the written language. Students must learn to listen, understand, and speak it correctly as well. The Spanish CDs are an integral part of the curriculum and provide an invaluable pronunciation guide for:

- vocabulary lists featured in each of the LIFEPACs
- commonly-used phrases and expressions
- and much more!

The CDs are also necessary for the completion of some of the comprehension activities and quizzes when a question is asked in Spanish and the student must write the correct answer.

How do I use the CDs in conjunction with the LIFEPACs?

First, look through the audio script carefully and compare it to the LIFEPACs. **LISTENING EXERCISES** appear in the LIFEPAC sections, in a few of the self tests, and in some of the LIFEPAC tests. These are presented in the same order on the CDs.

Second, the vocabulary list at the back of each LIFEPAC is included with the English translations so that teachers can use these lists as a tool for review. This also aids in memorization and correct pronunciation.

There are several listening activities that require the student to hear a word, phrase, sentence, or paragraph recorded in Spanish and then answer questions about it. These phrases, sentences, or paragraphs are sometimes given twice on the CD. However, the CD may be reset, so that the item may be repeated as many times as necessary for the student to answer the comprehension questions. Some section exercises, self tests, and a few LIFEPAC tests also require the CDs for completion. The exercise numbers are clearly identified on the CD, as well as the LIFEPAC test question numbers.

Finally, the CDs are excellent review tools.

LIFEPAC ONE

No Listening Exercises I or II

Listening Exercises III

Exercise 1. Choose who performs the activity by listening to the verb form. Circle the correct response. [CD–A, Track 1]

1. El sábado jugamos al vólibol.
2. ¿Pueden cantar bien?
3. Normalmente como la cena contigo.
4. No prefieres leer el periódico.
5. Es verdad que no va conmigo.
6. ¿Eres de Venezuela?
7. ¿No oyen el cantar del gallo?
8. Tengo que salir a las cuatro.
9. No se despierta temprano.
10. Vivimos lejos de aquí.

Exercise 2. Match the activity described to its picture. [CD–A, Track 2]

1. Elisa pone la mesa.
2. Ud. se despierta.
3. Yo leo un libro.
4. Tú duermes bien.
5. Por favor, abre la puerta.
6. Nos gusta hablar por teléfono.
7. Juega muy bien.
8. José bebe mucha leche.
9. El Sr. Montoya escribe la tarea.
10. Me lavo.

No Listening Exercises IV

Listening Exercises V

Exercise 1. Listen for the time in each sentence. Then draw the hands on the analog clock face and write the time on the digital clock face for each statement given. [CD–A, Track 3]

a. Me voy a las nueve y cinco.
b. Carmen y Ramón prefieren estudiar a las siete y media.
c. Los viernes, a la una y veinte, me voy con MariCarmen.
d. Es necesario salir a las doce y cuarto en punto.
e. Elena y yo vamos al trabajo a las once menos nueve.
f. A las seis y veinte visita el museo.
g. Tú me dijiste que Alfonso compró el regalo al mediodía.
h. A la una comemos el almuerzo.
i. ¿Es posible verme a las cuatro y veintinueve de la tarde?
j. ¿Siempre van Uds. a las tres menos dieciocho?

Exercise 2. *¿Verdadero o falso?* **Does the date you hear match the one given? The dates are written in the English way. Write** *v* **for** *verdadero* **or** *f* **for** *falso.* **[CD–A, Track 4]**

a. Es el veintinueve de mayo de mil novecientos ochenta y seis.

b. Es el primero de diciembre de mil novecientos noventa.

c. Es el dieciséis de abril de mil novecientos noventa y uno.

d. Es el once de julio de mil novecientos noventa y cinco.

e. Es el veinte de enero de mil novecientos noventa y nueve.

f. Es el diecisiete de mayo de mil novecientos ochenta y cuatro.

g. Es el treinta de septiembre de mil novecientos noventa y ocho.

h. Es el primero de mayo de mil novecientos noventa y dos.

i. Es el seis de abril de mil novecientos noventa y cuatro.

j. Es el quince de agosto de mil novecientos ochenta y uno.

Exercise 3. **You will hear six different sets of plans. Listen carefully for the date, the time, and the activity. Write down each plan under the appropriate day of the week. Also include the time. Complete sentences are not necessary. You may not have something for each day. [CD–A, Track 5]**

1. Vas al médico el jueves, a las dos y media de la tarde.

2. Vas al gimnasio el sábado a las nueve de la mañana.

3. El lunes a las cinco menos cuarto de la tarde, comes la cena.

4. Vas a una película con amigos el viernes a las siete y media de la noche.

5. Te despiertas el martes a las siete menos diez.

6. El domingo vas a la iglesia a las diez y media de la mañana.

No Listening Exercises VI

Listening Exercises VII

Exercise 1. **Listen for the verb form in each sentence. Decide which form of** *estar* **to write in the blank, based on the form you hear. [CD–A, Track 6]**

a. No se siente bien.

b. La capital queda en Albany.

c. Vengo a las nueve.

d. No te quedas en casa.

e. Llegamos para ver al médico.

Exercise 2. **Listen for the verb form in each sentence. Decide which form of** *ser* **to write in the blank, based on the form you hear. [CD–A, Track 7]**

a. Trabajan en el hospital.

b. Juego al tenis.

c. Siempre visitas al doctor.

d. Nunca nos sentimos tristes.

e. María tiene buenas notas.

Exercise 3. Now decide which verb to use, *ser* or *estar*. Complete the sentences with the correct form of the verb you have chosen. [CD–A, Track 8]

a. Mi hermano no vive con nosotros.

b. Nosotros venimos de Cuba.

c. Es mediodía.

d. Mi examen es difícil.

e. Parecen tristes.

f. Arturo pinta.

g. Todavía estoy estudiando en la escuela.

h. Mañana es viernes.

i. ¿Dónde quedan los libros?

j. ¿Cómo se sienten Uds.?

Listening Exercises VIIIA

Exercise 1. Listen to each present progressive phrase. On your activity sheet, circle the subject of each sentence you heard. [CD–A, Track 9]

1. Están jugando.

2. Estoy jugando.

3. Estás jugando.

4. Estamos jugando.

5. Está jugando.

Exercise 2. Change the (simple) present tense form you hear to the corresponding form of the present progressive. [CD–A, Track 10]

a. Generalmente, ellos beben agua.

b. Generalmente, yo escucho la música clásica.

c. Por lo general, nosotros escribimos con un bolígrafo.

d. Normalmente, Ud. camina al supermercado los viernes.

e. Por lo general, tú ves la televisión.

f. Generalmente, te diviertes en el parque.

g. Normalmente, entiendes bien la lección.

h. Por lo general, yo pienso en el fin de semana.

i. Generalmente, traemos papel a la clase.

j. Normalmente, Uds. salen a la una.

Exercise 3. Match the phrase you hear to one of the drawings. Write the number of the phrase next to its corresponding picture. [CD–A, Track 11]

1. Manuela está comiendo un sandwich.

2. Ahora estás mirando la televisión.

3. José está subiendo al autobús.

4. Los jóvenes se están divirtiendo.

5. Ud. está durmiendo.

6. Estoy hablando por teléfono.

7. Son las siete en punto y el jefe está saliendo.

8. El equipo está perdiendo el partido.

9. Estás leyendo un libro.

10. El Sr. Ramírez está trabajando en la biblioteca.

Listening Exercises VIIIB

Exercise 1. Listen to the following sentences regarding activities that require the reflexive. Write the number of the sentence that matches the pictures below. [CD–A, Track 12]

1. Jorge se despide de su amigo.
2. Me desayuno.
3. Elena se mira en el espejo.
4. Los novios se abrazan.
5. Me gusta ponerme el traje.
6. Cuidado cuando te afeitas.
7. Alonso se levanta tarde.
8. Me cepillo los dientes todos los días.
9. El niño se baña por la mañana.
10. Mi padre está cansado. Se duerme.

Exercise 2. You and your friends agree with everything your friend Jorge says. Change the reflexive verb form you hear to the *nosotros* form. [CD–A, Track 13]

a. Yo me peino antes de ir a la escuela.
b. Me voy a la universidad.
c. Me gusta dormirme tarde.
d. Me despierto a las siete.
e. Cuando hace frío, me pongo la chaqueta.

Exercise 3. Agree with your parents' assertions by changing the infinitive you hear to the *yo* form. [CD–A, Track 14]

a. Es necesario acostarse temprano.
b. Es necesario bañarse todos los días.
c. Es necesario ir a tiempo a la iglesia.
d. Es necesario levantarse cuando suena el despertador.
e. Es necesario ponerse buena ropa.

Exercise 4. Decide who is the subject in each sentence by listening for the reflexive verb form. Mark an "x" next to your decision. [CD–A, Track 15]

a. Generalmente, se ponen el abrigo.
b. Por la mañana, se afeitan.
c. ¿Cuándo se va? ¿Por la noche?
d. No quieren abrazarse.
e. Dice que se viste mal.
f. La fiesta es buena y se divierten.
g. No es vana. No se mira en el espejo mucho.
h. Duerme mal.
i. Usan la afeitadora para cortarse la barba.
j. Tiene buena ropa. Se viste bien.

LIFEPAC TWO

Listening Exercises I

**Exercise 1. Match the number of the phrase you hear to the picture that represents its action.
[CD–B, Track 1]**

1. Carlitos y yo montamos en motocicleta.
2. Las estudiantes tienen que pasar la aspiradora por la sala.
3. ¿Estudia Elena?
4. ¿Se están paseando los novios en el parque?
5. Tú juegas un juego de ajedrez.
6. El atleta corre un maratón de cinco kilómetros.
7. Acabo de cortar el césped para mi papá.
8. A mi tía le gusta charlar por teléfono.
9. Los chicos limpian la casa antes del regreso de sus padres.
10. Cuando vamos de camping, nos divertimos mucho.

Exercise 2. ¿Verdadero o falso? Decide if the phrase you hear matches the picture. If it matches, write *verdadero*. If it does not, write *falso*, and fill in the blank with an agreeing verb form that describes the action in the picture. [CD–B, Track 2]

a. Paulito hace la cama.
b. Juan Carlos viaja por avión.
c. Mamá le da de comer al niño.
d. Prefieres dibujar con los creyones.
e. Hace calor. Nadan en la piscina.
f. La profesora trabaja en la universidad.
g. Toco un instrumento en la orquesta.
h. Mi amigo me conduce a la escuela.
i. Los viernes salimos al café.
j. En la clase de gimnasio hacemos los ejercicios.

Exercise 3. Circle the most appropriate response for each question you hear. [CD–B, Track 3]

1. ¿Qué estudias en clase?
2. Estudias el arte en la universidad, ¿verdad?
3. ¿Limpias la casa ahora?
4. ¿Cómo viajas al parque?
5. ¿Qué hace el mecánico con tu automóvil?
6. ¿A quién visitas?
7. ¿Qué estás leyendo?
8. ¿Dónde trabaja tu hermano?
9. ¿Qué escuchas?
10. ¿Adónde va de camping?

Listening Exercises II

Exercise 1. Decide whether the following people have completed an activity or have continued it for some time. Listen for the particular expression of time. Circle your answer. [CD–B, Track 4]

a. Hace media hora que no puedes usar el teléfono.
b. ¿Cuánto tiempo hace que corre ella?
c. ¿Recientemente acabas de volver a la biblioteca?
d. ¿Cuánto dinero acabas de ganar en el concurso?
e. Hace cinco meses que tocan el piano.

Exercise 2. For how long have these people been working in the library? Circle your answer. [CD–B, Track 5]

1. Hace tres horas que escribo la tarea.
2. Hace quince minutos que busco mi revista favorita.
3. Hace media hora que Jorge duerme.
4. Hace cuarenta y cinco minutos que las estudiantes copian los apuntes.
5. Hace dos horas que leemos la enciclopedia.
6. Hace noventa minutos que trabajo con una computadora.
7. Hace todo el día que hacen las tareas para la clase de inglés.

Exercise 3. Decide what each person must have just done in order to respond to the questions you hear. You have two jobs: write the correct form of *acabar de* in the blanks provided, and circle the most appropriate action. [CD–B, Track 6]

1. ¿Por qué no comes el sandwich?
2. ¿Por qué están Uds. cansados?
3. ¿Por qué recibes buenas notas en la clase?
4. ¿Por qué pones la mesa?
5. ¿Por qué no quieren Uds. ver la película?
6. ¿Por qué vienes del garaje?
7. ¿Por qué descansa José?
8. ¿Por qué no te interesa la novela?

Listening Exercises III

Exercise 1. Determine the subject of each sentence you hear by listening to the preterit verb form. Circle your answer. [CD–B, Track 7]

1. Caminaste al parque.
2. ¿Por qué fue a ese edificio?
3. El viernes leyeron un libro interesante.
4. En mil novecientos cincuenta y seis vivimos en Nueva York.
5. Ayer hizo un regalo para ti.
6. Pasó un mal día.
7. Preferiste el vino tinto.
8. Llegué a las nueve y tres.
9. En la sala miró una buena película.
10. No supimos el nombre del señor.

Exercise 2. Determine whether the following actions occurred yesterday (ayer) or are happening today (hoy) by listening for the tense of the verb form. Circle your answer. [CD–B, Track 8]

1. Uds. no quisieron limpiar el garaje.
2. Benjamín no supo la respuesta correcta.
3. Me gusta bailar.
4. Para la clase de ciencias, escribiste una tarea muy larga.
5. Mis hermanos se visten de un short y una camiseta.
6. Siempre pedimos la tarta en nuestro café favorito.
7. ¿Quién jugó al tenis allí?
8. Tengo catorce años.
9. La semana pasada no pudiste terminar el proyecto.
10. Comimos demasiados tacos.

Exercise 3. You will hear of an event told in the present tense in each sentence. Change the verb form to the corresponding preterit form. [CD–B, Track 9]

a. El jueves tú hablas con Linda.
b. No quiero barrer la cocina.
c. Se divierten mucho en la playa.
d. ¿No tiene Ud. el permiso de conducir?
e. Jugamos al béisbol en el campo deportivo.
f. En la clase de español el profesor muestra una película.
g. ¿Estoy sentado cerca de ella?
h. Ellos no se acuestan a las once.
i. Sigo el coche delante de mí.
j. Vas a la oficina de turismo.

Listening Exercises IV

Exercise 1. Decide if the following events are narrated in the present or past tense. Circle your answer. [CD–B, Track 10]

a. La secretaria está escribiendo a máquina.
b. Busco un apartamento con tres dormitorios.
c. Se va del edificio.
d. Hacía calor.
e. Supe la respuesta.
f. A esa hora hablaba por teléfono.
g. No barren el piso.
h. Mi hermano mayor limpió la casa.
i. Eran las ocho cuando ocurrió el accidente.
j. Me estoy paseando por el parque.

Exercise 2. Which verb tense do you hear: the present, the present progressive, the preterit, or the imperfect? Circle your answer. [CD–B, Track 11]

a. El sábado pusieron los sombreros en el ropero.
b. Por fin terminé con la tarea.
c. Uds. no se están maquillando en el baño.
d. Tengo que mirar esa película.
e. No prefería esa comida.
f. Carla y Chamo van a escuchar la radio.
g. Margarita y su prima están discutiendo las noticias.
h. Fue ayer.
i. Los domingos jugábamos al fútbol americano.
j. ¿Quieres ayudarme a cortar el césped?

Exercise 3. Change the present tense verb form you hear to the corresponding form of the imperfect tense. [CD–B, Track 12]

a. yo paso
b. nosotros vamos
c. tú te acuestas
d. tú eres
e. ella da
f. ellos necesitan
g. yo sigo
h. Ud. friega
i. Uds. ven
j. José duerme

No Listening Exercises V, VI, or VII

SELF TEST VII
Listening Exercises

7.01 To whom is this person speaking? Decide if it's el *Sr. Ramirez* or *Chamo* (if it's a formal or informal situation). Circle the name of the person. [CD–B, Track 13]

a. ¿Cómo se llama?
b. ¡Oye!
c. Buenos días.
d. ¿Qué quieres tú?
e. ¡Chau!
f. ¿Cómo está Ud?
g. Mucho gusto.
h. ¡Hola!
i. Usted es muy simpático.
j. Adiós.

7.02 **Choose the appropriate greeting for each person identified (whose names you will hear). Circle your answer. [CD–B, Track 14]**

a. la madre de tu amigo
b. la Sra. Montoya
c. una profesora
d. un policía
e. Federico

f. los amigos
g. la hermana
h. el presidente de los Estados Unidos
i. Carmen
j. el Sr. Otero

LIFEPAC 2 TEST
Listening

1. **Listen to the sentences. Circle the tense of each verb. [CD–B, Track 15]**

1. Beatriz pidió el agua mineral.
2. Virginia y Teresa están regresando a las nueve menos diez.
3. ¿Quién sabía la respuesta?
4. Escribí la tarea ayer.
5. Generalmente, ¿cuándo te duchas?
6. Los domingos Alejandro veía una función en el museo.

7. ¿Cómo se llamó?
8. No quisimos ayudar.
9. Ella es mi prima.
10. ¡Ay! La pobrecita se está durmiendo en los brazos de su papá.

2. **Match the sentence you hear to the picture it describes. Write the number of the matching sentence in the blank. [CD–B, Track 16]**

1. ¡Cuánto me gusta viajar por avión!
2. Mi primo tiene que hacer la cama.
3. Conduzco a la escuela.
4. Felipe está leyendo una revista.
5. La abuela le da de comer a su nieto.
6. Los sábados paso la aspiradora por la sala.

7. La señorita trabaja en el jardín.
8. Cuando llueve, jugamos unos juegos.
9. Todos los días Rosario charla por teléfono con su amiga.
10. Esteban, favor de quitar la mesa.

LIFEPAC THREE
Listening Exercises I

Exercise 1. Decide in what room each person must be. Write the name of that room, in Spanish, in the blank. [CD–B, Track 19]

a. Mamá pone la sartén sobre la estufa. Prepara la salsa en la olla. Saca la mantequilla del refrigerador.

b. Los chicos se visten. Sacan las camisetas de la cómoda y los pantalones del armario.

c. Tú cenaste. Bebiste el agua de un vaso de cristal. Serviste la carne asada en los platos muy finos. Cinco amigos estaban sentados a la mesa. La luz vino de tres velas.

d. La tarea está en la pizarra. Los estudiantes sacan los diccionarios del estante de libros. Una estudiante usa el sacapuntas.

e. Me lavé las manos y la cara en el lavabo. Me miré en el espejo. Me sequé con una toalla azul. Me cepillé los dientes.

Exercise 2. Decide what kind of tool, object, or piece of furniture each person must need in the situations being described. Circle your answer. [CD–B, Track 20]

1. Mercedes va al jardín. Ella cuida las plantas. Hace mucho tiempo que no llueve.
2. Josefina y Raúl tienen una cita en un restaurante formal. Buscan la ropa elegante.
3. Mi familia come el biftec.
4. Los libros están en la mesa. Voy a arreglarlos.
5. Tengo que hacer mucha tarea. Voy a escribir una tarea muy larga.
6. La profesora está a la pizarra.
7. Tú llegas a casa del supermercado. Tienes muchas bolsas llenas.
8. Limpio la bañera.
9. La sala está fría. Necesita calentarla.
10. Angelita está mirándose.

Exercise 3. Match the sentence you hear to the picture that is being described, by writing the number of each sentence in the appropriate blank. [CD–B, Track 21]

1. Friego los platos.
2. La báscula dice que peso ciento veintiséis libras.
3. El sofá es viejo.
4. Mi bicicleta está en el garaje.
5. La papelera está entre el escritorio y la bandera.
6. Ya puse la mesa. Los tenedores, los cuchillos y las cucharas están en la mesa.
7. Hay un fuego en la chimenea.
8. La ventana tiene unas cortinas con florecitas.
9. Hay muchas plantas en el jardín.
10. Pone el libro sobre la mesa de noche.

Listening Exercises II

Exercise 1. Listen to the sentence fragments. Decide whether the preterit or imperfect form of the verb given is needed to complete the sentence, and circle the correct answer. **[CD–B, Track 22]**

1. calor
2. sol
3. trece años
4. a la playa el mes pasado
5. el sábado por la mañana
6. a las seis de la noche
7. mucha nieve
8. de compras el otro día
9. de repente un ruido en la cocina
10. un traje de baño azul

Exercise 2. Listen to the sentences. Circle the reason for the given verb form in each sentence. **[CD–B, Track 23]**

1. Anoche llegué a casa a las nueve.
2. Todos los domingos leía el periódico en la sala.
3. Era inteligente.
4. Tenían quince años.
5. Fui a la gasolinera el cinco de abril.
6. Siempre me gustaba visitarlo todos los días.
7. Era el veinticuatro de julio.
8. Eran las once menos dieciocho.
9. En un minuto terminé la tarea.
10. Viajábamos allí todos los otoños.

Listening Exercises III

Exercise 1. Circle the verb phrase that correctly answers the question. **[CD–B, Track 24]**

a. ¿Qué pasó a las ocho de la mañana ayer?
b. ¿Qué hacías cuando el jefe hizo un anuncio importante?
c. ¿Con quién hablabas cuando empezó la clase?
d. ¿Qué hora era cuando almorzaste?
e. ¿Fuiste a la escuela en carro ayer?
f. ¿Por qué visitaste a la señora enferma?
g. ¿Leíste la tarea?
h. ¿Qué hacías mientras yo estaba en la clase de arte?
i. ¿Adónde fuiste a las dos y media?
j. ¿Llevaste una chaqueta nueva ayer?

Exercise 2. A teacher is asking students for excuses as to their behavior. Circle the appropriate verb form and tense for each response. **[CD–B, Track 25]**

a. ¿Por qué llegas tarde para mi clase?
b. ¿Por qué no tienes lápiz?
c. ¿Dónde está tu cuaderno?
d. ¿Por qué estás hablando ahora?
e. ¿Por qué no copias los apuntes?
f. ¿Por qué no tienes tu libro?
g. ¿Por qué no me escuchas?
h. ¿Por qué no escribes la tarea?
i. ¿Por qué miras por la ventana?
j. ¿Por qué levantaste la mano?

No Listening Exercises IV

LIFEPAC TEST
Listening

Exercise 1. Decide in which area of the home each person may be. Listen for the specific activities mentioned and circle the correct answer. [CD–B, Track 26]

a.   Yo me seco con una toalla blanca.

b.   Juan se sienta en un sillón para mirar el programa.

c.   Mamá prepara una comida de carne y frijoles.

d.   Necesito la manguera para regar las flores.

e.   Te pones la mesa con los vasos de cristal.

f.   Mi escritorio está a la derecha de la cama.

g.   Hay una ducha y una bañera grande.

h.   Papá repara el coche con sus herramientas.

i.   Tomamos el cereal y el pan tostado.

j.   El niño se duerme a las ocho de la noche.

Exercise 2. Place the number of the sentence next to the picture it matches. [CD–B, Track 27]

1.   Hay un mapa en la pared de la clase.

2.   Necesito una alfombra para mi dormitorio.

3.   Carlos pone la mesa, pero no pone la cuchara al lado del cuchillo.

4.   ¿Dónde está el cortacésped?

5.   Ponemos los platos limpios en el gabinete.

6.   No me gusta beber el café. Prefiero la leche.

7.   Hay dos toallas cerca del espejo grande.

8.   Vamos a comprar una lámpara y una mesa de noche para el dormitorio.

9.   Patricia hizo unas cortinas muy bonitas con flores.

Exercise 3. Listen for the verb tense and phrase. Decide when the activity occurred (or is occurring) by placing a check mark next to your choice. [CD–B, Track 28]

a.   Hace diez años que yo fui a California con mis abuelos.

b.   Hace seis meses que vivimos en esta casa.

c.   Hace dos días que mi tío trabaja con mi padre.

d.   Hace media hora que Carlos salió para el trabajo.

e.   Hace cinco minutos que terminamos el examen.

f.   Estudian en la biblioteca con Carmen y Pedro.

g.   Hace muchos años que los españoles vinieron a México.

h.   Hace tres semanas que tú cantas en la iglesia los domingos.

i.   Roberto leyó dos novelas el año pasado.

j.   Nosotros comemos en el comedor para celebrar el cumpleaños de mi hermano.

LIFEPAC FOUR
Listening Exercises I

Exercise 1. **You will hear a question about each drawing. Decide if that sentence accurately describes the drawing. If it is accurate, write an agreeing sentence. If not, correct the sentence you heard by identifying the drawing accurately. [CD–C, Track 1]**

> **Example:** ¿Es una bufanda?　　**No, es una gorra.**
> 　　　　　　　¿Es una falda?　　　**Sí, es una falda.**

1. ¿Son pendientes?
2. ¿Son calcetines?
3. ¿Es una blusa?
4. ¿Es un short?
5. ¿Es una mochila?

6. ¿Es una camiseta?
7. ¿Son aretes?
8. ¿Es un paraguas?
9. ¿Es una corbata?
10. ¿Es una billetera?

Exercise 2. **Look at each illustration as you listen to a description of it. Decide what items of clothing are mentioned in each description. Complete the sentences according to the drawings and the description. [CD–C, Track 2]**

1. Lleva la ropa deportiva. Lleva una gorra blanca, tenis, jeans y una chaqueta azul.
2. Lleva un vestido largo y amarillo. Sus zapatos son negros. No son de tacones altos; son de tacones bajos.
3. Está en el jardín. Lleva un short y una blusa rosada. Sus zapatos son negros y sus calcetines son blancos. No lleva guantes pero tiene un sombrero.

4. Hace mucho viento. Lleva una falda azul y una blusa blanca. Su bolsa es negra y su sombrero es negro.
5. Van a la playa. Llevan un short, pero no llevan una camiseta. Necesitan una gorra a causa del sol. No llevan ropa elegante.

Exercise 3. **Look over the drawings below. As you listen to each description, decide which person is being described. Write the number of your choice in the blank. [CD–C, Track 3]**

1. Es muy elegante. Lleva una falda anaranjada y una blusa roja. Sus zapatos son de tacones altos y su bufanda es roja también.
2. Está de vacaciones. Está descansando. Lleva ropa informal: un short verde y una camiseta azul.
3. Va a montar a caballo. Se pone vaqueros y una camisa amarilla. Lleva un sombrero de color café.

4. Hace frío y va a llover. Lleva un paraguas, pero con el viento es imposible ponerse el sombrero y abrir el impermeable.
5. Su traje es nuevo y elegante. Lleva una corbata azul y zapatos negros. Va a la boda de su tío.

Listening Exercises II

Exercise 1. Who could be the owner of each item? Based on what you hear, circle your answer. [CD–C, Track 4]

a. Es el juego de ellos.
b. Es nuestro primo.
c. Son los relojes suyos.
d. Tienen las tareas de él.
e. Tu revista está aquí.

f. Pierdo mis llaves.
g. Es la computadora de Marina.
h. Son las ideas de los jóvenes.
i. El suéter es mío.
j. Prefieres los poemas tuyos.

Exercise 2. Again, who could be the owner of each item? This time, choose the appropriate possessive adjective. [CD–C, Track 5]

a. el amigo tuyo
b. la familia de nosotros
c. el balón de ellos
d. las notas de Ud.
e. el equipo de Chela y de mí

f. la ayuda de él
g. los calcetines de Uds.
h. el trabajo de mí
i. la casa de ella
j. los parientes de Ramón

Exercise 3. Choose and circle the agreeing possessive pronoun, based upon each statement you hear. [CD–C, Track 6]

a. Por la mañana escribo mi tarea.
b. Preparamos nuestro desayuno.
c. Mamá lava la ropa de sus niños.
d. Escucho tu presentación.
e. Pasamos por su casa.

f. No entiendo tus palabras.
g. El cliente rechaza nuestra oferta.
h. No terminó sus tareas.
i. Compraste nuestros zapatos.
j. Oí su voz.

Listening Exercises III

Exercise 1. Circle the appropriate Spanish expression of the English gerund that you hear in each phrase: the infinitive or the present participle. [CD–C, Track 7]

a. El niño llora, gritando horriblemente.
b. Trato de comprender la lección difícil.
c. No te gusta asistir a la clase.
d. Al vender el coche a buen precio, estaba muy contenta.
e. Salieron dejando a unos amigos especiales.
f. No oigo cuando estás tocando los discos compactos.

g. Pasas el fin de semana visitando a los abuelos.
h. Se entristecen al despedirse de Ud.
i. Cuando está jugando al básquetbol, se siente vivo.
j. Nos paseamos silbando por el parque.

Exercise 2. Complete the phrase by choosing the correct verb form (the infinitive or the present participle). [CD–C, Track 8]

a. Estamos...

b. Se desmayó al...

c. Está...

d. Ella sigue...

e. Desafortunadamente, en mi dormitorio...

f. Los pobres siguen al rey...

g. Pagué al mesero al...

h. Se hicieron ricos al...

i. Ahora yo estoy...

j. A ellos no les gusta...

Exercise 3. Decide how to rewrite the phrases you hear with a gerund expression: an infinitive, *al* + infinitive, or a present participial phrase. Conjugate the verbs where necessary. [CD–C, Track 9]

a. yo / seguir / hablar / con él

b. ellos/salir / llorar / de la casa

c. al / leer por mucho tiempo / tú / estar cansado

d. nosotros/estar / jugar al fútbol

e. al recibir la llamada / Juan / salir

LIFEPAC TEST
Listening

1. **Paco is describing what clothing he sees on other people. Listen to each description carefully. For each question, circle the items you heard mentioned. Also, make note of the qualities he describes. [CD–C, Track 10]**

    1. Yo veo que ella lleva un abrigo porque hace frío. Sus guantes parecen nuevos, pero su bufanda está un poco sucia.

    2. Aquí viene un hombre muy rico. Sus zapatos brillan. Su traje es muy fino, y parece que su corbata es de seda.

    3. ¡Mira a esa chica! Su suéter debe de ser de su hermano porque es muy grande. Lleva también vaqueros.

    4. Esa dama se viste bien. Su traje es muy fino. Los diamantes de sus pendientes deben de costar mucho dinero.

    5. Aquí viene una señora en un traje amarillo, mi color favorito. ¡Qué bonito!

    6. Ese hombre se viste extrañamente. Lleva muchos colores. Su short es azul, sus calcetines son de verde claro y su camiseta es roja.

    7. Él no va al trabajo hoy. Sus vaqueros y su camiseta son demasiado informales para eso.

    8. La señorita que lleva el abrigo tiene una bolsa vieja.

    9. ¡La pobre señora! Su traje le queda bien pero parece que sus zapatos de tacones altos son muy grandes. No camina bien.

    10. Hay un chico que camina con su mamá. Él dice que las botas son apretadas y que no le gusta llevar el paraguas.

2. **Whose supplies are these? For each sentence you hear, make a note of who owns them by circling the agreeing English expression. [CD–C, Track 11]**

1. ¿Dónde está tu padre?
2. Son las mías.
3. Tengo el libro de él.
4. Pero ésta no es la chaqueta de Ud.
5. Pierden las llaves de sus padres.
6. Su vestido no le queda bien.
7. No te olvidas de lavar tu perro el sábado.
8. Puedes pedir prestado nuestro coche.
9. Todos saben que los guantes míos son nuevos.
10. El hombre es el tío de Uds.

3. **Label each picture with the letter of the correct sentence as you hear each description. [CD–C, Track 12]**

a. Traes tu traje de baño.
b. Le gusta su paraguas.
c. Mi collar y mis pendientes son muy caros.
d. A su esposo le gustan su falda y su blusa.
e. Su traje es bueno para el trabajo.
f. Ella lleva un vestido elegante.
g. Trae la chaqueta del juego de béisbol.
h. Tu camisa es muy bonita con la corbata.
i. Compro mi short en una tienda deportiva.
j. Lleva su gorra constantemente.

LIFEPAC FIVE
Listening Exercises I

Exercise 1. Whose job is being described? Circle the correct profession. [CD–C, Track 14]

a. Hace muchas investigaciones; entonces hace la tarea.

b. Lee, escribe y revisa los artículos para su revista.

c. Mantiene las cuentas y los formularios de los impuestos de sus clientes.

d. Escribe cartas para la jefa.

e. Programa computadoras.

f. Diseña esquemáticos electrónicos.

g. Hace un plan para construir una casa.

h. Le gusta crear obras de arte.

i. Dibuja historietas.

j. Escribe libros.

Exercise 2. Match the number of the sentence to a picture below. [CD–C, Track 15]

1. Necesito el archivador.
2. Mi oficina tiene una papelera.
3. Necesito sobres.
4. Me siento en mi silla favorita.
5. Es imposible escribir a máquina sin el teclado.
6. Pongo los apuntes en orden en el cuaderno.
7. Hago seis copias de la foto en la impresora.
8. Es divertido mirar la creación de los diseños en la pantalla.
9. Sin la copiadora, es imposible trabajar.
10. Es posible comunicar por teléfono durante la reunión.

Exercise 3. Decide what activity each person is involved in by listening to the tools he or she uses. Write the Spanish infinitive. [CD–C, Track 16]

a. Yo necesito un diccionario de español, un cuaderno y un bolígrafo.

b. Tiene cartas, mucho papel y un bolígrafo.

c. Usa el teléfono o el correo electrónico.

d. Usa un archivador y documentos.

e. Tengo que terminar el esquemático.

f. Escribe en el registro de impuestos.

g. Leo y reviso un artículo.

h. Uso una carta, un sobre y dos sellos.

i. Tengo un documento y una copiadora.

j. Tengo los libros para todas mis clases.

Listening Exercises II

Exercise 1. **Decide if each sentence is the reflexive (R) or impersonal (I) *se*. Circle the appropriate letter.**
[CD–C, Track 17]

a.   Se escriben los documentos.

b.   Se bañan por la mañana.

c.   Se prepara el trabajo.

d.   Se juega el fútbol.

e.   Se conduce el coche.

f.   Se viste bien.

g.   Se miran en el espejo.

h.   Se llama Olga.

i.   Se necesita ayuda.

j.   Se ponen las chaquetas.

Exercise 2. **You will hear a short passage read in Spanish. Review the questions before listening.** The first time you hear the passage, listen to the Spanish. The second time you hear the passage, mentally search for the answers. Choose your answers AFTER you have heard the passage twice.
[CD–C, Track 18]

¡Ay, Consuelo! Acabo de decorar la sala otra vez. Todos los muebles son nuevos. Puse el sofá delante de la ventana. El sillón nuevo es azul. Lo puse al lado de la chimenea. Frente al sillón está el televisor. Una lámpara magnífica está entre el sillón y la chimenea. Y puse el teléfono fuera de la sala; es más tranquilo allí ahora. Encima de la chimenea colgué un retrato de nuestra familia.

Exercise 3. Rewrite the statements you hear using the impersonal *se* forms of *poner*. [CD–C, Track 19]

Example: El lapíz está sobre la computadora.
Se pone el lápiz sobre la computadora.

You may wish to pause the CD for just a few seconds more to give students time to think about and write the answers. It's perfectly acceptable if they need to hear the sentence a third time.

a.   Los papeles están en la papelera.

b.   La oficina está abajo.

c.   La impresora está cerca del archivador.

d.   Los bolígrafos están debajo del escritorio.

e.   Hay un esquemático a la izquierda de la pantalla.

f.   El teclado está delante de la pantalla.

g.   La silla está cerca del teléfono.

h.   Hay una copiadora lejos de la oficina.

i.   Los libros están en el estante.

j.   Una revista está debajo de los libros.

Listening Exercises III

Exercise 1. **Identify the pronoun you hear in each sentence as an object, subject, or prepositional pronoun. Circle the correct answer. [CD–C, Track 20]**

a. Me estás hablando.

b. ¿Por qué quieren Uds. salir temprano?

c. Puedes oírme bien.

d. La torta no es para ti.

e. De vez en cuando nos ayuda.

f. Te veré mañana.

g. Necesito buscar un regalo para él.

h. Él trae el postre.

i. ¿Quién está hablando con nosotros?

j. Hoy se lo buscan.

Exercise 2. **Circle the direct object pronoun that agrees with the direct object you hear in each sentence. [CD–C, Track 21]**

a. No puedo ver bien la pantalla.

b. Tú golpeas la pelota.

c. Le gusta ayudar a los estudiantes.

d. Ella come tres hamburguesas.

e. Vimos un buen programa en la televisión ayer.

f. Conoces a Raúl.

g. Pueden hablar bien el inglés.

h. ¿Compra Ud. un vólibol?

i. Tiene que pasar la estación del metro.

j. Escribe muchos artículos.

Exercise 3. **Circle the prepositional pronoun that agrees with the indirect object pronoun you hear in each sentence. [CD–C, Track 22]**

a. ¿Qué te gusta?

b. No les pago.

c. ¿Cómo le habla?

d. Nos dice la verdad.

e. Mamá me prepara el desayuno.

f. Van a escribirles.

g. El traje le queda bien.

h. Nos puede cantar.

i. Te presento a mi primo.

j. ¿Me compra Luis algo bonito?

LIFEPAC SIX
Listening Exercises I

Exercise 1. Listen to each person's situation. Indicate his/her profession by choosing the correct word. Circle your choice. [CD–D, Track 1]

a. Conduzco un camión grande. Llevo frutas y verduras a los supermercados. Tengo que llevar cajas muy grandes.

b. Uso la computadora. Archivo. Preparo los apuntes para la gerente.

c. Mi trabajo es muy difícil. Nunca estoy aburrido. Tengo muchos clientes importantes.

d. El Sr. Contreras salió del puesto ayer. Ahora nos faltan dos empleados. Necesito buscar dos empleados nuevos.

e. Escribo muchas novelas. También me gusta componer poemas.

f. Estoy seguro de mis aptitudes. Me gusta vender coches nuevos.

g. Llevo un traje fino. Dirijo la reunión. La secretaria toma apuntes.

h. Quiero hablar de mis aptitudes con el presidente de la compañía. Quiero avanzar a un puesto más alto.

i. Quiero buscar un puesto. Preparo los impuestos. Me gustan las matemáticas.

j. Estoy en casa. Cuido a mis hijos. No tengo trabajo fuera de la casa.

Exercise 2. Write *V* if the statement you hear is true. Write *F* it is false. Correct the false statements. [CD–D, Track 2]

a. Tiene la información del aspirante. Da su dirección, su número de teléfono, su educación y su experiencia profesional.

b. Pinta retratos bonitos. Le gusta crear retratos de frutas y de niños.

c. Hago las citas para las entrevistas con aspirantes. Uso la computadora. Tomo apuntes y tengo que archivar documentos.

d. Trabajo en un hospital. Cuido a la gente enferma. Les doy su medicina.

e. Preparo los impuestos. Tengo que calcular y dar información financiera a mis clientes.

f. Me gustan los esquemáticos. Trabajo en una compañía grande. Tengo que diseñar edificios.

g. Soy el menor de la casa. Duermo y lloro mucho. Mi madre me cuida en casa.

h. Voy a las clases y estudio en la biblioteca. Quiero recibir muy buenas notas. Voy a graduarme en mayo.

i. Necesito dos empleados más. Yo tengo que ofrecer dos puestos después de las entrevistas.

j. Es un trabajo de ocho horas cada día. Trabaja de las ocho de la mañana a las cinco de la tarde.

Exercise 3. Describe what each person is about to do based on the description of each situation. Use the current vocabulary and complete Spanish sentences. [CD–D, Track 3]

a. Mañana voy a la compañía a las ocho. Voy a hablar con el gerente. Tengo una cita con él.

b. Acabo de graduarme de la escuela secundaria. No asisto a la universidad porque deseo trabajar. Compro un periódico. Busco en los anuncios.

c. Este puesto ya no me gusta. Acabo de capacitarme para aprender nuevas aptitudes.

d. Escribo mi nombre y mi apellido al principio de todo. Debo incluir una descripción de mi experiencia profesional y las referencias.

e. Necesitamos tener una reunión. A ver, no puedo venir a las doce mañana, pero el jueves es bueno para mí.

f. Mi trabajo es muy competitivo. No me pagan mucho de sueldo. Voy a recibir premios monetarios por trabajar bien.

No Listening Exercises II.

Listening Exercises III

Exercise 1. Listen to the comparisons. Circle the one that matches the given quality. [CD–D, Track 4]

a. José es más alto que Mateo.

b. Patricio es mayor que Diego.

c. Nicolás es menos simpático que Mariel.

d. La deshonra es peor que la antipatía.

e. Un kilómetro es más corto que una milla.

f. MariCarmen es menos alta que Celia.

g. Yo soy menor que mi primo.

h. Mi tío es menos fuerte que mi papá.

i. El coche rojo es menos caro que el coche azul.

j. Los calcetines están mas sucios que el suéter.

Exercise 2. Decide if the following statements you will hear match the pictures below. Write *V* for *verdadero* or *F* for *falso* in the space provided. Correct the false statements. [CD–D, Track 5]

a. La chica más gorda está a la izquierda.

b. El carro treinta y dos está detrás del carro doce.

c. El chico a la izquierda come un sandwich.

d. La familia tiene el padre, la madre y un bebé.

e. A los amigos les gusta la música de la señora. Toca muy bien.

f. Carmen lava la ropa. No quiere tener los calcetines sucios.

g. Los estudiantes están muy aburridos. No hacen la tarea.

h. La camisa y la corbata están arrugadas.

i. El libro más grande está debajo de los otros.

j. Pablo está entre los otros.

Exercise 3. Listen as Guillermo describes a photograph taken of his class. You will hear the passage twice. Answer the questions that follow. [CD–D, Track 6]

Aquí está mi clase. Como puedes ver, Marcos es el estudiante más grande de la clase. Él levanta pesas cada día. Mi mejor amigo no es alto; es el chico menos alto del grupo. Pero también yo creo que es el amigo más simpático de todos. Y María, ella recibe tantas buenas notas; estoy seguro de que es la joven más inteligente de la escuela y es la más trabajadora. Beto y Chela siempre nos hacen reír. Son los estudiantes más divertidos de la clase. Pero generalmente tienen más problemas con la profesora que nosotros. Verónica tiene la mejor ropa de todos nosotros. Su padre es el dueño de un almacén. Y aquí estoy yo...quizás no soy el chico más guapo de todos, ni recibo las notas más altas pero...me gusta quien soy y me gusta mi clase de amigos diferentes también.

Listening Exercises IV

Exercise 1. Listen carefully to each sentence. Decide if it refers to time, a person, place, or thing, and circle the correct answer. [CD–D, Track 7]

a. ¿Dónde está tu carro? El mío está en el garaje. ¿Y el tuyo? Está delante de la casa de Pedro.

b. ¿Cuándo es el examen de inglés? El lunes a las dos de la tarde. Tenemos que estudiar muchas horas.

c. ¿Quién es el más fuerte de los chicos? Mi primo Jorge dice que él es más fuerte que los otros porque va al gimnasio.

d. ¿Dónde está el Colegio Cervantes? Está muy lejos de la universidad. ¿Va a caminar o va a ir en coche?

e. La ensalada es muy deliciosa. Tiene cebollas, tomates, lechuga y zanahorias. Yo voy a comerla ahora porque tengo hambre.

f. Mi casa es pequeña pero cómoda. Está cerca de la biblioteca en la Calle Mercedes. Vivimos detrás del Parque Alcalde.

g. Vamos a la escuela a las siete de la mañana. Yo vuelvo a casa a las tres. Mi hermano vuelve a las cuatro. Mi hermana vuelve a las cuatro y media.

h. Hay muchos libros en el estante de libros. Hay un diccionario, tres novelas, un libro de español y un libro de matemáticas.

i. Tengo tres hermanas. Anita es la mayor. Es muy alta y bonita. Es rubia. Tiene dieciocho años. Va a graduarse en junio.

j. La oficina de la compañía es grande. Hay muchas computadoras. Hay veinte teléfonos. La secretaria tiene dos teléfonos sobre su escritorio. Me gusta trabajar allí.

Exercise 2. Listen to each question. Circle the correct response. [CD–D, Track 8]

a. ¿Hay alguien en la sala?

b. ¿Cuántos libros tiene Ud. debajo de la cama?

c. ¿Cuándo va tu abuela a la tienda a comprar zapatos?

d. ¿Cuántas camisas traen Uds. a la lavandería?

e. Ella busca a su hermano. No está ni en la sala ni en la cocina. ¿No está en su dormitorio?

f. ¿Vas al cine con tus amigos o con tus primos?

g. ¿Por qué no pides un refresco o un vaso de limonada?

h. Ella ve a su profesor antes de la clase. ¿Y Ud.?

i. ¿Por qué grita Ud. cuando quiere hablar con sus tíos?

j. ¿Comprendes la primera pregunta de la lección de ciencias?

Exercise 3. Listen to each sentence. Circle the correct translation. [CD–D, Track 9]

a. Yo no leí nada.

b. Nadie me dijo.

c. Nunca salen temprano.

d. Siempre me trae algo.

e. Nadie lo abrió.

f. Yo no voy tampoco.

g. No estudiamos nada.

h. No lo tengo.

i. Yo también.

j. Alguien escucha.

No Listening Exercises V or VI.

LIFEPAC SEVEN
Listening Exercises I

Exercise 1. Match the letter of each sentence you hear to its picture. [CD–D, Track 11]

1. Busca los asientos en medio del avión.
2. Visita la tienda de recuerdos.
3. Estaciona el coche.
4. El avión despega.
5. Se despide.
6. Se abrocha el cinturón de seguridad.
7. Mira el horario.
8. Se presenta al piloto.
9. Factura el equipaje.
10. Busca los asientos en la parte delantera del avión.

Exercise 2. Circle your choice for the most logical response to each question or statement. [CD–D, Track 12]

1. ¿Cuándo sale mi vuelo?
2. ¿Qué necesito hacer antes de abordar?
3. ¿Qué dijo el piloto?
4. ¿Adónde quiere Ud. viajar en avión?
5. ¿Dónde se puede encontrar las maletas?
6. Tengo hambre.
7. ¡Ay! ¡Necesito un regalo para mi hija!
8. No sé dónde está la puerta para mi vuelo.
9. ¿Por qué no se despide de su familia?
10. ¿Qué nos dice la azafata de hacer?

Exercise 3. Using a term from the vocabulary list, write a short sentence summarizing the actions of the following people. [CD–D, Track 13]

a. Quiero saber cuándo llega mi vuelo. Veo la información aquí.
b. Estoy esperando el momento de ver mis maletas.
c. Estoy comiendo sopa de tomate y un sandwich de queso.
d. El avión sale de la tierra.
e. Digo «Buenos días» a la azafata.
f. Espero en el mostrador de facturación con siete otras personas.
g. Muestro los documentos necesarios a la azafata.
h. Dejo mi coche en el estacionamiento.
i. Quiero informarme de las noticias importantes de hoy.
j. Muestro los documentos de identidad al aduanero.

Listening Exercises IIA

Exercise 1. You will hear a number of different present tense expressions. As you hear each one, write the corresponding future tense form in the space provided. [CD–D, Track 14]

a. Afortunadamente, están muy cerca.
b. Parece muy extraño.
c. Tiene unos cuarenta años.
d. Viene a las nueve.
e. En la tienda gastamos demasiado dinero.
f. Según el mapa, pasamos por la calle Olivas.
g. Escriben muchas cartas a sus amigos.
h. Nunca está en casa.
i. Lavan los platos todos los días.
j. Estoy seguro de eso.

Exercise 2. You will hear ten different sentences about unrelated events. When do they take place? Listen for the verb form in each sentence. If you hear a preterit form, circle *yesterday*. If you hear a present tense form, circle *today*. If you hear a future tense form, circle *tomorrow*. [CD–D, Track 15]

a. Por fin llego a tu puerta.
b. Posiblemente jugaremos mañana.
c. ¿Por qué compras eso?
d. ¿Quiénes vendrán a la tienda?
e. No supo lo que pasó.
f. Anoche yo no canté bien.
g. Después de la boda, comenzaron a llorar.
h. No me gusta.
i. ¿Cómo lo conoceremos?
j. Para las dos de la tarde nos pondremos en camino.

Exercise 3. Complete the sentences you hear by writing the future tense verb form in each sentence. [CD–D, Track 16]

a. Sus padres se marcharán el sábado y Enrique…
b. Abuelita cocinará las legumbres y mis tías…
c. Ya sé que Antonio querrá ver el campo pero nosotros…
d. Si ella tendrá quince años, tú…
e. Las botas estarán en el comedor y el impermeable…
f. ¿Concha será responsable y yo…
g. Pensaremos ir contigo pero Jorge no…
h. Si tus guantes estarán aquí, entonces dónde…
i. Yo levantaré pesas una vez por semana pero mis hermanos…
j. Lolita se preparará un poco, pero tú…

Listening Exercises IIB

Exercise 1. Things don't always go the way they should. Restate each phrase you hear in the conditional tense to describe how things *would be* normally. Be mindful that you may have to state the phrases negatively to do so. [CD–D, Track 17]

a. Hoy ellos no traen el pan a la cena.

b. Ahora lo compran en el supermercado.

c. Hoy no vamos a la escuela en bicicleta.

d. Esta semana paso tres días en la casa de Alicia.

e. Este año ella no quiere mucho para su cumpleaños.

f. Esta noche mis padres no están en el jardín.

g. Ahora mi equipo favorito pierde el partido.

h. Ahora no ponemos la mesa para el almuerzo.

i. Ahora como un postre delicioso.

j. Hoy Ud. se despierta tarde.

Exercise 2. Decide how each person would react to the following conditions and situations. Using the infinitive listed, give the conditional tense to state what would happen in each case. [CD–D, Track 18]

a. Es hora de la clase.

b. Estás enfermo.

c. Tienen hambre.

d. Asistimos a un concierto formal.

e. Hay un examen muy importante mañana.

f. Algo malo pasó delante de su casa.

g. Una buena amiga no me dice la verdad.

h. Ves un accidente en la calle.

i. Llueve hoy.

j. Son las once y media de la noche y ella tiene que despertarse a las cinco.

Exercise 3. Decide in which place or situation each person would be. Listen to the clues given. Then use a conditional form of the infinitive given to tell which choice is logical. [CD–D, Track 19]

1. Trabajo en el hospital. Hace muchos años que asistí a la universidad. Ahora ayudo a las personas enfermas. ¿Quién sería?

2. Preparo la comida. La sirvo a la gente. Después del almuerzo, lavo los platos. ¿Dónde trabajaría yo?

3. ¡Ay de mí! El tanque del coche está vacío. No hay gasolina. El coche no va. ¿Qué no podría hacer?

4. Leo el libro de geografía. Estudio el mapa. El examen es mañana. ¿Dónde estaría?

5. Archiva los documentos. Escribe una carta en la computadora. Contesta el teléfono. ¿Qué sería su profesión?

6. Traigo las gafas de sol. Llevo un traje de baño. Descansaré en la arena sobre una toalla. ¿Dónde estaría?

7. Jugamos en el gimnasio. Hay cinco personas en cada equipo. Jugamos con una pelota anaranjada. ¿Qué vamos a hacer?

8. Tomo el jugo de naranja del refrigerador. Leo el periódico mientras bebo el jugo y como los huevos fritos con el pan tostado. ¿Cuándo hago estas actividades?

9. Lleva un traje fino. Su corbata es negra. Sus zapatos de cuero están muy limpios. ¿A cuál función asistiría?

10. Como un sandwich con papas fritas y tomo un refresco. Vuelvo a clase después de comer. ¿Cuál comida como?

No Listening Exercises III or IV.

LIFEPAC EIGHT
Listening Exercises I

Exercise 1. Identify the picture you hear described by writing the number of the question next to it. [CD–E, Track 1]

1. ¿No brillan mucho las ruedas? Acabo de lavarlas.
2. Favor de cambiar la estación de radio. No me gusta ésa.
3. Este coche corre muy rápidamente gracias a un motor grande y poderoso.
4. El parachoques recibió mucho daño en el accidente.
5. ¿No oyes la bocina? Hace mucho ruido.
6. Abre la puerta para entrar.
7. Mi padre acaba de cambiar el parabrisas roto.
8. Los faros brillan mucho.
9. Tiene que limpiar las llantas también.
10. Todos los pasajeros necesitan abrocharse los cinturones de seguridad.

Exercise 2. Decide which term would most logically complete the sentences you hear. Circle the correct letter. [CD–E, Track 2]

1. Cuando _____ un auto, tienes que devolverlo a tiempo.
2. Es necesario _____ cuando has pedido un préstamo.
3. El coche no _____ bien con los frenos malos.
4. Mi padre _____ porque hay muchos niños que juegan en la calle.
5. _____ el coche con las dos manos en el volante.
6. Mi hermano siempre _____ el tanque para mis padres.
7. No puedes ir al trabajo. El motor no _____.
8. La radio es vieja pero _____ la música muy bien.
9. ¿Por qué _____ a la derecha? Necesitamos ir a la izquierda.
10. Llueve muchísimo. Es buena idea _____

Exercise 3. Identify which part of the car is best described by the definitions you will hear. Write the letter of the matching sentence next to the appropriate car part. [CD–E, Track 3]

a. Se lleva el equipaje aquí.
b. Se llena con la gasolina.
c. Si éste no funciona, el coche no va a ningún lugar.
d. Señalan a la derecha y a la izquierda.
e. Se usa para dirigir el auto.
f. Ilumina el interior del coche.
g. Protege el coche contra los choques.
h. Quita el polvo y la lluvia del parabrisas.
i. Cubren las ruedas para que el coche ande suavemente.
j. Se usa para acelerar.

Listening Exercises II

Exercise 1. **The teacher is thinking about her class. She remembers in what order the students arrived at class today. Follow her thoughts and mark in what place each student came. [CD–E, Track 4]**

a.   Luisa es la sexta estudiante que entró en la clase.

b.   MariCarmen y Beto entraron juntos; son el noveno que vinieron.

c.   Ah, aquí está Chamo, el séptimo joven que entró hoy.

d.   Guillermo siempre es el primer chico que llega a la clase.

e.   Y ahora viene Carlos. Es el segundo joven. Su novia Marina, la tercera, llegó después de él.

f.   Después de Chamo vino Antonio. Recuerdo que fue el octavo estudiante.

g.   Manolo fue el quinto joven de entrar hoy, y antes de él vino la cuarta estudiante, Elisa.

h.   Y siempre tarde es el décimo estudiante, Marcos.

Exercise 2. **Listen carefully for the past participle in each sentence. Choose the infinitive which corresponds to each participle you hear. [CD–E, Track 5]**

a.   La familia ya ha ido al parque.

b.   ¿Quién ha puesto los zapatos sobre la mesa?

c.   Este señor nos ha hablado muchas veces.

d.   ¿Esta película? La he visto muchas veces.

e.   El equipo ha jugado bien, ¿verdad?

f.   Las hermanas han pensado en todo.

g.   ¿Está la ventana abierta? Hace frío.

h.   Mi hijo ha vendido su coche.

i.   ¡Ay! ¡Qué mal hemos dormido! Todavía estamos cansados.

j.   Lo siento. No he hecho la tarea. La devuelvo mañana.

Exercise 3. **Listen for the impersonal *se* expression in each sentence. Write the past participle for each verb given with *se*. [CD–E, Track 6]**

a.   No se paran los coches en la carretera.

b.   En la casa de Nicolás se habla francés.

c.   No se usa ese lago para bañarse.

d.   ¿Dónde se sienta para la ceremonia?

e.   Se compran frutas muy frescas en el mercado.

f.   Se dan muchos regalos.

g.   Se separan las chicas de los chicos en clase.

h.   Se lavan los platos con agua muy caliente.

i.   Se nota tu respuesta.

j.   Se cubre la mesa con un mantel.

Listening Exercises III

Exercise 1. **Listen carefully to the following English sentences. Decide if the Spanish equivalent of that sentence would require a *present perfect* verb form, a present tense form of *tener que* + *infinitive*, or a present tense form of *tener* alone. Write your choice in the space provided. Write *present perfect*, *tener que*, or *tener*. [CD–E, Track 7]**

(**Instructor:** Before beginning the CD, review the meanings of each phrase with the class: present perfect means "has/have done something," *tener que* + *infinitive* means "to have to do something," *tener* alone means "to have.")

a. I have brought you a bunch of flowers.

b. We have to go home now.

c. I've had three helpings already.

d. Have you had your vitamins today?

e. We don't have a radio in our car.

f. Carlota has to have $25.00 by tomorrow.

g. Well, you don't have a coat, do you?

h. Your friends haven't read the paper yet.

i. Mr. Carruso has a nice car.

j. They have to do an assignment.

Exercise 2. **Listen carefully for the present perfect verb form of each Spanish sentence. Circle the infinitive of the present perfect verb form given. [CD–E, Track 8]**

1. Ya hemos preparado la lección para mañana.

2. ¿Cuándo han ido allí?

3. Ud. puede ver que he pagado la cuenta completamente.

4. Esa compañía ha creado muchos libros como éste.

5. ¡Ay, qué bueno! ¡La abuelita te ha dado un suéter azul!

6. Es verdad que no han puesto la mesa todavía.

7. ¿Encontraste mis llaves? ¿Dónde han estado?

8. Parece que el equipo no ha hecho mucho para ganar el partido.

9. ¿Todavía no has devuelto las revistas a la escuela? ¿Cuándo vas a hacerlo?

10. El gobierno no ha podido ayudar rápidamente a causa de la lluvia.

Exercise 3. **Each of the following sentences contains an *acabar de* + *infinitive* expression. After you hear each sentence twice, rewrite just the main verb with the corresponding present perfect verb form. [CD–E, Track 9]**

a. Acabamos de jugar bien.

b. Acaban de ir al parque.

c. Acabo de hablar por teléfono.

d. Acabas de ver mi película favorita.

e. Ella acaba de leer esta novela.

f. Mi hermanita acaba de romper el vaso.

g. Acabo de decirte eso.

h. Acaban de visitar el hospital nuevo.

i. El pobre acaba de morir.

j. Acabamos de visitarla.

Listening Exercises IV

Exercise 1. Listen carefully to the verb forms in each sentence. Decide if you hear the present perfect, the pluperfect, or the present tense. Name the tense of your choice in the space provided. [CD–E, Track 10]

a. El jueves habían abierto las ventanas de la sala antes del comienzo de la lluvia.

b. ¿Quiénes han compuesto estos poemas?

c. Te has mejorado este año.

d. Se venden los muebles a buen precio.

e. Mi novio y yo hemos cenado allí muchas veces.

f. Pero no habías oído los gritos antes de salir, ¿verdad?

g. Desafortunadamente, no han entendido la lección.

h. No he usado nunca este tipo de jabón.

i. En la foto estoy sentada a la derecha de mi tío Nicolás.

j. Cuando ella llegó aquí, ya me había ido.

Exercise 2. Listen carefully for the preterit or imperfect verb form in each statement. Write the corresponding *pluperfect* verb form of the same infinitive in the space provided for each answer. [CD–E, Track 11]

a. ¿Cómo estaban tus tíos la semana pasada?

b. Fui al extranjero con nuestros primos.

c. Trajimos estas flores para nuestra madre.

d. ¿Qué te dijo tu abuelo?

e. Hiciste la cama esta mañana. ¡Qué bueno!

f. Nos dieron los regalos anoche.

g. Mi padre trabajó para esa compañía por muchos años.

h. ¿Leíste la carta de tu abuelo?

i. Yo rompí el vaso.

j. Mi hermano y yo jugamos al fútbol americano el año pasado.

Exercise 3. Answer the following questions in complete Spanish sentences. Use the same verb tense in your answer as in the question. [CD–E, Track 12]

a. ¿Has viajado a un país donde se habla español?

b. ¿Ya habías hablado español en casa antes de comenzar a estudiar español en la escuela?

c. ¿Has ido al cine recientemente?

d. ¿Qué habías hecho anoche antes de comenzar a hacer la tarea?

e. ¿Cuántos amigos te han visitado en tu casa esta semana?

No Listening Exercises V or VI.

LIFEPAC NINE
Listening Exercises I

Exercise 1. Decide which celebration is being described. Write the letter of the description next to the picture it matches. [CD–E, Track 14]

a. Los novios se casan intercambiando los anillos en el altar de la iglesia.

b. Jesús el Salvador nos dio la vida eterna por su sufrimiento.

c. Honramos y respetamos a los soldados caídos.

d. Manolito apaga las ocho velas en su torta.

e. Hace cuarenta años que mis abuelos se casaron.

f. Miramos un espectáculo maravilloso de fuegos artificiales.

g. Nos mostramos el amor en febrero.

h. Cada noviembre mi familia se junta para gozar de una gran comida.

i. Mucha gente celebra el sentimiento de los Reyes Magos dándose regalos.

j. El primero de enero es una fiesta mundial.

Exercise 2. Listen to the chain of events for each celebration. Choose which would most logically follow. Circle your answer. [CD–E, Track 15]

1. Vamos a la iglesia para una boda. En el altar hay muchas flores. El pastor está con los novios.

2. La ceremonia es en el cementerio. Ponemos unas flores encima de la sepultura. Un soldado iza una bandera.

3. Decoramos el comedor. Los invitados vinieron y jugaron. Ya comieron el helado y la torta.

4. Celebramos en la clase hoy. Ya hicimos tarjetas. Usamos los dibjuos de corazones muy bonitos y finos.

5. Acampamos cada cuatro de julio. Ponemos el remolque en un buen lugar del bosque.

6. Mis padres han dado una buena fiesta para mis abuelos. Después de cenar y antes de abrir los regalos, mi padre dice unas palabras.

7. Fuimos al cementerio. Pusimos unas flores encima de la sepultura de mi tío y sus compadres. Un soldado tocó la cometa.

8. ¡Qué divertido! La llenamos con dulces y juguetes. El padre de Ramón la colgó de un árbol. Al invitado de honor, mi amigo Jorge, le toca primero.

9. La recepción era fantástica. Los novios y los invitados celebraron. Cortaron la torta, comieron y se brindaron. Ahora es hora de salir para todos.

10. Nos vestimos bien. Fuimos a la iglesia. Los niños buscaron huevos en el jardín.

Exercise 3. **You will hear brief instructions for making preparations for various holidays and celebrations. Decide which one is most logically being described, out of the choices given for each question. Circle your answer. [CD–E, Track 16]**

1. Necesitamos los adornos, diez velas y una piñata.
2. Arregla las figuras de María, José y el Niño en el altar.
3. ¿Hiciste las reservaciones en el Restaurante de Sol? Diles que todos los parientes van a venir al restaurante.
4. Traigan suficientes banderas para todas las sepulturas.
5. Haz las maletas y ponlas en el remolque. Vamos a celebrar con fuegos artificiales.
6. Llena las cestas con dulces y huevos. Escóndelas para los niños.
7. Sí, doscientas personas vienen. ¿Es la torta bastante grande?
8. ¡Vístanse de verde mañana!
9. Ve de compras conmigo. Compramos pavo, papas y tortas.
10. Quiero que todos estén aquí a la medianoche en punto.

No Listening Exercises II, III or IV.

Listening Exercises V

Exercise 1. When did everyone get his/her schoolwork done? Listen for the expression of time in each sentence. Circle your answer. [CD–E, Track 17]

1. Manolo hizo la tarea anoche.
2. Mis amigos van a terminarla muy pronto.
3. Luisita la hizo después de las clases.
4. El chico moreno la hace ahora mismo.
5. Todavía está leyéndola. No la ha terminado.
6. Timoteo siempre la escribe temprano.
7. Rita estudió anteayer con su novio.
8. La escribiré pasado mañana. No te preocupes.
9. Prometo hacerla hoy mismo. Estoy seguro.
10. Los amigos piensan estudiar esta noche en la biblioteca.

Exercise 2. Listen to the following statements carefully. Decide which item each person is discussing. Although you will not hear the specific name of the object, you will hear how it's described. Make your decision by listening to the adjectives in each sentence. Circle the picture of the object that matches that description. [CD–E, Track 18]

a. Para mi cumpleaños mis abuelos me dieron un regalo muy bueno. Ahora puedo hablar con mis amigos en todas partes.
b. Papá, cuélgalo muy alto, por favor.
c. El de oro es el que quieres, ¿sí?
d. ¿Por qué no le gusta el rojo? Es nuevo y está en buenas condiciones.
e. ¡Qué lástima! Su esposo sacó la fea. Ella está muy desilusionada.
f. Mi mamá trabaja con los más pequeños. Le gusta mucho.
g. ¡No comas el grande! ¡Te matará!
h. Ah, sí, la corta. Ésa yo vi.
i. Compré un regalo para mi esposa. Mis amigos dicen que no le va a gustar.
j. Mi hermano sale con los más atléticos. A él le gustan mucho los deportes.

Exercise 3. Listen to each brief passage. Answer the question that follows each passage by circling your choice. [CD–E, Track 19]

1. Almuerzo. Pero primero me lavo las manos.
2. Hoy día muchos estudiantes toman el autobús para ir a la escuela. Pero el año pasado Juan Hidalgo tuvo que caminar.
3. Hilda entra el cuarto antes de ti. Después de que Hilda entra, Manolo viene.
4. Los estudiantes hablan mientras la profesora trata de enseñar.
5. Mi amigo siempre llegaba a la cena más tarde que todos. Mis otros amigos y yo nos habíamos sentado más temprano.
6. Oíste las noticias anteayer. No podemos hacer nada hasta mañana.
7. ¿Visitaste aquel museo nuevo otra vez? Mi familia todavía no ha ido allí.
8. Cállate, por favor. Ya me dijiste. Lo sabía ayer.
9. El jefe necesita los documentos más tarde, pero los escribiremos lo más pronto posible.
10. A las dos salimos. A esa hora Raúl dormía todavía.

Listening Exercises VI

Exercise 1. **Choose the correct command by listening for the verb form in each sentence. Base your answer on the type of command (*tú, Ud.,* or *Uds.*) and the infinitive following a form of the verb *poder*. Circle the correct letter. [CD–E, Track 20]**

1. No puedes jugar.
2. Puedes marcharte.
3. Pueden decidir ahora.
4. No puede oír.
5. Puedes leer el artículo.

6. Puede dibujar el esquemático.
7. No puede esperar.
8. No pueden ver ese programa.
9. No puedes tenerlo.
10. Puede hacer la cama.

Exercise 2. **Listen to each sentence. Rewrite the sentence, putting the infinitive into the corresponding command form, based on the subject of the main verb. Be sure to include all object and reflexive pronouns given. Keep your response affirmative or negative, based upon the original sentence. [CD–E, Track 21]**

a. Vas a estudiarla.
b. Tiene que dárselo.
c. Necesitan cubrirlo.
d. Ud. no puede salir ahora.
e. No van a decir la mentira.

f. Tienes que acostarte.
g. Necesita limpiar la cocina.
h. Va a ponerse la chaqueta.
i. No tienen que estar allí.
j. Tiene que ir ahora.

Exercise 3. **Listen to five different speakers, each giving a set of commands. Answer the questions that follow. [CD–E, Track 22]**

(Each set of commands should be read twice. Give students enough time to answer the three questions following each speaker's commands.)

Speakers:

1. ¡Corta el césped! ¡Riega las flores! ¡No las cortes! ¡Ocúpate del jardin!
2. ¡Archive los documentos! ¡Cópielos! ¡Escriba una carta! ¡No se olvide de organizar una reunión!
3. ¡Facturen el equipaje! ¡Lean el horario! ¡Vayan a la puerta número ocho! ¡Aborden a las nueve menos cuarto!

4. ¡Quédese en cama! ¡Descanse! ¡Tome antibióticos! ¡Llámeme en dos días si todavía no se siente bien! ¡Mejórese!
5. ¡Ven con nosotros al cine a las siete! ¡No llegues tarde! ¡Ven con nosotros para la cena después!

LIFEPAC TEN

No Listening Exercises I.

Listening Exercises II

Exercise 1. Listen to each statement carefully. Match its letter to one of the illustrations below. [CD–F, Track 1]

a. Jorge necesita las muletas para caminar.

b. No te olvides de cambiar la venda diariamente.

c. El corte requiere unos quince puntos.

d. La radiografía muestra que el hueso está roto.

e. No tienes fiebre. La temperatura es normal.

f. Te fracturaste el pie en un choque.

g. Favor de usar un pañuelo de papel cuando estornudas.

h. La herida no es muy grave.

i. La médica examina el corazón del anciano.

j. La médica receta antibióticos.

Exercise 2. Choose and circle the most logical response to the statements you hear. [CD–F, Track 2]

1. La pierna está muy hinchada. No puede caminar.

2. Tiene muchas náuseas. Tiene fiebre. Vomita.

3. No me fracturé la pierna, pero me duele mucho. Veo una contusión y está hinchado.

4. Estornuda y tose. Le duele la garganta.

5. Yo cortaba una manzana con un cuchillo muy grande. No prestaba atención. El médico me dio ocho puntos.

6. Me duele toser. Tomo antibióticos.

7. Necesitas tomar los antibióticos cada cuatro horas durante diez días.

8. Un yeso no es necesario. Solamente te torciste la muñeca.

9. Tengo una cita con el doctor.

10. A ver, dice que sufres de bronquitis.

Exercise 3. Suggest a different remedy for each sufferer. [CD–F, Track 3]

a. Me duele la cabeza. Estoy muy cansada y tengo náuseas.

b. Me torcí la muñeca. Me duele mucho. No puedo escribir.

c. Me duele la cabeza.

d. Me fracturé la pierna.

e. Estoy resfriado y toso mucho.

f. Tengo una fiebre muy alta. No puedo respirar. Me duele toser.

g. No tengo médico. Estoy muy enfermo.

h. Con este yeso es imposible caminar.

i. Acabo de tener la gripe. Todavía estoy débil.

j. ¡Ay de mí! ¡Me corté y es muy profundo!

Listening Exercises III

Exercise 1. Listen to each Spanish sentence. Decide if that sentence contains a restrictive or nonrestrictive clause. Circle *Restrictive* or *Nonrestrictive*. [CD–F, Track 4]

a. Mi hermano, que tiene mucho éxito con sus negocios, viaja a Madrid mañana.

b. Los años que vivimos en Barcelona fueron muy felices.

c. El anillo que Ricardo me dio está perdido.

d. Maricela y su primo, que tiene dieciséis años, van a la universidad en carro diaramente.

e. El campeón de tenis, cuyos primos son numerosos, vuelve a su hogar el lunes.

f. Los aretes, que no valen mucho, son de Carmen.

g. Ese suéter que llevas es muy bonito.

h. El postre que comes es rico.

i. El amigo que se cayó está bien hoy.

j. La hija de Consuelo, que siempre dice la verdad, recibe muy buenas notas en el colegio.

Exercise 2. Decide which person(s) or thing(s) the relative pronoun is referring to by listening to each sentence. Circle your choice. [CD–F, Track 5]

1. Al jefe de la oficina, que está en un rascacielos, le gusta trabajar en la ciudad.

2. En ese pueblo, los pobres que sufren mucho están muriendo de hambre.

3. El amigo con quien fui al partido es el hermano de Roberto.

4. Rosa y Anita, que son sus primas más jóvenes, no pueden asistir a la fiesta el sábado.

5. Los zapatos que están en la sala ahora son de cuero magnífico.

6. Favor de pasar las galletas de chocolate, que son mis favoritas, porque son muy deliciosas.

7. Me gusta mucho la sopa de las verduras que vienen de mi jardín.

8. ¿Es la mujer a quien le dio flores Ramón?

9. Mi madre, que tiene su oficina dentro de nuestra casa, tiene que cuidar a mis hermanitos.

10. ¿Es verdad que la estación de trenes, que es nueva, está en el mismo lugar?

Listening Exercises IV

Exercise 1. **Listen for the present subjective verb form in each sentence. Write the form you hear in the space provided.** [CD–F, Track 6]

a. Es necesario que pidas el menú antes de decidir.

b. Eugenio teme que su prima tenga pulmonía.

c. Dudas que digan la verdad.

d. Es imposible que vayas a Madrid en coche en dos horas.

e. No es verdad que sepa la respuesta correcta.

f. Es probable que él no duerma bien.

g. El doctor le ruega al paciente que haga más ejercicio.

h. Espero que ella se sienta bien mañana.

i. Consuelo nos pide que le demos el dinero.

j. Eva no permite que María conduzca hoy.

Exercise 2. **Change each infinitive to the *él* form of the present subjunctive.** [CD–F, Track 7]

a. practicar

b. ver

c. divertirse

d. comenzar

e. escribir

f. venir

g. ser

h. ir

i. dar

j. pagar

Exercise 3. **Listen to each sentence carefully. Choose and circle the correct English translation of each sentence you hear.** [CD–F, Track 8]

1. Prefiero que vengas a las ocho.

2. Esperamos que juegue bien.

3. Es importante que vayan al consultorio del médico.

4. No creo que digas la verdad.

5. Es bueno que cocine una buena cena.

6. Deseamos que devuelvas nuestra llave.

7. Te irrita de que haga tanto ruido.

8. Dudo que pueda hacerlo.

9. Ruegas que limpien el cuarto.

10. Estoy contento de que no tengan fiebre ahora.

Listening Exercises V

Exercise 1. Listen to each of the following clauses. Decide which dependent clause completes the sentence you hear. Circle your choice. [CD–F, Track 9]

1. Dudo que...
2. Es preciso que...
3. Es necesario...
4. Ojalá que...
5. Siento que...

6. Me gusta el coche que...
7. Le piden que...
8. El chico que...
9. Se alegran de que...
10. Yo creo que...

Exercise 2. Translate the sentences you hear into English. [CD–F, Track 10]

1. Quiero que Roberto me visite mañana.
2. Él no desea que yo salga.
3. Preferimos que Ud. no le hable más a Pedro.
4. Es bueno que compres este regalo para tu madre.
5. No deseas que yo esté enfermo.

6. No le permiten que ella vaya al concierto.
7. Es importante que conduzcas lentamente aquí.
8. Les aconsejo que Uds. tomen el autobús.
9. Le recomiendo que ella les diga la verdad a sus padres.
10. Ojalá que todos lleguen pronto.

ANSWER KEYS

SECTION ONE

1.1   a. Susana
      b. Susana
      c. reads
      d. reads
      e. Tomás
      f. travels

1.2   a. Manuela
      b. habla
      c. Jorge
      d. vive

1.3   to replace a noun

1.4   a. ella
      b. nosotros/nosotras
      c. él
      d. ellos
      e. ellas
      f. ella
      g. Uds.
      h. Uds.
      i. nosotros/nosotras
      j. nosotros/nosotras

1.5   a. Yo
      b. Ellos
      c. Ella
      d. Nosotros/Nosotras
      e. ellos
      f. Ella
      g. Él
      h. Uds.

1.6   a. ¿Yo?
      b. ¿Nosotros?/¿Nosotras?
      c. ¿Ella?
      d. ¿Yo?
      e. ¿Ellos?
      f. ¿Él?
      g. ¿Uds.?/¿Nosotros?

1.7   a. the *ar*/the infinitive ending
      b. new endings/added *o*, etc.

1.8   a. -o
      b. -as
      c. -a
      d. -amos
      e. -áis
      f. -an

1.9   a. the -*ar*
      b. the specific form endings
      c. It is understood.
      d. "I sing."
      e. "I help."
      f. "We dance."
      g. "You dance."
      h. "I dance."

1.10 a. estudi
      b. estudio
      c. estudias
      d. estudia
      e. estudiamos
      f. estudiáis
      g. estudian

1.11 a. I study, I am studying, I do study
      b. you study, you are studying, you do study
      c. he/she studies, you (formal) study, you do study, he/she does study, you are studying, he/she is studying
      d. we study, we are studying, we do study
      e. they study, you (plural) study, they or you are studying, they or you do study

1.12 a. bebo
      b. bebes
      c. bebe
      d. bebemos
      e. bebéis
      f. beben

1.13 a. abro
      b. abres
      c. abre
      d. abrimos
      e. abrís
      f. abren

1.14 a. bebo, bebe, bebemos
      b. vive, vivir, viven
      c. camina, caminamos, caminar, camina

1.15 a. usa
      b. llevan
      c. estudio
      d. golpeamos
      e. torcemos
      f. escriben
      g. sale
      h. buscan
      i. da
      j. sube

1.16 a. Tú abres el libro./ Ud. abre el libro.
      b. Uds. y yo aprendemos la lección.
      c. La familia escribe la carta.
      d. Yo comprendo las matemáticas.
      e. Las amigas estudian la lección.

1.17 Answers may vary. Look for subject/verb
      agreement and logical quality of the
      sentence. Examples:
      a. Yo escribo la lección.
      b. Tú abres la puerta.
      c. Las amigas beben el agua.

1.18 a. Planeo
      b. Participo
      c. miro
      d. Paso
      e. Regreso
      f. Subo
      g. vivo
      h. Como
      i. Descanso
      j. Preparo

1.19 a. Planeas
      b. Participas
      c. miras
      d. Pasas
      e. Regresas
      f. Subes
      g. vives
      h. Comes
      i. Descansas
      j. Preparas

1.20 **Adult check.**
      a. at the movies
      b. by bus
      c. at school
      d. after church
      e. midnight

SECTION TWO

2.1 a. yo, tú, él, ellos; all have extra *i*.
     b. **Adult check.** The shape should resemble a shoe.
     c. nosotros, vosotros
     d. The *e* changed to *ie*.

2.2 a. pienso
     b. piensas
     c. piensa
     d. pensamos
     e. pensáis
     f. piensan

2.3 a. entiendes; entendemos
     b. enciendes; encendemos
     c. defiendes; defendemos
     d. pierdes; perdemos
     e. despiertas; despertamos
     f. prefieres; preferimos
     g. friegas; fregamos
     h. niegas; negamos
     i. confiesas; confesamos
     j. quieres; queremos

2.4 a. prefieren
     b. hierve
     c. entiendo
     d. pierdes
     e. defienden
     f. quieren
     g. enciende
     h. niegan
     i. pienso

2.5 a. duermes; dormimos
     b. encuentro; encontramos
     c. volamos; vuelan
     d. juegas; juega
     e. vuelve; vuelves
     f. almuerza; almuerzan
     g. mueres; morimos

     h. puede; puede
     i. cuelgo; cuelga
     j. tuercen; tuerce

2.6 1. tuerce; muere; cuesta
     2. duermes; encuentras; acuestas
     3. vuelvo; almuerzo; acuesto
     4. envuelves; cuelgas; muestras
     5. duerme; muere; puede
     6. vuelven; resuelven; cuentan
     7. demuestran; acuestan; juegan
     8. cuesta; vuela; vuelve
     9. duermo; muero; puedo
     10. cuelga; vuela; encuentra

2.7 a. Sí (No), yo (no) puedo conducir.
     b. Sí (No), yo (no) duermo bien por la noche.
     c. Sí (No), María (no) juega al béisbol.
     d. Sí (No), yo (no) vuelo a México en el verano.
     e. Sí (No), nosotros (no) contamos el dinero al fin del día.
     f. Sí (No), ellos (no) encuentran la sala de clase.
     g. Sí (No), tú (no) demuestras el plan ahora.
     h. Sí (No), Uds. (no) vuelven a casa a las nueve.
     i. Sí (No), yo (no) almuerzo en la cafetería.
     j. Sí (No), yo (no) cuelgo la chaqueta.

2.8 a. sigue; seguimos
     b. vistes; vestimos
     c. consigo; consigue; conseguimos
     d. repito; repite; repiten
     e. pides; pide; piden
     f. despido; despide; despiden
     g. impides; impide, impedimos

OPTIONAL ACTIVITY A: See the instructions on the following page.

OPTIONAL ACTIVITY A:

Puzzle Activity – This is a game to help you review with the class. It uses manipulatives to provide a change of pace from reciting the forms.

Materials –
- 3 x 5 index cards
- Markers of varying colors
- 11 x 18 construction paper (white or manila)

On the large construction paper, draw a verb chart grid similar to the ones in the LIFEPAC (see Section I). Label it with the Spanish subject pronouns only. The grid should be as large as the paper. Provide one grid for each person (**OR** teams of two, in a classroom setting).

Cut the 3 x 5 cards in half. To begin, choose a "shoe" verb. Divide each form into pieces and write each piece of the form on half an index card, like so:

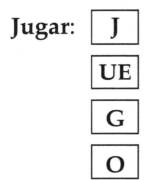

Continue with the rest of the forms, making sure that the "shoe" spelling changes and the verb endings each have their own cards. Repeat this process for three to five infinitives.

Each team (or individual) will need a complete set of cards.

Have the pairs shuffle the cards. Place the empty verb charts in front of each, then write an infinitive on the board. At your mark, each pair tries to assemble the forms of that verb correctly in the least amount of time, although you should limit the overall amount of time to three or four minutes. Monitor the students as they work, making corrections as you go. Setting up

the game is time-consuming, but worth it. All students are actively participating and feeling less vulnerable working in pairs. You can immediately correct all spelling errors and students enjoy the mild competition.

OPTIONAL ACTIVITY B:

The following is a method to help your student(s) practice the shoe verb forms.

Take a sheet of plain paper and fold the right and left edges inward to the middle so that you form a set of "doors," as illustrated below:

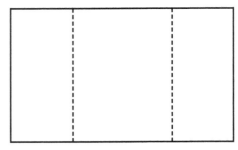

Beginning with the left "door," number from 1–10 and list ten shoe verb infinitives and subjects—perhaps the ones your student(s) find hardest to remember.

Open the right "door" and number from 1–10. List the corresponding Spanish forms like so:

1. vestir (yo)	1. visto
2. mostrar (él)	2. muestra
3. perder (tú)	3. pierdes
4. contar (Uds.)	4. cuentan
5. jugar (ella)	5. juega
etc.	etc.

Turn the paper over and repeat the process for the other side. As you can see, when you open the right door, you can see the answers of the left door right next to the infinitives. Now your students can quiz themselves by closing the doors and reopening them to check their answers. This device works for any verbs, any tense, and for vocabulary terms as well.

2.9   a. (yo) persigo

b. ella viste (él niño/la niña)

c. (tú y yo) impedimos

d. (nosotros) repetimos

e. la clase sigue

f. (Ud.) pide

g. (tú) sigues

h. (ellas/ellos) consiguen

i. mis amigos piden

g. Student 1: ¿Duermes mal?
    Student 2: Sí (No), (no) duermo mal.

h. Student 1: ¿Bebes mucha leche?
    Student 2: Sí (No), (no) bebo mucha leche.

i. Student 1: ¿Lees la lección?
    Student 2: Sí (No), (no) leo la lección.

j. Student 1: ¿Vulves a casa tiempo?
    Student 2: Sí (No), (no) vuelvo a casa a
       tiempo.

2.10   **Adult check.** Suggested answers:

a. Student 1: ¿Hablas por teléfono?
    Student 2: Sí (No), (no) hablo por teléfono.

b. Student 1: ¿Miras la televisión?
    Student 2: Sí (No), (no) miro la televisión.

c. Student 1: ¿Estudias la tarea?
    Student 2: Sí (No), (no) estudio la tarea.

d. Student 1: ¿Juegas al fútbol?
    Student 2: Sí (No), (no) juego al fútbol.

e. Student 1: ¿Vives en un apartamento?
    Student 2: Sí (No), (no) vivo en un
       apartamento.

f. Student 1: ¿Escribes bien?
    Student 2: Sí (No), (no) escribo bien.

2.11   **Adult check.** Answers will vary. The
following is an example:
Student 1: ¿Te gusta mirar una película?
Student 2: No, gracias. No me gustan las
      películas.
Student 1: ¿Te gusta jugar al fútbol?
Student 2: ¿Quiénes juegan?
Student 1: Mis amigos de la escuela.
Student 2: Si, me gusta jugar.
Student 1: Bueno, necesitamos practicar para
      el partido.

OPTIONAL ACTIVITY B: See the instructions on
the previous page.

SECTION THREE

3.1   a. It has a *g* (or *-go*) in it.

b. No, they are regular.

3.2   a. It also has *g* (or *-go*) in it.

b. No.

c. Only the *yo* form has *-go* in it.

d. An "i" is added.

3.3   a. (yo) hago

b. (yo) traigo

c. (yo) salgo

d. (yo) pongo

e. (ellos/ellas) hacen

f. (ellos/ellas) traen

g. (tú) sales/ (Ud.) sale

h. (tú) pones/ (Ud.) pone

3.4   a. (él) da

b. (ellos/ellas) conducen

c. (Ud.) está

d. (Uds.) ofrecen

e. (ella) sabe

OPTIONAL ACTIVITY C:

    Instruct the student(s) to cut a piece of copy
paper into six equal pieces. Write the forms of the
verbs studied so far on each piece (one form per
piece of paper). Call out the English forms and have
students hold up the corresponding Spanish form.
For example, if you call out "we know," the
student(s) should hold up a *sabemos* card. Repeat
until all forms are covered.

3.5 a. Ellos traen las frutas. Ponen las frutas en la cocina.

   b. María trae la leche. Pone la lecha en el refrigerador.

   c. Nosotros traemos el café. Ponemos el café en el comedor.

   d. Uds. traen los sandwiches. Ponen los sandwiches en la mesa.

   e. Tú y Carlos traen los refrescos. Ponen los refrescos en el garaje.

   f. Las muchachas traen un radio. Ponen la radio en el sótano.

   g. Tú traes los tenedores. Pones los tenedores a la izquierda de los platos.

   h. Raúl y yo traemos los vasos. Ponemos los vasos en el gabinete.

   i. La familia trae los dulces. Pone los dulces en un plato hondo.

3.6 Answers may vary.

   a. Yo conduzco ese coche.

   b. Yo veo la película.

   c. Yo conozco a Juana.

   d. Yo estoy aquí.

   e. Yo pongo la mesa.

   f. Yo escojo los libros.

   g. Yo hago la tarea.

   h. Yo doy el dinero a Elena.

   i. Yo salgo a las ocho.

   j. Yo traigo un lápiz a la clase.

3.7 a. nosotros vamos

   b. (él) va

   c. I go; I am going; I do go

3.8 a. (yo) soy

   b. (ellas/ellos) son

   c. we are

3.9 a. (tú) tienes

   b. (Uds.) tienen

   c. you have

3.10 a. we come; we are coming; we do come

   b. I come; I am coming; I do come

   c. (tú) vienes/ (Ud) viene

3.11 a. they do not tell/say; they are not telling/saying

   b. you tell/say; you are telling/saying; you do tell/say

   c. (yo) digo

3.12 a. (Ud.) oye

   b. (yo) oigo

   c. they hear; they are hearing; they do hear

3.13 Crossword puzzle:

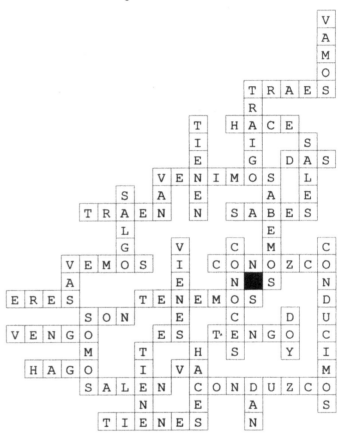

3.14 a. soy; eres

   b. tengo; tienes

   c. voy; vas

   d. vengo; vienes

   e. digo; dices

3.15 a. (él) es/está

   b. (nosotros) no venimos

   c. (ellos/ellas) tienen

   d. (tú) vas/(Ud.) va

e. (yo) digo
f. (Uds.) son/están
g. (nosotros) no somos
h. (tú) dices/(Ud.) dice
i. (ella) va
j. (yo) no tengo

3.16   a. u, t, u
      b. t, t, f
      c. t, f, t
      d. u, t, f
      e. f, t, f

3.17   **Adult check.** Examples:
      Están en la biblioteca.
      Son las cuatro y doce.
      La familia tiene prisa.

LISTENING EXERCISES III

Ex 1.   1.   a.   Elena y yo

2.   a.   Uds.
3.   c.   yo
4.   c.   tú
5.   b.   Raúl
6.   a.   tú
7.   b.   las hermanas
8.   a.   yo
9.   a.   María
10. c.   Uds. y yo

Ex 2.   1.   e
2.   c
3.   f
4.   d
5.   h
6.   b
7.   i
8.   a
9.   g
10. j

SECTION FOUR

4.1   a. Ten and (plus) six
      b. Ten and (plus) nine
      c. and (or plus)
      d. Forty and (plus) six
      e. Ninety and (plus) three

4.2   a. setenta y cinco
      b. ochenta y dos
      c. veintinueve
      d. sesenta y ocho
      e. cuarenta y siete

4.3   a. siete - ochenta y dos - cuarenta y tres - ochenta y uno
      b. cinco - noventa y ocho - sesenta - cero uno
      c. seis - cero siete - veinticinco - cuarenta y nueve
      d. cuatro - dieciocho - ochenta y cuatro - diez
      e. dos - cero cero - sesenta y cuatro - trece
      f. ocho - ochenta y ocho - doce - sesenta y cuatro
      g. Adult check
      h. Adult check

4.4   a. ciento diez pesos
      b. cuarenta y cinco pesos
      c. ochenta y cuatro pesos
      d. cuarenta y cuatro pesos
      e. ochenta y seis pesos
      f. cuarenta y nueve pesos

4.5   a. 745
      b. 917
      c. 1.106
      d. 200
      e. 528
      f. 99
      g. 909
      h. 630
      i. 2.455
      j. 1.300.011

4.6   a.   mil novecientos setenta y dos
       b.   mil novecientos noventa y nueve
       c.   mil novecientos ochenta y uno
       d.   mil ochocientos setenta y ocho
       e.   mil seiscientos cincuenta y cuatro
       f.   mil novecientos uno
       g.   mil cuatrocientos setenta y siete
       h.   mil novecientos sesenta y siete
       i.   mil ochocientos catorce
       j.   dos mil siete

4.7   a.   La Sra. de Rivera gana trescientos noventa y dos dólares por mes.
       b.   El Sr. Tiburón gana doscientos setenta y nueve dólares por semana.
       c.   La Sra. Barga gana dos mil quinientos cuarenta y cuatro dólares por mes.
       d.   El Sr. Alabeña gana ciento cincuenta dólares por semana.
       e.   Sí, es verdad.
       f.   Sí, el Sr. Muñoz gana más por semana. Él gana doscientos cincuenta dólares. La Sra. de Rivera gana noventa y ocho dólares.
       g.   La Sra. de Rivera gana trescientos noventa y dos dólares por mes.

SECTION FIVE

5.1   a.   the eighth of June of 1992
       b.   The month and date have been transposed.
       c.   8/6/92

5.2   a.   10/15; el quince de octubre; 15/10
       b.   6/2; el dos de junio; 2/6
       c.   3/30; el treinta de marzo; 30/3
       d.   8/1; el primero de agosto; 1/8
       e.   11/10; el diez de noviembre; 10/11

5.3   a.   Ayer fue domingo, el siete de diciembre.
       b.   Ayer fue miércoles, el veinticuatro de agosto.
       c.   Ayer fue viernes, el quince de febrero.
       d.   Ayer fue sábado, el primero de enero.
       e.   Ayer fue jueves, el diecinueve de septiembre.
       f.   Ayer fue lunes, el treinta de marzo.
       g.   Ayer fue martes, el nueve de julio.
       h.   Ayer fue viernes, el cuatro de mayo.
       i.   Ayer fue domingo, el veintidós de noviembre.
       j.   Ayer fue martes, el dieciocho de junio.

5.4   a.   el catorce de febrero
       b.   el veinticinco de diciembre
       c.   el primero de enero
       d.   **Adult check.** The student will fill in their own birthday.
       e.   depends on the year (**Adult check**)
       f.   el cuatro de julio
       g.   el diecisiete de marzo
       h.   el _____ de mayo
       i.   el _____ de junio
       j.   el once de noviembre

5.5   a.   Hoy es viernes, el cinco de junio.
       b.   Ayer fue lunes, el primero de febrero.
       c.   Hoy es domingo, el veintiocho de marzo.
       d.   Mañana es jueves, el veintiséis de abril.
       e.   Mañana es martes, el veinticuatro de diciembre.
       f.   Ayer fue sábado, el trece de julio.
       g.   Mañana es miércoles, el dos de octubre.
       h.   Hoy es jueves, el catorce de enero.
       i.   Hoy es lunes, el treinta de septiembre.
       j.   Ayer fue viernes, el primero de agosto de dos mil siete.

5.6   **Adult check.** Answers may vary. Example sentence: *El cumpleaños de mi madre es el veinte de abril.*

5.7
a. What time is it?
b. It is four o'clock.
c. It is nine o'clock.
d. Son las
e. with the number of the hour

5.8
a. Son las ocho.
b. Son las once.
c. Son las tres.

5.9
1. It is 8:25.
2. It is 8:05.
3.
   a. quarter
   b. It is one and quarter.
   c. Son las tres y cuarto.
   d. Son las cinco y cuarto.
4. half past
5.
   a. Son las cuatro y media.
   b. Son las doce y media.

5.10
a. It is three o'clock minus ten (minutes).
b. It is four o'clock minus twenty-three (minutes).
c. It is one o'clock minus a quarter.

5.11   Spanish speakers go to the next whole hour and subtract the minutes from it.

5.12
a. Son las once menos veintidós.
b. Son las ocho menos diez.
c. Son las tres menos cuarto.

5.13
a. tres y cuarto (y quince)
b. Son las
c. cinco; de la mañana
d. Es la
e. a las
f. medianoche

g. cinco menos
h. mediodía
i. media de la noche
j. y; de la tarde

5.14
a. It is 6:30.
b. It is 12:50.
c. The party is at about nine (o'clock).
d. It is midnight on the dot/exactly.
e. It is 10:35 A.M.
f. At 10:14 P.M.
g. What time is it?
h. It is 8:30.
i. At 1:45 on the dot/exactly.
j. At what time is the class?

5.15
a. Voy a la escuela a las ocho de la mañana.
b. Me duermo a las once de la noche.
c. Juego al vólibol a las cuatro de la tarde.
d. Vengo al gimnasio a la una de la tarde.
e. Hablo con mis amigos a mediodía.
f. Como la cena a las seis de la noche.
g. Quiero ir a casa a las tres y cuarto de la tarde.
h. Hago la tarea a las siete y media de la noche.
i. Salgo de la escuela a las cuatro menos cuarto de la tarde.
j. Me acuesto a las diez de la noche.

5.16
a. f
b. f
c. v
d. f
e. v

5.17
a. Friday at 4:00
b. Tuesday at noon
c. Wednesday at 10:30
d. Saturday
e. Monday at noon

LISTENING EXERCISES V

Ex 1.
  a. 9:05
  b. 7:30
  c. 1:20
  d. 12:15
  e. 10:51
  f. 6:20
  g. 12:00 noon
  h. 1:00
  i. 4:29 P.M.
  j. 2:42

Ex 2.
  a. v
  b. f
  c. f
  d. v
  e. v
  f. f
  g. v
  h. f
  i. f
  j. v

Ex 3.
  a. 4:45 P.M. la cena
  b. 6:50 A.M. te despiertas
  c. (no answer here)
  d. 2:30 P.M. médico
  e. 7:30 P.M. película
  f. 9:00 A.M. gimnasio
  g. 10:30 A.M. iglesia

SECTION SIX

6.1
  a. simpática; baja; morena
  b. simpático; alto; moreno
  c. divertida; responsable
  d. jóvenes; divertidos
  e. bueno; inteligente; bajo
  f. contenta; agradable

6.2   *a(s)* or *e(s)*

6.3
  a. *o(s)* or *e(s)*
  b. singular or plural
  c. masculine or feminine

6.4
  a. feminine singular
  b. masculine plural

6.5
  a. masculine singular
  b. feminine plural

6.6
  a. divertida, responsable, baja, morena, simpática
  b. *a* or *e*
  c. alto, simpático, moreno, bueno, bajo, inteligente
  d. *o* or *e*
  e. *os* or *es*
  f. *as* or *es*

6.7
  a. *o, e*
  b. *os, es*
  c. *a, e*
  d. *as, es*

6.8
  a. español/francés/inglés
  b. cubano/italiano

6.9
  a. aburridas
  b. morenas
  c. preocupadas
  d. popular
  e. simpáticos
  f. bueno
  g. vieja
  h. grandes
  i. amarillo
  j. divertidas

6.10
1. a. altos   c. simpáticos
   b. franceses   d. inteligentes
2. a. agradable   c. joven
   b. inteligente   d. moreno
3. a. pequeñas   c. simpáticas
   b. españolas   d. difíciles
4. a. rubias   c. simpáticas
   b. altas   d. alemanas

5. a. pelirroja   c. agradable
    b. nerviosa   d. española

6.11 a. una casa roja
     b. una señora paciente
     c. una clase interesante
     d. el buen consejo / el consejo bueno
     e. el nuevo libro / el libro nuevo
     f. unas tareas grandes
     g. los hombres ingleses
     h. los malos perros / los perros malos
     i. un gato / triste
     j. una película popular

6.12 a. male
     b. female
     c. male
     d. male
     e. male
     f. male
     g. female

6.13 **Adult check.** Answers may vary.
     a. Es inteligente, simpático, alto y moreno.
     b. La mejor amiga es estudiosa.
     c. Carmen escribe la información.
     d. Carmen se olvida de su nombre.
     e. Tiene una fiesta de bienvenida.

SECTION SEVEN

7.1 a. soy
     b. eres
     c. es
     d. somos
     e. sois
     f. son

7.2 a. estoy
     b. estás
     c. está
     d. estamos
     e. estáis
     f. están

7.3 1. where I am from; ser
     2. where I am located; estar
     3. what kind of person she is/her
        personality trait; ser
     4. how she is feeling about visiting a friend;
        estar
     5. the time; ser
     6. his job; ser
     7. the day; ser

7.4 a. origin; ser
     b. location; estar
     c. personality trait; ser
     d. temporary emotions; estar
     e. profession; ser
     f. date, time; ser

7.5 a. son de Bolivia
     b. son de Paraguay
     c. es de Brasil
     d. soy de Uruguay
     e. son de Ecuador
     f. es de Argentina
     g. somos de Perú
     h. es de Colombia
     i. son de Guyana
     j. eres de Chile

7.6 a. estamos; la oficina
     b. estás; el comedor
     c. está; la alcoba/el dormitorio
     d. están; el garaje
     e. estoy; el sótano
     f. está; la alcoba/el dormitorio
     g. está; la sala
     h. está; el baño
     i. están; la cocina
     j. está; el jardín

7.7   a.   Soy
       b.   estamos
       c.   es
       d.   eres
       e.   están
       f.   son
       g.   son
       h.   es
       i.   Es
       j.   estoy
       k.   es
       l.   es
       m.   es
       n.   está
       o.   somos

7.8   a.   es; Es; es; es; es; está
       b.   son; están; Son; están; Están; están; son
       c.   estamos; estamos; Somos; estamos; Somos; Estamos; están

7.9   a.   es; está
       b.   somos; estamos
       c.   Están; Son
       d.   Están; Son
       e.   eres; estás

7.10   a.   (Yo) no soy profesor(a)/maestra(o).
       b.   (Ellos/as) son viejos(as).
       c.   Tú eres moreno(a). Ud. es moreno(a).
       d.   (Ella) está en clase.
       e.   Tú eres español(a). Ud. es español(a).
       f.   La película es aburrida.
       g.   Hoy es el veintitrés de mayo.
       h.   (Nosotros/as) estamos desilusionados(as).
       i.   (Uds.) no están en casa.
       j.   El coche es rojo.

7.11   a.   está—location
       b.   es—permanent quality
       c.   estoy—location
       d.   es—permanent quality
       e.   está—location
       f.   es—permanent quality
       g.   está—location
       h.   está—location
       i.   está—location
       j.   es—permanent quality
       k.   es—permanent quality
       l.   soy—personality trait
       m.   soy—job or personality trait
       n.   están—location
       o.   estoy—location
       p.   *Bonus question—*hay*

7.12   a.   Yes, she says it is comfortable.
       b.   She enjoys music and art.
       c.   She owns a bed, a dresser, a desk, a clock, and a lamp.
       d.   She has one—a brother.
       e.   by the use of the feminine adjective *sola*

7.13   a.   Es azul claro y rosado.
       b.   No, no hay un lío. (Es limpio.)
       c.   Es pequeño. (No es grande.)
       d.   Hay una lámpara y un reloj sobre el escritorio.
       e.   La cama está a la derecha del tocador. El armario está a la izquierda del tocador. El escritorio está entre las ventanas.

OPTIONAL ACTIVITY D:

Draw a diagram of the room described in the Reading Comprehension activity. Use full color and as much detail as possible. Label the diagram in Spanish.

LISTENING EXERCISES VII

Ex 1.
a. Está
b. está
c. Estoy
d. Estás
e. Estamos

Ex 2.
a. Son
b. Soy
c. Eres
d. Somos
e. Es

Ex 3.
a. Está
b. Somos
c. Son
d. estoy
e. están
f. Es
g. Soy
h. es
i. Están
j. estamos

SECTION EIGHT

8.1
a. C
b. B
c. D
d. E
e. A

8.2
a. jugar
b. comprar
c. estudiar
d. nadar
e. sentirse

8.3
a. they are playing
b. they are buying
c. he/she is studying / you are studying
d. he/she is swimming/you are swimming
e. we are singing

8.4
a. present progressive; estar; estar; am, is, are
b. second; -ando; -iendo

8.5
a. -ando or -iendo
b. no

8.6
a. estoy trabajando
b. estás trabajando
c. está trabajando
d. estamos trabajando
e. estáis trabajando
f. están trabajando

8.7
a. (yo) estoy trabajando
b. we are working

8.8
a. estoy comiendo
b. estás comiendo
c. está comiendo
d. estamos comiendo
e. estáis comiendo
f. están comiendo

8.9
a. you are eating
b. we are eating

8.10
a. estoy viviendo
b. estás viviendo
c. está viviendo
d. estamos viviendo
e. estáis viviendo
f. están viviendo

8.11 a. I am living
      b. he is living

8.12 a. estás caminando
      b. está leyendo
      c. están saliendo
      d. estamos jugando
      e. estoy diciendo
      f. están viviendo
      g. estás buscando
      h. estamos trayendo
      i. estoy oyendo
      j. está bebiendo

8.13 a. se están encontrando/están
         encontrándose
      b. no estoy escribiendo
      c. ¿no estamos jugando?
      d. está queriendo
      e. estoy estudiando
      f. está subiendo
      g. ¿estás oyendo?
      h. se está muriendo (está muriéndose)
      i. no están comiendo

8.14 a. Ella está oyendo voces.
      b. Estamos cerrando la puerta.
      c. Yo no estoy poniendo la mesa ahora.
      d. Alonso y Diego están durmiendo.
      e. Juan y yo estamos viniendo.
      f. Ud. está cantando.
      g. Uds. están escribiendo cartas.
      h. Nosotros estamos pidiendo dinero.

8.15 Answers may vary. Examples:
      a. Estoy estudiando.
      b. Mi papá está durmiendo.
      c. Sí, ella está hablando.
      d. Estoy esperando la graduación.
      e. Estoy almorzando con Raúl.

LISTENING EXERCISES VIIIA

Ex 1. 1. c. ellos
       2. a. yo
       3. a. tú
       4. c. nosotros
       5. a. Carmen

Ex 2. a. están bebiendo
       b. estoy escuchando
       c. estamos escribiendo
       d. está caminando
       e. estás viendo
       f. estás divirtiéndote (te estás divirtiendo)
       g. estás entendiendo
       h. estoy pensando
       i. estamos trayendo
       j. están saliendo

Ex 3. a. 6
       b. 9
       c. 7
       d. 5
       e. 1
       f. 2
       g. 10
       h. 3
       i. 4
       j. 8

8.16 a. **Adult check.** Example: I write myself a
         note.
      b. I am cutting something other than
         myself. The subject is performing the
         action on another object.

8.17 a. reflexive
      b. non
      c. non
      d. reflexive
      e. non

66

8.18　a.　I bathe myself. (I take a bath.)
　　　b.　You bathe yourself. (You take a bath.)
　　　c.　He bathes himself. (He takes a bath.)
　　　d.　She bathes herself. (She takes a bath.)
　　　e.　You bathe yourself. (You take a bath.)
　　　f.　We bathe ourselves. (We take a bath.)
　　　g.　They bathe themselves. (They take a bath.)
　　　h.　All of you bathe yourselves. (All of you take a bath.)

8.19　a.　me pongo
　　　b.　te pones
　　　c.　se pone
　　　d.　nos ponemos
　　　e.　os ponéis
　　　f.　se ponen

8.20　a.　se ponen
　　　b.　nos ponemos
　　　c.　me pongo

8.21　a.　me baño; nos bañamos
　　　b.　me visto; nos vestimos
　　　c.　me siento; nos sentimos
　　　d.　me miro; nos miramos
　　　e.　me pongo; nos ponemos
　　　f.　me quito; nos quitamos
　　　g.　me duermo; nos dormimos
　　　h.　me voy; nos vamos
　　　i.　me lavo; nos lavamos
　　　j.　me afeito; nos afeitamos

8.22　a.　nos
　　　b.　quitas
　　　c.　divierte
　　　d.　miro
　　　e.　se
　　　f.　me
　　　g.　te
　　　h.　se
　　　i.　nos
　　　j.　se

8.23　a.　se quita la ropa; se pone los pijamas; se duerme
　　　b.　nos despertamos; nos duchamos; nos vestimos
　　　c.　me visto; me voy; me divierto
　　　d.　te despiertas; te levantas; te bañas
　　　e.　se lavan la cara; se cepillan los dientes; se maquillan

8.24　a.　cortarse
　　　b.　afeitarse
　　　c.　lavarse
　　　d.　acostarse / dormirse
　　　e.　despertarse / levantarse
　　　f.　ponerse / quitarse
　　　g.　mirarse
　　　h.　bañarse / lavarse
　　　i.　maquillarse
　　　j.　divertirse

8.25　a.　(se) va a peinar(se)
　　　b.　(se) van a bañar(se)
　　　c.　(te) vas a mirar(te)
　　　d.　(se) van a despertar(se)
　　　e.　(se) va a afeitar(se)
　　　f.　(nos) vamos a acostar(nos)
　　　g.　(me) voy a dormir(me)
　　　h.　(nos) vamos a divertir(nos)
　　　i.　(se) van a cortar(se)
　　　j.　(me) voy a sentir(me)

8.26　Answers will vary.
　　　a.　El payaso…
　　　　　se maquilla; se pone un sombrero; se mira en el espejo.
　　　b.　Yo…
　　　　　me pongo los pijamas; me acuesto a las once; me duermo.
　　　c.　Paco…
　　　　　se ducha; se lava el pelo; se afeita.
　　　d.　Ellos…
　　　　　se abrazan; se besan; se aman.
　　　e.　Nosotros …
　　　　　nos preparamos; nos maquillamos; nos vamos.

8.27   Crossword puzzle:

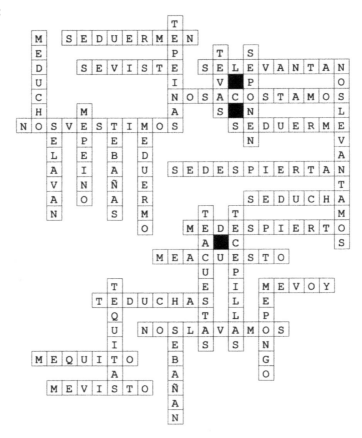

LISTENING EXERCISES VIIIB

Ex 1.
a. 8
b. 10
c. 1
d. 5
e. 4
f. 3
g. 6
h. 9
i. 7
j. 2

Ex 2.
a. nos peinamos
b. nos vamos
c. dormirnos
d. nos despertamos
e. nos ponemos

Ex 3.
a. me acuesto
b. Me baño
c. Voy
d. levantarme
e. Me pongo

Ex 4.
a. Uds.
b. Ellos
c. Él
d. Ellas
e. Ud.
f. Ellos
g. Ella
h. Ella
i. Uds.
j. Él

OPTIONAL ACTIVITY E:

Create a set of index cards, each assigning a short translation about what was studied the previous day. For example, if you reviewed the progressive, a typical card might read: "I am reading a book. / She is studying." For the unit on time: "It is 7:52. / It's noon." The student must then translate the sentences into Spanish.

Create a similar set of cards for each unit.

IX. MASTERY EXERCISES

Answers may vary for Exercise 1. The given answers are suggestions for the instructor.

9.1
a. Me baño a las seis y media de la mañana.
b. Almuerzo a mediodía.
c. Me acuesto a las diez y media de la noche.
d. Voy a la escuela a las ocho menos veinticinco de la mañana.
e. Me visto a las siete menos cuarto de la mañana.
f. Él se afeita a las seis de la mañana.
g. Ella se desayuna a las seis y media de la mañana.
h. Se duermen a las diez de la noche.
i. Él se despide de mí a las siete menos veinte de la mañana.
j. Se despierta a las seis y media de la mañana.

9.2 Answers will vary. Examples:
a. son rojos y blancos.
b. son inteligentes.
c. es alto y moreno.
d. es responsable.
e. eres divertido.
f. es pardo y simpático.
g. somos amigos.
h. son deliciosos.
i. es fría.
j. son impacientes.

9.3
a. 7
b. 2
c. 3
d. 9
e. 1
f. 10
g. 5
h. 8
i. 6
j. 4

9.4
a. servir: sirve; sirven; servimos
b. jugar: juegan; juega; jugar
c. entender: entiendo; entiende; entienden
d. volver: vuelvo; vuelve; volvemos
e. preferir: prefieres; prefieren; preferimos

9.5
a. hablo
b. escriben
c. estudiamos
d. comes
e. subimos
f. pasas
g. entiende/comprende
h. piden
i. gano
j. viven

9.6
a. es
b. es
c. está
d. está
e. Es
f. es
g. Son
h. son
i. está
j. Estoy

9.7
a. Mr. Cabra shaves in the bathroom at 5 A.M.
b. We prefer to go to the gym together.
c. When I enter school, I take off (remove) my jacket.
d. You wash your face before going to bed.
e. Beto and Selena go to the party and have a good time.
f. Me corto muchas veces cuando me afeito.
g. Sus abuelos se despiertan a las seis de la mañana generalmente, pero hoy no se levantan hasta las siete y media.
h. Uds. se abrazan y se besan en la estación.
i. Nos vestimos y salimos.
j. La niña se baña y luego se duerme.

9.8   a. Son las ocho.

        b. Es la una de la mañana.

        c. Son las dieciséis.

        d. Son las seis y media (treinta) de la noche.

        e. Son las nueve y cuarto (quince).

        f. Son las tres menos veinticuatro.

        g. Son las tres menos nueve de la tarde.

        h. Son las cinco menos cuarto (quince).

        i. Son las siete y once.

        j. Son las cuatro y veintinueve.

9.9   mira; se; maquilla; está; vuelve; Están;
muestra; dice; poner; pongo; cenan; sale;
hace; mira; A; son; Me voy; lava; Se cepilla;
se; se acuesta; duerme; está; es

SECTION ONE

1.1
1. a. a parenting magazine
2. b. by age and ability
3. b. a peaceful, well-run home
4. c. entertain them so the parents can complete other jobs
5. b. be fair when assigning jobs

1.2 **Adult check.** The answers given are for the sake of example only. Responses will vary. Check response for correct grammar and appropriateness.

a. Mi hermana quita el polvo.
b. Me gusta barrer y poner la mesa. No me gusta hacer la cama ni cocinar.
c. Mi hermano repara las cosas.
d. Tengo un perro. Yo le doy de comer a él. (No tengo mascotas.)
e. Yo miro la televisión por la noche.

FLASHCHARD ACTIVITIES:

A. Find pictures in magazines of activities in the vocabulary list. Cut them out and affix them individually to index cards. On the BACK of each card, write the Spanish vocabulary term for each picture.

Instructor: It's certainly not necessary, but if you can have the cards laminated, they will hold up very well and look very nice. You should also have your own set. Begin class every day with the cards. Hold up each picture, and have your students call out the Spanish term.

B. Your instructor has ten picture cards on the board. Number your paper from one to ten and write the Spanish terms from memory. (**Instructor:** Grade these immediately afterward as a class.)
C. Place your flashcards picture side up. Find a learning partner. Take turns with your partner asking questions about the activity pictured. You should be using the *tú* and *yo* forms of the verbs. Repeat this with ten cards.

Instructor: Facilitate the conversations by listing helpful words on the board, such as *¿Dónde?*, *¿Te gusta?*, *¿Quién?*, or *¿Cuándo?*.

1.3 **Instructor:** Encourage your students to do as many as possible from memory first. They may use the list or their cards to complete the rest. Even if it's only a few words, your students will be practicing their memorized words.

a. montar en bicicleta; quitar la mesa
b. fregar
c. cuidar; cocino
d. correr en un maratón
e. estudiar; mirar la televisión
f. dibujar
g. jugar a los videojuegos; los quehaceres
h. pones la mesa; lavas los platos
i. van de camping; se pasean
j. quehacer; quitar el polvo

1.4
a. montar a caballo – to ride a horse
b. pasar la aspiradora – to vacuum
c. barrer – to sweep
d. hablar por teléfono – to talk on the phone
e. leer novelas– to read novels
f. lavar los platos – to wash the dishes
g. poner la mesa – to set the table
h. correr – to run
i. jugar al piano – to play the piano
j. pintar un retrato – to paint a portrait
k. hacer la cama – to make the bed
l. mirar la televisión – to watch/look at T. V.
m. nadar en el mar – to swim in the sea
n. cocinar – to cook
o. pasearse – to go for a walk
p. montar en motocicleta – to ride a motorcycle
q. cortar el césped – to mow the lawn
r. conducir – to drive
s. ir de camping – to go camping
t. escuchar la radio – to listen to the radio

OPTIONAL ACTIVITY:

Here is a project to do, using your new vocabulary.

A. You're about to have a party at your home. List five preparations you have to do. Use a form of *tener que* + infinitive (to have to).

Example: *Tengo que barrer.*

Instructor: Answers will vary, but should be logical for the task.

B. Create on a half-sheet of construction paper a collage of the chores you chose. You may use pictures cut from magazines. Label each picture with the Spanish term.

C. On the same paper used in part A, list five fun activities you'll do at your party. Use a form of *ir + a* + infinitive (to be going to).

Example: *Yo voy a nadar en la piscina.*

D. On the other half of the paper you used for the collage, create another collage of the fun activities. Again, use pictures cut out from magazines. Label these pictures as you did before.

E. Present your collage to your classmates by reading your sentences as you hold up the sheet with the two collages. Hang your collages up in the classroom.

1.5
a. cocina
b. bosque
c. Pinto
d. estudian
e. dar de comer
f. quita la mesa
g. conducen
h. montar
i. los deportes
j. repara

1.6
a. She washes the dishes after supper.
b. He/She gets on a bike and goes to school.
c. They listen to the radio while they study.
d. You're going out to the movies in order to see a film.

e. Juan cleans his room (bedroom). He makes the bed and vacuums the rug.
f. Limpias la casa y cortas el césped.
g. No salgo; paso la aspiradora.
h. Corremos y hacemos ejercicios todos los días.
i. Prepara la cena y pone la mesa.
j. Mi hermano lava los platos y mi hermana barre.

1.7 Crossword puzzle:

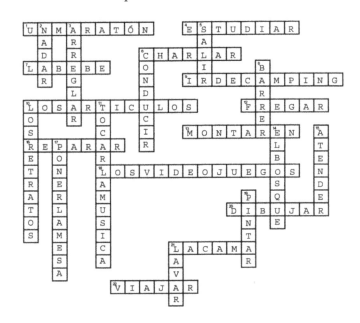

OPTIONAL ACTIVITY:

This is an easy relay game that requires few materials. Select a vocabulary term and write it **twice vertically** on the chalkboard or whiteboard or on a large sheet of paper as shown:

b	**b**
a	**a**
r	**r**
r	**r**
e	**e**
r	**r**

Break your group of students into two teams. On your mark, the first person on each team will dash to the board and "chain" another vocabulary term to the one you wrote, like this:

b

pasar la aspiradora
r
r
e
r

The person then dashes back to the group and hands off the writing instrument to the next person on the team. The teammates will repeat the process until as many letters as possible of the original word have been chained or until a certain time limit has been reached. The team that finishes first and has **correctly** spelled every word wins the race.

LISTENING EXERCISES I

Ex 1. a. 9
b. 6
c. 3
d. 7
e. 8
f. 10
g. 4
h. 5
i. 2
j. 1

Ex 2. a. verdadero
b. falso. Él trabaja.
c. falso. Ella cocina.
d. verdadero
e. falso. Nadan en el lago / mar.
f. verdadero
g. verdadero
h. falso. Se pasean.
i. verdadero
j. falso. Leen.

Ex 3. 1. c. las matemáticas
2. a. sí, pinto
3. b. voy a barrer
4. b. camino
5. c. lo repara
6. b. a mi amigo
7. a. las revistas
8. c. en una oficina
9. a. la música
10. c. en el bosque

SECTION TWO

2.1 a. 2
b. *acabar* and an infinitive
c. It ends in -AR, -ER, or -IR.
d. *acabar*
e. We just did the homework.
f. She just did the homework.

2.2 a. acabo
b. acabas
c. acaba
d. acabamos
e. acaban

2.3 a. Acabo de comer.
b. Acabas de comer.
c. Él acaba de comer.
d. Ella acaba de comer.
e. Ud. acaba de comer.
f. Nosotros acabamos de comer.
g. Ellos acaban de comer.
h. Uds. acaban de comer.

2.4 a. Te acabas de despertar.
Acabas de despertarte.
b. Se acaba de despertar.
Acaba de despertarse.
c. Nos acabamos de despertar.
Acabamos de despertarnos.
d. Se acaba de despertar.
Acaba de despertarse.

e. Se acaban de despertar.
   Acaban de despertarse.
f. Se acaban de despertar.
   Acaban de despertarse.

2.5
a. No, acabo de montar en bicicleta.
b. No, acabo de hacer ejercicios.
c. No, acabo de poner la mesa.
d. No, acabo de fregar los platos.
e. No, acabo de barrer la cocina.
f. No, acabo de darle de comer al gato.
g. No, acabo de limpiar mi cuarto.
h. No, acabo de leer.
i. No, acabo de estudiar.
j. No, acabo de ir de camping.

2.6
a. No, acaba de montar en bicicleta.
b. No, acaba de darle de comer al bebé.
c. No, acabo de visitarlos.
d. No, acaban de ir en coche al almacén.
e. No, acabamos de quitar la mesa.
f. No, acaban de estudiar para un examen.
g. No, acabo de hablar con él por teléfono.
h. No, acabamos de estudiar.
i. No, acaba de escribir una carta a nuestro abuelo.
j. No, acaba de bañar al bebé.

2.7
a. Acabamos de correr un maratón.
b. Acabo de lavar el coche.
c. Ud. acaba de viajar allí.
d. ¡Acaba de quitar el polvo de la casa!
e. Acaban de dibujar un retrato.
f. Uds. acaban de ver una película.
g. No acabo de pasearme.
h. Acaba de leer una novela.
i. Acaba de reparar eso.
j. Acabas de jugar al béisbol.

2.8
a. how long they were in line
b. hace, que

2.9
a. how long they have lived there
b. hace que

2.10
a. We have been writing the assignment for three days.
b. It makes three days that we write the assignment.
c. We have been in class for forty minutes.
d. It makes forty minutes that we are in class.
e. They have been working as secretaries for fifteen years.
f. It makes fifteen years that they work as secretaries.

2.11
a. hace
b. the one after "que"

2.12
a. We have had a puppy for eight years.
b. We have had the car for two months.
c. I have had this dress for a week.

2.13
a. Hace un mes que tenemos un perrito.
b. Hace seis semanas que tenemos nuestros anillos.

2.14
a. How long have they been watching television.
b. How much time does it make that they watch television?

2.15
a. Hace tres días que yo limpio el garaje.
b. Hace diecisiete años que los trabajadores construyen el puente.
c. Hace una semana que tú lees el libro.
d. Hace seis meses que Ud. no toma el café.
e. Hace veinte minutos que la actriz se maquilla.
f. Hace una hora que ella le habla a él.
g. Hace dos meses que Chamo sale con María.
h. Hace muchos años que mis abuelos tienen este coche.
i. Hace tres años que la dama es soltera.
j. Hace cincuenta y cuatro minutos que Ud. corta el césped.

2.16
a. Hace noventa minutos (una hora y media) que friega los platos.
b. Hace cuatro horas que visito con los enfermos.

c. Hace media hora que barremos el patio.

d. Hace seis horas que reparan la acera.

e. Hace veinte minuos que cocinas el almuerzo.

2.17   a. Hola, Enrique. ¿Cuánto tiempo hace que estás en la biblioteca? / Acabo de llegar aquí. ¿Cuánto tiempo hace que trabajas aquí?

b. Hace una hora que estudio para el examen de inglés. / Necesito escribir una tarea. Hace tres días que la escribo.

c. Acabo de terminar esa tarea ayer. Es difícil. / ¿Está María aquí ahora?

d. Creo que sí. Acabo de hablar con ella. / ¿Cuánto tiempo hace que está aquí?

e. Hace mucho tiempo que está en la sección de revistas. / Voy a decirle "hola" a ella (saludarla). Entonces tengo que trabajar.

f. Hasta el lunes. / Muy bien, adiós.

LISTENING EXERCISES II

Ex 1.   a. continuing action

b. continuing action

c. just completed action

d. just completed action

e. continuing action

Ex 2.   1. b. three hours

2. a. a quarter hour

3. b. a half hour

4. c. forty-five minutes

5. a. two hours

6. c. an hour and a half

7. b. a whole day

Ex 3.   1. acabo de   b. comer en el café

2. acabamos de   a. trabajar

3. acabo de   c. estudiar

4. acabo de   a. cocinar

5. acabamos de   c. mirar la televisión

6. acabo de   b. reparar el coche

7. acaba de   b. limpiar la casa

8. acabo de   b. leerla

SECTION THREE

3.1   1. b. a school party

2. a. yes

3. c. at the school gym

4. a. 10:00

5. b. she took pictures

3.2   a. El vestido es azul.

b. Tiene una rosa.

c. Empieza a las siete.

d. Va con Guillermo.

e. Sí, todos se divierten.

3.3   Answers will vary. Examples:
        empezó, fue, asistí

3.4   "ed" verbs

3.5   a. I walked

b. you walked

c. he/she/you walked

d. we walked

e. they/all of you walked

3.6   a. -é

b. -aste

c. -ó

d. -amos

e. -aron

3.7   a.   the *yo* and *él/ella/Uds.* forms
        b.   yes

3.8   a.   trabajé
        b.   trabajaste
        c.   trabajó
        d.   trabajamos
        e.   trabajaron

3.9   a.   él trabajó
        b.   nosotros trabajamos
        c.   you worked, you did work

Instructor: Your students may point out that the *nosotros* forms look exactly like the present tense. They may wonder how to differentiate between the two. You must assure your students that they will be able to understand the difference by the context surrounding the form. For example, if s/he is discussing an event from last week, *trabajamos* must refer to the past also and thus it means "we worked."

3.10   a.   I ate
        b.   you ate
        c.   he/she/you ate
        d.   we ate
        e.   they/all of you ate

3.11   a.   I opened
        b.   you opened
        c.   he/she/you opened
        d.   we opened
        e.   they/all of you opened

3.12   a.   -í
        b.   -iste
        c.   -ió
        d.   -imos
        e.   -ieron

3.13   a.   comprendí
        b.   comprendiste
        c.   comprendió
        d.   comprendimos

        e.   comprendieron
        f.   he/she/you understood, he/she/you did understand
        g.   I understood, I did understand
        h.   comprendieron

3.14   a.   escribí
        b.   escribiste
        c.   escribió
        d.   escribimos
        e.   escribieron
        f.   yo escribí
        g.   escribiste
        h.   escribieron

3.15   1.   a.   aprendí
              b.   aprendimos
              c.   aprendieron
      2.   a.   chiflé
              b.   chiflamos
              c.   chiflaron
      3.   a.   viví
              b.   vivimos
              c.   vivieron
      4.   a.   abrí
              b.   abrimos
              c.   abrieron
      5.   a.   pensé
              b.   pensamos
              c.   pensaron
      6.   a.   volví
              b.   volvimos
              c.   volvieron
      7.   a.   bailé
              b.   bailamos
              c.   bailaron
      8.   a.   comprendí
              b.   comprendimos
              c.   comprendieron
      9.   a.   subí
              b.   subimos
              c.   subieron
    10.   a.   encontré
              b.   encontramos
              c.   encontraron

3.16
a. entendió
b. mostramos
c. bebí
d. cubriste
e. salí
f. quedaron
g. te despertaste
h. escogimos
i. escribió
j. estudiaron

3.17
a. escribieron
b. aprendí
c. salió
d. llevamos
e. corrimos
f. bebiste
g. vendieron
h. hablaste
i. comió
j. cociné

3.18 **Adult check.** Answers will vary.

3.19 It has an extra "u" in the ending.

3.20
a. pagué   b. pagamos
a. rogué   b. rogamos
a. llegué   b. llegamos
a. colgué   b. colgamos
a. castigué   b. castigamos

3.21 The *yo* form has a "qu" instead of "c" in the ending.

3.22
1. a. busqué   b. buscaste
2. a. saqué   b. sacaste
3. a. expliqué   b. explicaste
4. a. toqué   b. tocaste
5. a. pesqué   b. pescaste

3.23 In the *yo* form, the "z" changes to "c" in the ending.

3.24
a. empecé
b. empezaste
c. empezó
d. empezamos
e. empezaron

3.25
1. a. abracé   b. abrazó
2. a. lancé   b. lanzó
3. a. tropecé   b. tropezó
4. a. avancé   b. avanzó
5. a. alcancé   b. alcanzó

3.26
1. a. trotaste   6. a. me bañé
   b. trotaron   b. se bañó
   c. trotamos   c. te bañaste
2. a. brinqué   7. a. perdió
   b. brincó   b. perdimos
   c. brincaron   c. perdí
3. a. pensaron   8. a. vendimos
   b. pensaste   b. vendieron
   c. pensó   c. vendió
4. a. volvimos   9. a. abrazaron
   b. volvieron   b. abrazamos
   c. volví   c. abracé
5. a. describimos 10. a. tragó
   b. describió   b. tragaron
   c. describí   c. tragué

3.27
a. escribieron una carta
b. jugaste al golf
c. comiste una hamburguesa
d. gozaron de una película buena
e. pagué la cuenta
f. bebió Ud. un vaso de agua
g. María corrió en un maratón
h. compartimos una pizza
i. enseñé el español
j. pensaron en eso

3.28   **Instructor:** The student should have made circles around the accents of the *tú* and *nosotros* forms of the appropriate verbs. The student should have circled the "y" of the *él* and *ellas* forms.

3.29   There are accents on the *tú* and *nosotros* forms for some verbs. The "i" has been replaced by "y" in the *él* and *ellos* forms.

3.30   a.   contribuí
         b.   contribuiste
         c.   contribuyó
         d.   contribuimos
         e.   contribuyeron

3.31   a.   leí
         b.   leíste
         c.   leyó
         d.   leímos
         e.   leyeron

3.32   **Adult check.** Sample answers are for the benefit of the instructor only. It is recommended that the instructor review this activity with the student(s), making corrections as they work on it. Check sentences for correctness of grammar.

Examples:

Mis hermanos jugaron al tenis por dos horas.
Tú oíste la música por la radio.
Yo saqué unas fotos con mi papá.

OPTIONAL ACTIVITIES:

Make a set of "folding doors" (as you did for **OPTIONAL ACTIVITY B** in Unit One) for spelling change verbs. Choose what you think are the hardest forms to remember.

Make a set of flash cards of what you consider to be the most challenging forms. You should make a few cards of regular verbs also, for the sake of practice. There are two options for the flashcards:

leer (ellos)—leyeron
she heard—oyó

As we continue through the preterit tense, add to your collection of cards. Take a few minutes every day to review them, with or without a partner. This is a much more efficient way to practice forms than trying to study them all the night before a test.

3.33   a.   Tú leíste esta revista.
         b.   Los hombres huyeron del fuego.
         c.   Eugenia y yo cantamos en el auditorio.
         d.   Mi hermanito bebió mi refresco.
         e.   Uds. abrieron las ventanas.
         f.   Yo pagué la comida.
         g.   Tú y yo almorzamos en la cafetería.
         h.   Yo empecé la tarea anoche.
         i.   Los chicos se cayeron del árbol.
         j.   Nosotros creímos las palabras del Señor.

3.34   a.   jugué
         b.   creíste
         c.   trabajamos
         d.   huyeron
         e.   se cayó
         f.   sacaron
         g.   comencé
         h.   poseyó
         i.   abriste
         j.   estudiamos

3.35 a. -é
      b. -aste
      c. -ó
      d. -amos
      e. -aron

3.36 a. -í
      b. -iste
      c. -ió
      d. -imos
      e. -ieron

3.37 1. -car, -gar, and -zar
      2. a. -c changes to -qu
          b. -g changes to -gu
          c. -z changes to -c
      3. a. -eer   b. -uir   c. -aer
      4. the "i" changes to "y"
      5. There are extra accents on the *tú* and
          nosotros forms for some verbs.

3.38 a. dormir   c. pedir   e. preferir
      b. morir   d. seguir   f. divertirse
                                 g. sentirse

3.39 1. a. i
          b. él/ella/Ud.
          c. ellos/ellas/Uds.
      2. a. él/ella/Ud.
          b. ellos/ellas/Uds.

3.40 1. a. preferiste   b. prefirieron
      2. a. te divertiste b. se divirtieron
      3. a. te moriste   b. se murieron
      4. a. seguiste   b. siguieron
      5. a. pediste   b. pidieron
      6. a. perseguiste   b. persiguieron

3.41 a. impidieron
      b. caminó
      c. viviste
      d. leímos
      e. volví
      f. se maquillaron
      g. encontró

h. nos divertimos
i. oí
j. vestiste

3.42 a. Mi hermano y yo dormimos muy poco.
          Nos sentimos cansados.
      b. Tú dormiste bien. Te sentiste bien.
      c. El bebé durmió poco. Se sintió cansado.
      d. Yo dormí hasta las cuatro de la tarde. Me
          sentí bien.
      e. Uds. durmieron mal. Se sintieron irritados.

3.43 1. a. me levanté
          b. Comí
          c. Tomé
      2. a. montó
          b. Lavó
          c. se sintió
      3. a. visitamos
          b. Pagamos
          c. Escribimos
      4. a. se acostaron
          b. Se durmieron
          c. trabajaron
      5. a. se vistió
          b. Se maquilló
          c. salió

3.44 a. escribió
      b. se durmió
      c. leyó
      d. colgué
      e. sacaste
      f. pidieron
      g. busqué
      h. empecé
      i. se divirtieron
      j. practiqué

3.45 a. yo leí
      b. él compró
      c. Uds. pagaron
      d. nos divertimos
      e. te caíste
      f. no poseyó

g. huimos

h. Ricardo y sus amigos durmieron

i. yo llegué

j. creíste

3.46 **Adult check.** Answers will vary. Examples:
   a. Escribí la lección (el sábado).
   b. (Yo fregué, mi mamá fregó, etc.) los platos.
   c. Mi padre leyó el periódico (a las cinco y cuarto).
   d. Yo llegué a casa (a las tres de la tarde).
   e. (Mi mamá, Mi abuelo, etc.) me abrazó hoy.
   f. Mi hermano(a) se durmió (a las nueve).
   g. Me sentí cansado(a) (por la noche).
   h. Jugué al tenis (después de la lección).
   i. (Mi hermana) pidió una hamburguesa.
   j. Empezó a llover (a las nueve de la noche).

3.47 a. subiste
   b. regresaron
   c. seguí
   d. nos caímos
   e. Carmen creyó
   f. tus amigos comprendieron
   g. pagué
   h. durmió
   i. construiste
   j. montamos

3.48 **Adult check.** Answers may vary slightly.
   a. ¿A qué hora llegaste a la fiesta? / Llegué a las seis y media.
   b. ¿Cómo viajaste allí? / (Yo) caminé. No me llevó mucho tiempo.
   c. (Yo) monté en bicicleta. Oí que Paquito tomó el autobús. / (Yo) hablé con Ángel anoche. ¿Qué hiciste?
   d. (Yo) miré la película con Humberto y Horacio. / ¿Comiste pastel (torta)?
   e. Sí, yo comí demasiado. Bebí muchos refrescos también. / ¿A qué hora salieron Uds.?
   f. Salimos a las once. ¿Saliste tarde? / Sí, (yo) salí a medianoche.

g. ¡Ay de mí! Prometí a mi mamá que iría a la tienda. Hasta el lunes. / Hasta entonces.

3.49 a. I went
   b. they/all of you went
   c. fuimos
   d. tú fuiste
   e. ellos/ellas fueron
   f. I was
   g. They're exactly the same. / The forms of *ir* and *ser* are spelled exactly the same.

3.50 a. dieron
   b. di
   c. dio
   d. vimos
   e. vieron
   f. viste

3.51 a. dije
   b. dijiste
   c. dijo
   d. dijimos
   e. dijeron

3.52 a. conduje
   b. condujiste
   c. condujo
   d. condujimos
   e. condujeron

3.53 a. traje
   b. trajiste
   c. trajo
   d. trajimos
   e. trajeron

3.54 a. yo dije
   b. yo traje
   c. yo conduje
   d. ellos/ellas trajeron
   e. ella dijo
   f. you brought
   g. we drove
   h. he/she/you drove
   i. they/all of you said/told
   j. we said/told

3.55   a.   quise
        b.   quisiste
        c.   quiso
        d.   quisimos
        e.   quisieron

3.56   a.   hice
        b.   hiciste
        c.   hicimos
        d.   hicieron

3.57   a.   vine
        b.   viniste
        c.   vino
        d.   vinimos
        e.   vinieron

3.58   a.   ellos/ellas vinieron
        b.   yo hice
        c.   ellos/ellas no quisieron
        d.   ellos/ellas quisieron
        e.   hiciste
        f.   he/she/you came/did come
        g.   you wanted/did want
        h.   they/all of you did/made/did make
        i.   we did/made
        j.   I came/did come

3.59   a.   anduve
        b.   anduviste
        c.   anduvo
        d.   anduvimos
        e.   anduvieron

3.60   a.   tuve
        b.   tuviste
        c.   tuvo
        d.   tuvimos
        e.   tuvieron

3.61   a.   supe
        b.   supiste
        c.   supo
        d.   supimos
        e.   supieron

3.62   a.   yo supe
        b.   ellos/ellas tuvieron/obtuvieron
        c.   no anduve
        d.   tuvo/recibió
        e.   tuve/recibí
        f.   anduviste
        g.   supieron
        h.   anduvimos
        i.   ¿quién tuvo?
        j.   supiste

3.63   a.   estuve
        b.   estuviste
        c.   estuvo
        d.   estuvimos
        e.   estuvieron

3.64   a.   puse
        b.   pusiste
        c.   puso
        d.   pusimos
        e.   pusieron

3.65   a.   pude
        b.   pudiste
        c.   pudo
        d.   pudimos
        e.   pudieron

3.66   a.   ellos/ellas estuvieron
        b.   ella puso
        c.   estuve
        d.   pudimos
        e.   tú pusiste
        f.   he/she/you could/succeeded
        g.   you were
        h.   they/all of you put/placed
        i.   we were
        j.   I could/succeeded

3.67   1.   b.   mostró
        2.   b.   leímos
        3.   a.   estuvieron
        4.   c.   vestí
        5.   b.   gustó
        6.   a.   construyó

7. b. fueron
8. a. hicieron
9. b. jugué
10. b. caíste

3.68   a. jugaron
       b. se divirtieron
       c. nadaron
       d. asistieron
       e. poseyeron
       f. brincaron
       g. empezaron
       h. murieron
       i. hicieron
       j. trajeron
       k. volvieron
       l. fueron
       m. dieron
       n. condujeron
       o. supieron

OPTIONAL ACTIVITY:

Instructor: This would be a good time for a break from the written activities. Play this concentration game with your students at any time to review verb forms of any tense.

Prepare twenty-four sheets of construction paper. Number them from one to twenty-four. Affix them to a wall or chalkboard in numerical order. Underneath twelve sheets (randomly selected) write an infinitive and a subject pronoun of your choice. Use the infinitives you feel are giving your students the most trouble.

escribir
(ellos)

Underneath the remaining twelve, write the English of the forms you want.

they
wrote

Split students into teams. Teammates may help each other find matches, but may not help with the spelling or pronunciation of the forms.

Each teammate in turn calls out two numbers (in Spanish) from the papers on the board. The instructor raises the papers enough to see the words underneath.

If there is no match, lower the sheets and give the other team a turn.

If there is a match, the student must give that verb form in Spanish correctly, in order to earn the point (*escribieron*). By answering correctly, that student's team also gets another turn. If the response is incorrect, the other team takes a turn.

Play until all matches have been made. The team with the most points wins.

Students can play this on their own, once they have learned the rules.

3.69   **Adult check.** Answers will vary.

    a. ¿Qué hiciste el sábado por la noche?
       Fui a un restaurante con mi esposa.
    b. ¿A qué restaurante fuiste (fueron Uds.)?
       Fuimos al Gran Gallo.
    c. ¿Llevaron a sus hijos?
       No, ellos se quedaron con su abuela.
    d. Pues, te divertiste (Uds. se divirtieron).
       ¿Qué comiste (comieron)?
       Comí el pollo y mi esposa comió el pescado.
    e. Mi familia fue allí el domingo. Nos gustó ese restaurante.
       Nos gustó también.

3.70   **Adult check.** Answers will vary.
       Sample composition:
       Juana hizo ejercicios, se paseó y leyó (una novela).
       Carlos, Blas y Raúl jugaron al béisbol.
       Pero Blas y Raúl montaron en bicicleta también. Antonita se paseó. Roxana leyó. Chela hizo ejercicios. Ella montó en bicicleta y se paseó también. Jorge fue de camping. Jesús pintó.

Reading Comprehension Activity

Example translation:

One day Mariana returned home from school. She sat down and began to cry. Her mother was very worried.

She said to Mariana, "What happened to you, my little one?"

"What a terrible day I had, Mom." said Mariana. "When I got to class this morning, I realized that I forgot the homework for my first class. The teacher is very strict and he wouldn't let me bring it tomorrow. I got (received) a zero. On the way to history class I fell in the hall, and I lost my favorite pen. I had a headache too. I went to the nurse's office to rest for a while (a little bit) and afterwards I felt better until I ate lunch. The cafeteria served fish and I didn't like it at all. I didn't eat anything (ate nothing). I drank the milk, but it wasn't very cold. How disgusted I was! I spent the afternoon in a bad mood, and now Catalina is irritated with me because she thought I was rude to her. The wind took my hat off my head, and a dog chased me on the way home."

Her mother hugged Mariana. She offered to cook her favorite dinner for her. She gave her some aspirin. She let her rest on the sofa, and she served her a glass of very cold lemonade. Mariana felt comfortable for the first time that day and very loved too.

3.71
1. a. a young girl's bad day
2. c. the girl's home
3. b. Mariana and her mother
4. a. awful
5. c. comfortable

3.72
a. She fell and lost her favorite pen.
b. It takes place at the end of the school day (in the afternoon).
c. She had a headache and needed to rest.
d. Fish was served. It was disgusting. The milk was not very cold.
e. Catalina thinks Mariana was rude to her.

3.73 **Adult check.** Answers will vary.
a. Mariana olvidó la tarea para la primera clase.
b. El profesor fue muy estricto.
c. Se sintió preocupada.
d. El viento se llevó el sombrero de la cabeza.
e. Descansó en el sofá y bebió una limonada bien fría.

LISTENING EXERCISES III

Ex 1.
1. b. tú
2. a. Bernardo
3. c. los estudiantes
4. a. nosotras
5. b. Ella
6. a. Antonio
7. a. tú
8. b. yo
9. a. el grupo de amigos
10. b. Ud. y yo

Ex 2.
1. a. ayer
2. a. ayer
3. b. hoy
4. a. ayer
5. b. hoy
6. b. hoy
7. a. ayer
8. b. hoy
9. a. ayer
10. a. ayer

Ex 3.
a. hablaste
b. quise
c. Se divirtieron
d. tuvo
e. Jugamos
f. mostró
g. Estuve
h. se acostaron
i. Seguí
j. Fuiste

SECTION FOUR

4.1   a.   in the past
      b.   was . . . -ing.

4.2   1.   a.   Era   b.   ser
      2.   a.   Eran   b.   ser
      3.   a.   Estaba   b.   estar
      4.   a.   Limpiaba   b.   limpiar
      5.   a.   Escuchaba   b.   escuchar
      6.   a.   barría   b.   barrer
      7.   a.   Hacía   b.   hacer
      8.   a.   era   b.   ser
      9.   a.   Tenía   b.   tener
     10.   a.   esperaba   b.   esperar
     11.   a.   estaba   b.   estar
     12.   a.   comenzaba   b.   comenzar

4.3   a.   -aba
      b.   -ía

4.4   a.   I was cleaning
      b.   you were cleaning
      c.   he/she was cleaning/you were cleaning
      d.   we were cleaning
      e.   they/all of you were cleaning

4.5   a.   -aba
      b.   -abas
      c.   -aba
      d.   -ábamos
      e.   -aban

4.6   a.   cantabas
      b.   montaban
      c.   trabajaba
      d.   estudiábamos
      e.   viajaba

4.7   a.   jugábamos
      b.   encontraban
      c.   pensaba
      d.   estaba
      e.   andabas

4.8   a.   tú leías
      b.   nosotros leíamos
      c.   they were reading

4.9   a.   I was writing
      b.   all of you were writing
      c.   ella escribía
      d.   The endings for the -ER and -IR verbs are the same in the imperfect tense.

4.10   a.   -ía
       b.   -ías
       c.   -ía
       d.   -íamos
       e.   -ían

4.11   a.   vendían
       b.   traía
       c.   nos vestíamos
       d.   tenías
       e.   abría

4.12   a.   iban
       b.   era
       c.   éramos
       d.   veía
       e.   ibas
       f.   we were going
       g.   you were seeing
       h.   I was
       i.   they were seeing
       j.   you were

4.13   a.   bailabas
       b.   encontraban
       c.   estaba
       d.   teníamos
       e.   vivía
       f.   pedía
       g.   prefería
       h.   dábamos
       i.   pensaban
       j.   perdían

4.14   a. ella leía

        b. se divertían

        c. nosotros íbamos

        d. no eras

        e. yo escribía

        f. mi mamá se vestía

        g. Carlota no quería

        h. los estudiantes hacían ejercicios

        i. tú y yo veíamos

        j. sus hermanos jugaban

4.15   a. Cuando Enrique tenía cinco años, veía el circo frecuentemente.

        b. Cuando nuestro primo tenía diez años, nos visitábamos mucho.

        c. Cuando yo tenía ocho años, nadaba en el mar con mi mamá.

        d. Cuando Uds. tenían dieciséis años, veían una película cada viernes.

        e. Cuando él y yo teníamos doce años, hacíamos la tarea juntos.

        f. Cuando tenías cuatro años, llevabas un vestido todos los días.

        g. Cuando Gabriela tenía once años, barría el porche por la mañana.

        h. Cuando los amigos tenían quince años, le daban regalos a su mamá cada día.

        i. Cuando Ud. tenía siete años, iba a la escuela en autobús.

        j. Cuando Uds. tenían nueve años, tenían la misma altura.

4.16   Crossword puzzle:

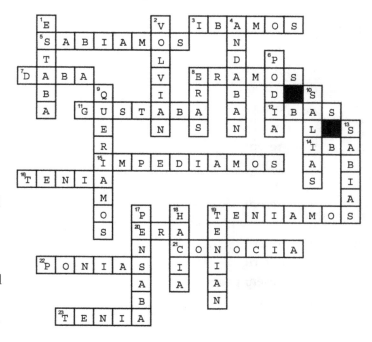

4.17   **Adult check.** Answers will vary.

Examples:

Beto y Francisco caminaban con el perro.

Ana María comía un sandwich.

4.18   **Adult check.** Answers will vary.

Example translation:

        a. ¿Qué hacías?

            (Yo) Caminaba (Andaba) al supermercado.

        b. ¿Y mientras ibas al supermercado…?

            Yo podía oír mucho ruido.

        c. ¿Y sabías que hubo un accidente?

            Sí.

        d. ¿Conducía muy rápido?

            Sí, conducía demasiado rápido.

        e. ¿Dónde estaba el segundo coche?

            El conductor trataba de aparcar el coche. Daba marcha atrás.

        f. ¿Y el coche rojo se estaba acercando (estaba acercándose)?

            Sí, no prestaban atención.

        g. ¿Miraban otras personas?

            Sí, un señor viejo y su esposa. Estaban allí.

        h. ¿Qué hora era?

            Eran las cuatro menos diez.

LISTENING EXERCISES IV

Ex 1.
a. present
b. present
c. present
d. past
e. past
f. past
g. present
h. past
i. past
j. present

Ex 2.
a. preterit
b. preterit
c. present progressive
d. present

e. imperfect
f. present
g. present progressive
h. preterit
i. imperfect
j. present

Ex 3.
a. pasaba
b. íbamos
c. te acostabas
d. eras
e. daba
f. necesitaban
g. seguía
h. fregaba
i. veían
j. dormía

SECTION FIVE

5.1
a. pinta, dibuja retratos
b. hago ejercicio, me paseo, nado
c. Ella prepara, pone la mesa
d. El quehacer, lavar los platos
e. escuchar, la radio
f. pasatiempos, leer, viajar
g. nadar, el mar
h. repara la bicicleta
i. leer el periódico, viajo
j. cuida bien a, mascotas

5.2
a. Marisol lavó los platos.
b. Yo no hice la cama.
c. Él y sus amigos fueron de camping.
d. Uds. estudiaron el inglés en la escuela.
e. ¡Tú reparaste mi bicicleta!
f. El cocinó la cena anoche.
g. Yo jugué al tenis.
h. Chamo no quitó la mesa.
i. Los niños pintaron un retrato de su madre.
j. No corrimos en la carrera.

5.3
a. Hace quince años que juego al béisbol.
b. Hace una hora que preparo el almuerzo.
c. Hace media hora que limpio la casa.
d. Hace dos años que escribo la novela.
e. Hace treinta minutos que estudiamos.
f. Hace muchos años que ellos no hablan con sus parientes.
g. Hace ocho años que bebo este café.
h. Hace un año que voy mucho a ese restaurante.
i. Hace veinte minutos que se visten.
j. Hace muchos años que me gusta la comida mexicana.

5.4

	preterit	imperfect
a.	fui	iba
b.	se despertó	se despertaba
c.	prefirieron	preferían
d.	me gustó	me gustaba
e.	pensaste	pensabas
f.	supe	sabía

g. dije   decía
h. hablamos   hablábamos
i. durmió   dormía
j. vivimos   vivíamos

5.5   A. 1. a. visitamos
          2. c. fuimos
          3. c. costó
          4. c. Tuvimos
          5. a. van

      B. 1. a. Estoy
          2. a. es
          3. c. pedí
          4. a. pienso
          5. b. dar

      C. 1. b. llegar
          2. a. ganó
          3. a. son
          4. c. marcaron
          5. a. es

5.6   a. Mis hermanos acaban de hacer ejercicios.
      b. Mi mamá acaba de levantarse (se acaba de
          levantar) de una siesta.
      c. Juan Carlos acaba de salir.
      d. Yo acabo de arreglar el cuarto.
      e. Los amigos de mi hermana acaban de ir
          de compras.
      f. Acabamos de ver una película.

5.7   1. a. Nosotros vamos a jugar a los
              videojuegos.
          b. Nosotros acabamos de jugar a los
              videojuegos.
          c. Hace (una hora) que jugamos a los
              videojuegos.
      2. a. La niña va a pedir una bicicleta nueva.
          b. La niña acaba de pedir una bicicleta
              nueva.
          c. Hace (dos meses) que la niña pide una
              bicicleta nueva.
      3. a. Yo voy a ayudar a mi abuela.
          b. Yo acabo de ayudar a mi abuela.
          c. Hace (quince minutos) que ayudo a mi
              abuela.

5.8   1. a. he thinks
      2. b. they returned
      3. c. we were going
      4. a. you are enjoying yourself
      5. b. we didn't walk
      6. a. I see
      7. b. you weren't
      8. a. I am following
      9. c. all of you were returning
     10. b. you said

SECTION SIX

6.1 a. Southern
  b. Gulf of Mexico
    Pacific Ocean
  c. Four
  d. Puerto Rico, Cuba, Dominican Republic
  e. from Africa by the Strait of Gibraltar
    from France by the Pyrenees Mountains
  f. Panama Canal
  g. Bolivia, Chile, Ecuador, Paraguay, Uruguay, Argentina, Colombia, Venezuela, Peru
  h. El Salvador, Guatemala, Honduras, Nicaragua, Costa Rica, Panama
  i. Equatorial Guinea
  j. Europe
  k. Mediterranean Sea
  l. Atlantic Ocean
  m. Andes
  n. Sierra Madre

6.2 a. falso, Pacific Ocean / east
  b. falso, Atlantic
  c. verdadero
  d. falso, European continent
  e. verdadero
  f. falso, Chile / southeastern border
  g. falso, Pyrenees Mountains
  h. verdadero
  i. falso, North America
  j. verdadero

OPTIONAL ACTIVITY:

Find the flags of five of the countries. Reproduce each flag on an index card and affix each one to its respective country on a large map of the world.

6.3 a. Cuba está en el Mar Caribe.
  b. España está en Europa.
  c. México está en la América del Norte.
  d. El océano Pacífico está al oeste de Chile.
  e. Se llama la Sierra Madre.
  f. Guatemala está al sur de México.
  g. Argentina está al este de Chile.
  h. Cruzo el océano Atlántico.
  i. El Mar Mediterráneo está al este de España.
  j. Se llaman los Andes.

OPTIONAL ACTIVITY:

Instructor: Have enough extra copies of an unlabeled world map for your student(s). Write each name of a Spanish-speaking country on an index card. Shuffle the cards and prepare to randomly draw and show the names of each country, one by one. Place your world map in front of you. As the adult reveals the name of a Spanish-speaking country, the student(s) find(s) it on the world map and labels it. Once you have attempted all the countries, exchange papers with a classmate and grade them.

You may present this exercise as a game. Give prizes to the student(s) who has (have) labeled the most countries correctly.

SECTION ONE

1.1 Make sure the student labels the drawing correctly.
1. the living room
2. the sofa
3. two armchairs
4. the stereo
5. the lamp
6. the table
7. the fireplace

1.2 Make sure the student labels the drawing correctly.
1. the bedroom
2. the bed
3. the desk
4. the closet
5. the chest of drawers
6. the lamp
7. the nightstand / night table
8. the mirror
9. the carpet
10. the television set

1.3 Make sure the student labels the drawing correctly.
1. the kitchen
2. the oven
3. the frying pan
4. the stove
5. the (large) pot
6. the microwave oven
7. the toaster
8. the cabinet
9. the refrigerator
10. the dishwasher
11. the kitchen sink
12. the window

1.4 Make sure the student labels the drawing correctly.
1. the dining room
2. six chairs
3. the table
4. the tablecloth
5. six plates
6. six forks
7. six spoons
8. six knives
9. the glasses
10. the cups
11. two candles
12. the picture, portrait

1.5 Answers may vary. Examples:
a. la cama; el dormitorio
b. la televisión
c. el escritorio
d. la lámpara; la televisión; el estéreo
e. el cuchillo
f. la estufa; el horno (de microondas); la cocina; la olla; la sartén
g. el refrigerador
h. el armario / el ropero
i. el espejo
j. las velas

1.6 **Adult check.**

1.7 a. las flores, la ventana
b. una estufa, la cocina
c. la sartén, gabinete
d. La lámpara, sillón, la sala
e. la alfombra, el comedor
f. un mantel, velas, la mesa
g. las cucharas
h. El refrigerador, fregadero
i. sillón, chimenea
j. platos, una taza

1.8 **Adult check.** Answers may vary. Examples:
La cama está aquí.
La chimenea está a la izquierda del sofá.

1.9 Crossword puzzle:

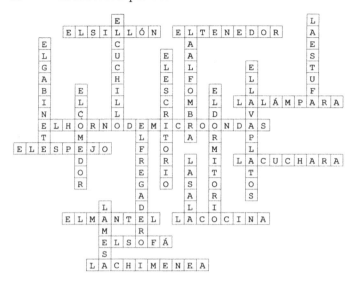

1.10 a. el dormitorio
b. la sala
c. la cocina
d. el comedor
e. la cocina
f. el dormitorio
g. la cocina
h. la sala
i. el dormitorio/la sala
j. la sala

1.11 Make sure the drawing is labeled correctly.
1. the bathroom
2. the bathtub
3. the shower curtain
4. the floor
5. the toilet
6. the (bathroom) sink
7. the mirror
8. the towels
9. the bathroom scales

1.12 Make sure the drawing is labeled correctly.
1. the classroom
2. the (students') desks
3. the map
4. the chalkboard
5. the chalk
6. the (board) eraser

7. the flag
8. two posters
9. the backpack
10. the pen
11. the pencil
12. the crayons
13. the (teacher's) desk
14. the tape
15. the pencil sharpener
16. the stapler
17. the wastebasket
18. the books
19. the shelf, case, stand

1.13 Make sure the drawing is labeled correctly.
1. the garage
2. the garden
3. the plants
4. the flowers
5. the hose
6. the lawnmower
7. the tools

1.14 1. a. el baño
2. a. el baño
3. c. el aula
4. c. el aula
5. b. el jardín
6. a. el baño
7. a. el baño
8. d. el garaje
9. c. el aula
10. c. el aula

1.15 a. No, es un lápiz.
b. Sí, es una toalla.
c. No, es un escritorio.
d. No, es un mapa.
e. Sí, está en el jardín.
f. No, es una bandera.
g. Sí, está en el aula.
h. Sí, son crayones.
i. Sí, está en el baño.
j. No, es una ducha.

1.16   a.   Es una bañera.

      b.   Es una mochila.

      c.   Es un garaje.

      d.   Es una engrapadora.

      e.   Es un espejo.

      f.   Es una silla.

      g.   Es un lavabo.

      h.   Es una alfombra.

      i.   Es un mapa.

      j.   Es una herramienta.

1.17   a.   jabón

      b.   una toalla

      c.   libros; mapa; mochila

      d.   la manguera; el garaje

      e.   una bandera; el aula

      f.   el pupitre

      g.   las flores; el escritorio; la cinta adhesiva

      h.   El jabón; la bañera

      i.   la tiza; un borrador

      j.   herramientas; el baño

1.18   a.   la bañera

      b.   una toalla

      c.   el aula

      d.   el jardín

      e.   la pizarra

      f.   el lavabo

      g.   el cortacésped

      h.   herramientas

      i.   el espejo

      j.   flor

1.19   **Adult check.** Answers may vary. Make sure the answers are grammatically correct.

      Sample answers:

      Yo trabajo en el aula.

      Jorge se ducha en el baño.

1.20   1.   c.   el sofá

      2.   a.   la pizarra

      3.   a.   el jabón

      4.   b.   la manguera

      5.   c.   el comedor

      6.   b.   el lavaplatos

      7.   a.   un retrato

      8.   c.   el armario

      9.   b.   El cuchillo

      10.   b.   un tenedor

1.21   Answers will vary. Possible answers:

      a.   corta la manzana con un cuchillo

      b.   usa una herramienta

      c.   se sientan en el sofá

      d.   corto el césped con el cortacésped

      e.   se lavan las manos con jabón

      f.   duerme en la cama

      g.   come con un tenedor

      h.   leemos el periódico

      i.   miran la televisión

      j.   toma/bebe una taza de café

1.22   **Adult check.** Make sure the students use correct grammar. Answers may vary. Sample translation:

Benjamín: No puedo encontrar mis llaves. Las busqué por toda la casa.

Mamá: ¿Buscaste en el dormitorio?

B: Busqué debajo de mi cama y en mi cómoda.

M: ¿Dónde está tu abrigo? ¿Buscaste allí?

B: Mi abrigo está en el armario en la sala. Busqué allí también.

M: ¿Buscaste en la cocina? ¿En todos los gabinetes?

B: Sí. No están allí. Busqué en el refrigerador también.

M: ¿Las buscaste en la sala? ¿Están las llaves sobre la mesa?

B: Busqué en la chimenea y en el estéreo. Creía que cayeron detrás del sofá.

M: Pues, vamos al garaje.

B: ¡Ah, sí! Dejé las llaves en el coche/carro. Ya me acuerdo.

1.23   a.   f   El cuarto es el comedor.
      b.   v
      c.   f   Hay dos velas.
      d.   v
      e.   v
      f.   f   Cuatro personas van a comer.
      g.   v
      h.   v
      i.   v
      j.   f   Hay tres vasos.

1.24   a.   f   Hay un sofá.
      b.   v
      c.   f   Hay dos lámparas.
      d.   v
      e.   f   Hay tres mesas.
      f.   f   Hay dos sillones y un sofá.
      g.   f   Se puede ver los programas en la televisión.
      h.   f   Se llama la sala.
      i.   v
      j.   v

1.25   a.   The student's diagram must include (1) a shower, (2) a sink to the right of the shower, (3) a small rug in front of the shower, (4) a mirror above the sink, (5) a toilet opposite the sink.

      b.   The student's diagram must include: A teacher's desk at the back of the classroom, centered between an American flag (on the left) and a Mexican flag (on the right). The chalkboard is on the wall opposite the teacher's desk. The students' desks are in front of the chalkboard. A United States map is above the chalkboard.

1.26   **Adult check.** Make sure the student correctly names the furniture and its location in Spanish.

LISTENING EXERCISES I

Ex 1.   a.   la cocina
       b.   el dormitorio
       c.   el comedor
       d.   el aula
       e.   el baño

Ex 2.   1.   b.   la manguera
       2.   c.   el armario
       3.   c.   un cuchillo
       4.   a.   el estante
       5.   a.   el escritorio
       6.   c.   la tiza
       7.   b.   los gabinetes
       8.   c.   una esponja
       9.   b.   la chimenea
     10.   c.   el espejo

Ex 3.   a.   3
       b.   9
       c.   5
       d.   1
       e.   4
       f.   10
       g.   6
       h.   2
       i.   7
       j.   8

SECTION TWO

2.1 a. brinqué; brincaste
    b. llegué; llegaste
    c. abracé; abrazaste

2.2 Answers will vary. Possible answers:
    a. sacar; secarse; marcar
    b. pagar; tragar; jugar
    c. empezar; comenzar; rezar

2.3 a. creí; creyó
    b. caí; cayó
    c. huí; huyeron

2.4 leer; poseer; construir
    Traer does not fit here—it has irregular forms in the preterit.

2.5 a. I went to the supermarket.
    b. They were good friends.
    c. Were you the girl in the red dress?
    d. We went to the soccer match / game.

2.6 They seem to be "opposite", like verbs ending in -er or -ir.

2.7 a. to want
    b. to come
    c. to do, make

2.8 hice   hicimos
    hiciste   *hicisteis*
    hizo   hicieron

2.9 To preserve the original "c "sound of the infinitive, so that it sounds like the other forms.

2.10 quise   quisimos
     quisiste   *quisisteis*
     quiso   quisieron

2.11 vine   vinimos
     viniste   *vinisteis*
     vino   vinieron

2.12 a. to say, tell
     b. to bring
     c. to drive

2.13 dije   dijimos
     dijiste   *dijisteis*
     dijo   dijeron

2.14 traje   trajimos
     trajiste   *trajisteis*
     trajo   trajeron

2.15 conduje   condujimos
     condujiste *condujisteis*
     condujo   condujeron

2.16 a. to walk
     b. to be
     c. to have
     d. to put, place, set (table)
     e. to be able, can
     f. to know

2.17 anduve   anduvimos
     anduviste   *anduvisteis*
     anduvo   anduvieron

2.18 estuve   estuvimos
     estuviste   *estuvisteis*
     estuvo   estuvieron

2.19 tuve   tuvimos
     tuviste   *tuvisteis*
     tuvo   tuvieron

2.20 puse   pusimos
     pusiste   *pusisteis*
     puso   pusieron

2.21 pude   pudimos
     pudiste   *pudisteis*
     pudo   pudieron

2.22 supe   supimos
     supiste   *supisteis*
     supo   supieron

2.23 a. No, no la hice. Yo tuve que ir al hospital.
     b. No, no la hice. Mi hermana no pudo ayudarme.
     c. No, no la hice. Mi madre no trajo un bolígrafo de la tienda.

d. No, no la hice. Mi familia fue al cine.

e. No, no la hice. Mis hermanos hicieron mucho ruido.

f. No, no la hice. Mis abuelos vinieron a visitarnos.

g. No, no la hice. Mi amigo me llamó por teléfono.

h. No, no la hice. Yo no supe de la tarea.

i. No, no la hice. Mis amigos y yo montamos en bicicleta.

j. No, no la hice. Nosotros no la comprendimos.

2.24 Actual times may vary. Make sure the student uses the correct verb form. Sample beginnings provided.

a. Me dormí a las…

b. Salí a las…

c. Visité a mi amigo a las…

d. Estudié a las…

e. Jugué al tenis a las…

f. Empecé la tarea a las…

g. Comí el desayuno a las…

h. Vi a mi familia a las…

i. Escribí una carta a las…

j. Fui al supermercado a las…

2.25 a. Mi abuelo se casó hace cuarenta y nueve años.

b. Mi tía nació hace treinta y dos años.

c. Mis bisabuelos vinieron a los Estados Unidos hace noventa y siete años.

d. Mi familia se mudó aquí hace cuarenta y seis años.

e. Mi padre murió hace veintisiete años.

f. Yo trabajé en la fábrica hace dieciséis años.

g. Ellos se casaron hace treinta años.

h. Mis primos nacieron hace diecisiete años.

i. Mis parientes recibieron la naturalización hace setenta años.

j. Los hermanos de mi abuelo llegaron en barco hace sesenta y siete años.

2.26 **Adult check.** Answers may vary.
Sample answer:
Hablé con mi hermana hace treinta minutos.

Me cepillé los dientes hace tres horas. Hice la tarea hace doce horas. Leí un buen libro hace dos semanas. Hice un examen ayer.

2.27 1. a. You see
b. Viste; You saw

2. a. They clean
b. Limpiaron; They cleaned

3. a. They drive
b. Condujeron; They drove

4. a. Pedro sees
b. Pedro vio; Pedro saw

5. a. He/She needs
b. Necesitó; He/She needed

6. a. He/She loans
b. prestó; He/She loaned

7. a. You return
b. Volviste; You returned

8. a. We fall
b. Nos caímos; We fell

9. a. They have fun
b. Se divirtieron; They had fun

10. a. We find
b. Encontramos; We found

2.28 a. estudiaba

b. salía

c. comíamos

d. estaban

e. gustaba

f. tenías

g. trabajaban

h. hablábamos

i. subíamos

j. castigaban

2.29 a. Rodolfo trabajaba en un banco desde hacía veinte años.

b. La Sra. Galdós trabajaba como profesora desde hacía quince años.

c. Jorge trabajaba en el departamento de transporte desde hacía ocho meses.

d. El Sr. Rivas trabajaba en el hospital desde hacía un año.

e. Chamo trabajaba como policía desde hacía trece años.

f. Consuelo trabajaba como ingeniera desde hacía catorce años.

g. Yo trabajaba en la oficina desde hacía dos días.

h. Margarita trabajaba en la gasolinera desde hacía nueve meses.

i. Mi abuelo trabajaba en el almacén desde hacía treinta años.

j. Ricardo trabajaba en la panadería desde hacía dieciséis años.

2.30 | iba | íbamos |
| ibas | *ibais* |
| iba | iban |

2.31 | era | éramos |
| eras | *erais* |
| era | eran |

2.32 | veía | veíamos |
| veías | *veíamis* |
| veía | veían |

2.33 a. ¿Desde cuándo asistía Ud. a la universidad?

b. ¿Desde cuándo era Ud. estudiante?

c. ¿Desde cuándo trabajaba Ud. en la fábrica?

d. ¿Desde cuándo conocía al jefe de la compañía?

2.34 a. ellos dormían

b. nosotros volvíamos

c. tú me dabas

d. yo llegaba

e. Uds. iban

f. María veía

g. Ud. y yo nos poníamos

h. Carlota y Ud. se caían

i. ¿Quién sabía?

j. yo tenía

k. tú escribías

l. el estudiante leía

m. mis padres andaban

2.35 When I woke up at 5:30, it was raining. It was cold. It was still dark outside. I turned on the light and (I) went downstairs. My dog was waiting for me when I arrived at the kitchen. I was sure that he was hungry. I fed him and (I) prepared my own breakfast. (During) In those days, when I was about ten years old, I always ate (used to eat) cereal with milk for breakfast. While I was eating, my brother entered (the kitchen). He wanted to eat scrambled eggs, and he prepared them. The house was rather quiet. We weren't talking. Suddenly, we heard a very loud noise. It was 6:00. We ran to the stairs. My mother was at the bottom of the stairs. She was crying when we arrived. In the darkness, she couldn't see well and she fell down the stairs. We helped her walk to the kitchen, where the dog remained, looking at us. We warmed up a cup of coffee for her. She felt better; my brother and I were happy.

2.36 a. the imperfect

b. the imperfect

c. the preterit

d. the imperfect

e. the imperfect

f. the imperfect

g. the imperfect

h. the imperfect

2.37 a. It is describing the weather.

b. It is a completed, past action.

2.38 a. …eran las cinco y cuarto.

b. telling time

c. It is the main action of the sentence. It is not description.

2.39 a. It is only a piece of background information.
      b. No, it's just describing her.

2.40 a. no
      b. the casserole burned
      c. background, it describes the woman

2.41 a. Sí, llevaba un suéter cuando la caserola se quemó.
      b. Eran las cinco y cuarto cuando la caserola se quemó. (Cuando la caserola se quemó, eran las cinco y cuarto.)
      c. No hacía sol.
      d. Tenía treinta años cuando se quemó la caserola.
      e. Era de día.

2.42 Possible answers: They're heading to the car. It's raining. It's windy. The weather's bad. It's 8:07 p.m. They have hats. They're wearing raincoats. They look unhappy. They may be late/lost.

2.43 the rain, the weather, the time, the hats, the raincoats, the expressions on their faces

2.44 going to the car

2.45 the weather, the rain gear, the time, their feelings

2.46 going to the car

2.47 1. a. Hacía viento/Hacía mal tiempo/Llovía cuando subieron al coche.
          b. Any combination of the following is acceptable. It was windy. The weather was bad. It was raining when they got into the car.
      2. a. Eran las ocho y siete de la noche.
          b. It was 8:07 P.M.
          c. The imperfect is used to tell time.

2.48 a. Nevaba/Hacía frío/Hacía mal tiempo cuando cayó el vaso.
      b. Era el invierno.
      c. Cuando el vaso cayó, eran las diez y veinticinco.
      d. Las flores que cayeron con el vaso eran rosadas y blancas.
      e. El bebé tenía (ocho [age may vary]) meses cuando cayó el vaso.
      f. the baby's age, the snow/the weather/the season of the year, the color (appearance) of the flowers, the time on the clock
      g. the imperfect

2.49 a. hacía
      b. Llevé
      c. vieron; tenías
      d. tenía; conocí
      e. llovía; fuimos
      f. salió; eran
      g. era
      h. parecía
      i. era
      j. mordió; era

2.50 a. imperfect
      b. imperfect
      c. preterit
      d. imperfect
      e. preterit
      f. preterit
      g. preterit
      h. imperfect
      i. preterit
      j. preterit
      k. imperfect
      l. imperfect
      m. preterit
      n. preterit
      o. imperfect

2.51 These sentences may be translated as "used to," because they describe habitual or repeated past actions.

2.52   a.   Nosotros íbamos a la iglesia los domingos.
       b.   Yo trabajaba en una granja después de las clases.
       c.   Mis amigos jugaban mucho conmigo.
       d.   Yo nunca volvía a casa tarde.
       e.   Mi familia y yo siempre comíamos juntos.
       f.   Mis hermanas y yo íbamos a la escuela a pie.
       g.   Yo me divertía en la escuela todos los años.
       h.   Generalmente, nosotros nos acostábamos temprano.
       i.   En el pasado mi amigo me visitaba en mi casa.
       j.   En aquel entonces la gente no gastaba mucho dinero.

2.53   a.   me rompí
       b.   desayunaba
       c.   llegamos
       d.   llegábamos
       e.   iba
       f.   miraba
       g.   encontramos
       h.   visitaron
       i.   pusiste
       j.   se caía

2.54   a.   description/background information (includes date, time, color, age, clothing, etc.)
       b.   habitual/repeated action/unknown number of times

2.55   a.   simple completed action, main action
       b.   isolated action, simple action repeated a known number of times

2.56   1.   a.   It's one o'clock when I receive the telephone call. I am the boss and I am in my office. I always eat lunch at one. The day is boring. Suddenly the telephone rings. My wife leaves for the hospital to give birth to our daughter!
            b.   Era la una cuando recibí la llamada por teléfono. Era el jefe y estaba en mi oficina. Siempre almorzaba a la una. El día pasaba aburridamente. De repente el teléfono sonó. ¡Mi esposa salió para el hospital para dar a luz a nuestra hija!

       2.   a.   It's summer. It's hot. Every day in the summer we go swimming in the afternoon. There are five children in the pool. Suddenly, my sister screams because she sees a spider in the water.
            b.   Era el verano. Hacía calor. Durante el verano nadábamos todos los días por la tarde. Había cinco niños en la piscina. De repente mi hermana gritó porque vio una araña en el agua.

       3.   a.   They attend the annual Christmas party. There are lots of decorations. Everyone is wearing very elegant clothes. They eat a delicious meal this year. They receive beautiful gifts this year also.
            b.   Asistían a la fiesta anual de Navidad. Había muchos adornos. Toda la gente llevaba ropa muy elegante. Comieron una cena rica este año. Recibieron regalos bonitos este año también.

2.57   **Adult check.** Answers may vary.
       Sample sentences:
       a.   Yo tenía tres años.
       b.   Yo llevaba un vestido blanco y un sombrero.
       c.   En aquel entonces, yo vivía en California.
       d.   Me gustaba comer los frijoles cuando era joven.
       e.   Era muy baja.
       f.   Era muy bonita.
       g.   Tenía un perro.

2.58   What a night we had! It was 7:30. I was studying with my brother. My parents were watching a movie on TV. The dog was sleeping. Suddenly, all the electrical appliances went out. We were startled. We couldn't see anything. My parents called out to us in order to find out if we were all right. Two hours later, everything turned on. What happened, we wanted to know. Slowly we returned to our previous activities. We laughed at the dog: he was still sleeping!

2.59
a. The electricity suddenly went out and went back on again.
b. yes
c. the preterit
d. two people were studying, their parents were watching TV, the dog was sleeping
e. ongoing
f. the imperfect
g. the imperfect
h. the preterit
i. was/were + -ing form of the verb
j. They usually end in -ed.

2.60
a. I was studying.
(estudiaba)   imperfect
b. My parents were watching TV.
(miraban la televisión)   imperfect
c. The dog was sleeping.
(dormía)   imperfect
d. The lights went out.
(se apagaron)   preterit
e. My parents called out to me.
(me llamaron)   preterit
f. Everything turned on.
(se encendieron)   preterit

2.61   watching TV, studying, sleeping

2.62
a. Mi padre me llamó mientras estudiaba.
b. Mi vecino gritó mientras estudiaba.
c. Hector entró en el cuarto mientras estudiaba.
d. Marisol necesitó un lápiz mientras estudiaba.

e. Un accidente ocurrió afuera mientras estudiaba.

2.63   **Adult check.** Answers may vary.
a. Mi amigo reparaba el coche cuando sonó el teléfono.
b. José leía el periódico cuando sonó el teléfono.
c. Cristóbal y yo tocábamos el piano cuando sonó el teléfono.
d. Inés bebía café cuando sonó el teléfono.
e. Mis hermanos miraban la televisión cuando sonó el teléfono.
f. Yo cortaba el césped cuando sonó el teléfono.
g. Elisa dormía cuando sonó el teléfono.
h. Daniela conducía cuando sonó el teléfono.
i. Tomás ponía la mesa cuando sonó el teléfono.
j. Carmen salía cuando sonó el teléfono.

2.64   "Beginning" is the real verb/action. The start of the rain is an isolated event that interrupts everything else.

2.65
a. Alonso leía el periódico cuando empezó a llover. (Bebía café cuando empezó a llover.)
b. Ellos comían unos sandwiches cuando empezó a llover. (Bebían refrescos cuando empezó a llover.)
c. La Sra. Lanogosta tomaba agua cuando empezó a llover.
d. Mariana trabajaba cuando empezó a llover. (Servía la comida cuando empezó a llover.)
e. Chamo buscaba dinero para pagar la cuenta cuando empezó a llover.

2.66
1. a. I was getting dressed when I received a phone call.
    b. Me vestía cuando recibí una llamada telefónica.
2. a. We were leaving when my mother arrived.
    b. Salíamos cuando mi madre llegó.

3. a. I was putting on my jacket when I lost a button.
   b. Me ponía la chaqueta cuando perdí un botón.
4. a. She was putting on her makeup when the baby began to cry.
   b. Se maquillaba cuando el bebé comenzó a llorar.
5. a. While I was paying for the gas, a robbery ocurred.
   b. Mientras yo pagaba la gasolina, un robo ocurrió.
6. a. While they were traveling to my house, they got lost.
   b. Mientras viajaban a mi casa, se perdieron.
7. a. While I was going to the party, I stopped at the supermarket.
   b. Mientras iba a la fiesta, me paré en el supermercado.

2.67 a. era
     b. había
     c. Hacía
     d. oí; preparaba
     e. pasó
     f. me puse; fui
     g. tenía
     h. comía
     i. puso
     j. preparaste; pregunté
     k. fui; respondió
     l. gustaba
     m. comí
     n. me quejaba
     o. di
     p. fuimos
     q. dejó; siguió
     r. esperé

2.68 Answers may vary. Students may find other verbs. Some examples follow:
     1. sentirse—to feel
        estar—to be
        divertirse—to enjoy, have fun
        alegrarse—to be happy

2. creer—to believe
   pensar (en)—to think (about)
3. querer—to want
   desear—to wish
   gustar—to please (like)
   esperar—to hope
4. saber—to know (facts)
   conocer—to know (people)

2.69 a. Quería ir a casa.
     b. Ella tenía muchos amigos.
     c. No sabía la respuesta.
     d. Me gustaban las hamburguesas.
     e. Deseábamos visitar a nuestros abuelos.
     f. No lo creías.
     g. ¿Por qué quería(s) leer la carta?
     h. Me conocían bien.
     i. Esperaba escaparse.
     j. Uds. estaban muy tristes.

2.70 a. Pensaba en viajar por el mundo.
     b. Elena estaba contenta.
     c. Virginia y yo fuimos a la biblioteca.
     d. Al ver la destrucción, empezaron a llorar.
     e. ¿Quién sabía?
     f. El jefe esperaba trabajar hasta las siete.
     g. Quería un helado después de la cena.
     h. Tú no escribiste la tarea.
     i. ¿Les gustaba jugar?
     j. ¡No lo creías!

2.71 a. I managed to finish the homework in ten minutes.
     b. They couldn't hear the news.
     c. We found out the correct answer.
     d. Consuelo knew my telephone number.
     e. I got the opportunity to study in Mexico.
     f. I had a dog when I was young.
     g. You refused to do it.
     h. You wanted to go to bed late.
     h. You wanted to go to bed late.
     i. I met (got acquainted with) Juan yesterday.
     j. I knew the region.

2.72   *Cristina*: **Eran** las seis y media cuando **me levanté**. **Hacía** buen tiempo. **Me sentía** muy bien. Por eso **corrí** unos dos kilómetros para hacer un buen ejercicio antes del desayuno. Cuando **regresé** a casa, todos **comimos**. **Comí** mi propio desayuno rápidamente; entonces **me vestí** y **me cepillé** los dientes y el pelo. **Tenía** que darme prisa porque el autobús **venía** pronto. **Pasé** un buen día en la escuela; siempre lo **pasaba** así. **Recibí** ciento por ciento en el examen de química.

2.73   *Esteban*: No **me acosté** hasta muy tarde el miércoles porque **estudiaba** mucho. No **me levanté** hasta las siete y media el jueves. Nunca **me gustaba** hacer ejercicio. **Comí** el desayuno. **Terminé** la tarea de anoche. No **oí** el autobús. ¡Lo **perdí** hoy! Mamá **estaba** furiosa conmigo. Ella me **llevó** a la escuela en coche. Los estudiantes **trabajaban** cuando yo **llegué**. No **podía** entender bien la lección porque no **llegué** al comienzo de la clase. **Fui** a la práctica de fútbol después de las clases. **Tuve** una buena práctica: ¡**marqué** dos goles!

2.74   *Carlos*: Todavía **dormía** cuando ellos **salieron** para la escuela. Mamá me **despertó**. Mientras **miraba** la televisión, **comía** el cereal. Mamá y yo **fuimos** al supermercado. ¡**Compramos** una sorpresa para el postre! **Fuimos** al parque después. **Jugaba** con unos amigos cuando Mamá **dijo** que **quería** regresar a casa. **Estaba** triste de salir. **Lloré** mucho. **Pasé** las horas con mis juguetes en mi cuarto. Cristina **regresó** a las tres. Ella y yo **charlamos** hasta la cena.

LISTENING EXERCISES II

Ex 1.
1. hacía
2. hacía
3. tenía
4. fueron
5. era
6. eran
7. había
8. fuiste
9. oí
10. llevaba

Ex 2.
1. isolated action
2. habitual action
3. description
4. background information
5. isolated action
6. habitual action
7. background information
8. time
9. isolated action
10. habitual action

SECTION THREE

3.1   a.   Los mayas existieron más de mil años antes de Jesucristo.

     b.   Abandonaron los sitios por razones desconocidas.

     c.   Algunas palabras son *chocolate, chicle, chile, coyote* y *tomate.*

     d.   Era de 18 meses divididos en 20 días. Agregaban cinco días más para tener un total de 365 días cada año.

     e.   Están excavando entre las ruinas para descubrir más de esta civilización.

3.2   a.   Los volcanes se encuentran en el estado de Guerrero en México.

     b.   Es la hija del rey.

     c.   Es un guerrero valiente que está enamorado de Ixtaccíhuatl.

     d.   Se va a la guerra para mostrarle al rey que es digno de la mano de su hija.

     e.   Se cubre del manto blanco de la novia y desaparece para siempre.

     f.   Se sienta a su lado para quedarse siempre con ella.

3.3   **Adult check.**

3.4   **Adult check.**

3.5   a.   Veracruz and Acapulco

     b.   Gulf of California

     c.   Sierra Madre

     d.   Guatemala; Belize

     e.   Río Bravo (Río Grande)

     f.   Pacific Ocean

     g.   flatland

     h.   North America

     i.   Texas, New Mexico, Arizona, and California

     j.   The Tropic of Cancer

3.6   **Adult check.** Make sure the student labels the map correctly. Answers are below.

     1.   Mexico City

     2.   Veracruz

     3.   Acapulco

     4.   Sierra Madre mountain ranges

     5.   La Junta Plateau

     6.   Gulf of Mexico

     7.   Pacific Ocean

     8.   United States

     9.   Guatemala

     10.   Río Bravo

3.7   a.   *means, manner*

     b.   duration of time

     c.   destination

     d.   purpose

     e.   percentage

     f.   purpose

     g.   duration of time

     h.   purpose

     i.   cause

     j.   means

     k.   purpose

     l.   purpose

     m.   agent

     n.   exchange

3.8   a.   para

     b.   para

     c.   por

     d.   para

     e.   por

     f.   para

     g.   por, para

     h.   por

     i.   por

     j.   por

3.9   a.   por su padre

     b.   para su padre

     c.   por ese hombre

     d.   para ese hombre

     e.   por la tienda

     f.   para el sábado

     g.   por tres días

     h.   para ganar dinero

3.10   a.   sino que

     b.   sino

     c.   pero

     d.   sino que

     e.   pero

f. pero
g. pero
h. sino
i. sino que
j. sino

3.11 a. pero
b. pero
c. sino que
d. pero
e. pero
f. sino
g. sino que
h. sino
i. pero
j. sino

3.12 porque

3.13 a causa de

3.14 a. porque
b. a causa de
c. porque
d. a causa de
e. A causa de
f. porque
g. porque
h. a causa de
i. porque
j. A causa de

3.15 a. No hay electricidad a causa de la tormenta.
b. Pinto retratos porque me gusta.
c. Estoy irritada porque no puedo encontrar mis llaves.
d. Beatriz necesita ayuda porque está enferma.
e. Estoy nervioso(a) a causa de un examen a las tres.

f. Manolo no tiene trabajo a causa de la economía mala.
g. No se puede nadar aquí a causa de los tiburones.
h. No se puede nadar aquí porque hay tiburones.
i. No voy al parque con Uds. porque tengo que limpiar la casa.
j. Dije eso porque estaba enojado.

3.16 a. para
b. A causa de, Por
c. pero
d. porque
e. porque
f. por
g. sino
h. Para
i. por
j. para
k. pero
l. A causa de
m. por
n. para
o. porque
p. para
q. sino que
r. pero
s. por
t. por

3.17 a. para
b. para
c. por
d. por
e. por
f. para
g. para
h. por
i. por
j. para

3.18   Translation:

E1:   ¿Para quién es este regalo?

E2:   Es para mi profesora.

E1:   ¿Por qué lo compraste?

E2:   Porque ella es muy simpática.
        Es su cumpleaños.

E1:   ¿Cuánto pagaste?

E2:   Pagué diez dólares por el regalo.
        Fui de compras por una hora.

E1:   Ella va a estar contenta a causa del regalo.
        Va a cancelar la tarea —espero.

E2:   Yo también. Pero yo le daría el regalo a
        ella de todos modos.

E1:   ¿Es una buena profesora?

E2:   Sí, y para profesora, es muy amable.

LISTENING EXERCISES III

Ex 1. a.   Hubo un accidente.

        b.   Escribía una carta.

        c.   Hablaba con Quique.

        d.   Eran las once y media.

        e.   Sí, fui a la escuela en carro ayer.

        f.   Vivía sola.

        g.   No, no la leí.

        h.   Practicaba una pieza de música.

        i.   Fui a casa.

        j.   No, no llevé una chaqueta nueva ayer.

Ex 2. a.   caminaba; paré

        b.   Perdí; iba

        c.   tenía; salí

        d.   Trataba; interrumpió

        e.   deshizo; copiaba

        f.   pude; dejé

        g.   escuchaba; pasó

        h.   escribía; robó

        i.   Estudiaba; oí

        j.   levanté; entendía

SECTION FOUR

4.1   a. queremos, quieren
     b. vamos, van
     c. seguimos, siguen
     d. jugamos, juegan
     e. entendemos, entienden
     f. pensamos, piensan
     g. somos, son
     h. decimos, dicen
     i. volvemos, vuelven
     j. tenemos, tienen
     k. podemos, pueden
     l. venimos, vienen
     m. oímos, oyen
     n. preferimos, prefieren
     o. encontramos, encuentran

4.2   a. salgo; salimos
     b. estudias; estudia
     c. escribe; escriben
     d. comprendo; comprenden
     e. leo; lees; leemos
     f. vengo; viene; venimos
     g. pido; pedimos
     h. estás; están
     i. traigo; trae
     j. soy; eres; somos; son

4.3   a. you are playing
     b. I am studying
     c. they are putting
     d. she is cleaning
     e. you are reading
     f. I am getting dressed
     g. they are wanting
     h. he is going out
     i. we are singing
     j. you are sleeping

4.4   a. estás trabajando
     b. están siendo
     c. estamos comiendo
     d. está divirtiéndose (se está divirtiendo)
     e. estoy diciendo
     f. está mostrando
     g. están andando
     h. estoy cayéndome (me estoy cayendo)
     i. estamos viviendo
     j. están escribiendo
     k. estás aprendiendo
     l. estoy viniendo
     m. estás durmiendo
     n. estamos dando
     o. están creyendo

4.5   a. nosotros/nosotras
     b. él/ella/Ud.
     c. yo
     d. ellos/ellas/Uds.
     e. tú
     f. él/ella/Ud.
     g. yo
     h. nosotros/nosotras
     i. él/ella/Ud.
     j. nosotros/nosotras
     k. tú
     l. ellos/ellas/Uds.
     m. yo
     n. tú
     o. ellos/ellas/Uds.

4.6   a. nadó
     b. fueron
     c. trajo
     d. fui
     e. escribió
     f. gustó
     g. supe
     h. llamaron
     i. voló
     j. anduvieron

4.7   a. tuve, tuviste
     b. quise, quisiste
     c. hablé, hablaste
     d. me divertí, te divertiste
     e. fui, fuiste
     f. subí, subiste
     g. jugué, jugaste

h. perdí, perdiste
i. puse, pusiste
j. supe, supiste
k. leí, leíste
l. mantuve, mantuviste
m. produje, produjiste
n. trabajé, trabajaste
o. bebí, bebiste

4.8 a. dormí
b. jugó
c. nos bañamos
d. leyeron
e. bebiste
f. nos caímos
g. brinqué
h. salieron
i. habló
j. viste

4.9 a. pasaba
b. vivían
c. necesitábamos
d. subía
e. quería
f. pedía
g. Había
h. corría
i. decían
j. buscaba

4.10 Order may vary:

a. ser—to be

era	éramos
eras	*erais*
era	eran

b. ir—to go

iba	íbamos
ibas	*ibais*
iba	iban

c. ver—to see

veía	veíamos
veías	*veíais*
veía	veían

4.11 a. mostraba
b. ponía
c. volvían
d. trabajábamos
e. bajabas
f. nos vestíamos
g. dormían
h. empezabas
i. prefería
j. sabía
k. teníamos
l. daba
m. podía
n. concluían
o. leías

4.12 a. (ella) fue
b. tú estás esperando/esperas
c. (Uds.) viven
d. (yo) iba
e. (nosotros) queríamos
f. (nosotros) no quisimos
g. Ud. conduce
h. (él) está leyendo/lees
i. (ellos/ellas) cortan/cortaron
j. tú/Ud. y yo trajimos
k. (nosotros) somos/estamos
l. (yo) no podía
m. (ella) tiene
n. (Uds.) están durmiendo/duermen
o. (Ud.) necesita

4.13 a. Acabo de encontrarme con MariCarmen también.
b. Acabo de ir al cine por autobús también.
c. Acabo de escribir una tarea muy larga también.
d. Acabo de jugar al tenis también.
e. Acabo de pintar un retrato bastante bueno también.

4.14 a. Papá acaba de comer el queso.
b. Los hermanos acaban de levantarse tarde.
c. Joselito acaba de hacer la tarea.

d. Nosotros te acabamos de dar (acabamos de darte) esas flores.

e. Chela y Jorge acaban de preparar la cena.

4.15 a. Hace cuatro horas que Ángel estudia los mapas.

b. Hace sesenta minutos que yo busco una revista específica.

c. Hace cinco horas que el estudiante alto trabaja en la computadora.

d. Hace veinte minutos que Uds. copian algunos artículos.

e. Hace tres horas que Chamo y yo repasamos los apuntes.

4.16 a. Hace treinta minutos que escuchas la música.

b. Hace dos horas que visitamos el museo.

c. Hace una hora que viajo al centro en tren.

d. Hace quince minutos que Uds. se maquillan.

e. Hace cuarenta minutos que Guillermo charla con su novia.

4.17 a. Elena corta el césped.

b. Gabriela visita a su abuela.

c. Susana hace/está haciendo la cama en el dormitorio/la habitación del hotel.

d. Carlos repara la aspiradora.

e. El joven escucha/está escuchando la música.

f. El niño lava/está lavando los platos.

g. María Teresa y sus amigos montan/están montando a caballo.

h. Vamos al cine.

i. El equipo de Beto juega/está jugando al fútbol.

j. Pedro Benítez barre la acera fuera de su tienda.

k. Pablo pinta el retrato de la señora.

l. Mamá cuida a su bebé.

m. Esperanza dibuja un cuadro con sus crayones.

n. Juan cocina la carne.

o. Los hermanos limpian su dormitorio.

4.18 **Adult check.** Answers will vary.

a. vamos de camping/nos paseamos

b. fregar/lavar

c. bañarlo

d. los retratos/las pinturas

e. montar en bicicleta

f. ir a la playa

g. al béisbol/al fútbol

h. Cocinamos/Comemos

i. cuida/le da de comer

j. mascotas

SECTION ONE

1.1   1.   b.   the jacket (dress or casual)
      2.   g.   the jeans
      3.   i.   the pants (men's or women's)
      4.   l.   the T-shirt
      5.   m.   the skirt
      6.   d.   the shirt (button-down)
      7.   j.   the blouse
      8.   h.   the tie
      9.   a.   the men
     10.   c.   the suit
     11.   f.   the women
     12.   k.   the shorts
     13.   e.   the clothing
     14.   n.   the dress

Instructor: You may wish to keep a running list of this unit's vocabulary visible on the board or direct your students to do so in their notes.

1.2   a.   the wallet
      b.   the shoes
      c.   the gloves
      d.   a pair
      e.   the purse, bag
      f.   the high-heeled shoes
      g.   the belt
      h.   wide
      i.   narrow
      j.   boots
      k.   the low-heeled shoes / the flats

Instructor: It's a good idea to encourage your students to include the articles *the* and *a* in their lists. Articles are used more often in Spanish than in English, and simply requiring that learners use them encourages good habits and makes memorizing them easier.

1.3   1.   billetera
      2.   zapatos, un traje
      3.   vaqueros/jeans, una camiseta
      4.   pantalones cortos/un short

      5.   una bolsa, los zapatos de tacones altos
      6.   un traje, una corbata
      7.   falda, un cinturón
      8.   blusas
      9.   zapatos anchos
     10.   ropa, caballeros

Instructor: Once your students have completed the exercise, review it by having them read each answer out loud in its entirety.

1.4   1.   b.   the gold chain
      2.   d.   the (post) earring
      3.   a.   the necklace
      4.   f.   the chain
      5.   g.   the silver chain
      6.   c.   the ring
      7.   e.   the drop earring

1.5   a.   for play
      b.   jewelry
      c.   leather
      d.   size
      e.   accessories
      f.   la ropa para el trabajo
      g.   the price
      h.   sporty
      i.   yes
      j.   the neck

1.6   a.   el paraguas
      b.   el cinturón
      c.   la cadena de plata
      d.   la cadena de oro
      e.   los aretes
      f.   los pendientes
      g.   el collar
      h.   los zapatos de tacones bajos
      i.   los zapatos de tacones altos
      j.   las botas
      k.   la gorra
      l.   el sombrero

m. los guantes

n. la corbata

o. la bufanda

p. la mochila

q. la billetera/la cartera

r. la bolsa

s. los pijamas

t. los zapatillos

u. los calcetines

v. las medias

w. la falda

x. la ropa interior para damas

y. la ropa interior para caballeros

z. el traje de baño

aa. los vaqueros / los jeans

bb. los pantalones cortos/el short

cc. los pantalones

dd. la blusa

ee. la camiseta

ff. la camisa

1.7 **Instructor:** Review the list with the students in order to make sure everyone's perception of the drawings is correct.

a. expensive

b. ugly

c. elegant

d. dirty

e. narrow

f. cheap

g. pretty

h. light

i. casual

j. wrinkled

k. clean

l. dark

m. wide

n. short

o. new

p. long

q. loose

r. old

s. tight

t. fine

1.8
a. wide

b. tight

c. wrinkled

d. cheap

e. expensive

f. casual/informal

g. short

h. elegant

i. narrow

j. ugly

k. fine

l. loose

m. pretty

n. long

o. light (in color)

p. clean

q. new

r. dark (in color)

s. dirty

t. old

1.9 **Instructor:** Create your own set of cards. Start each day's vocabulary lesson with the cards for a speedy review.

1.10 **Adult check.** Answers may vary.

a. un vestido – dress

zapatos de tacones altos – high heels

un sombrero – hat

vaqueros/jeans – jeans

una camisa – shirt

b. pantalones – pants

una camisa – shirt

una corbata – tie

zapatos – shoes

una chaqueta – jacket

c. pantalones cortos/un short – shorts

una camiseta – T-shirt

calcetines – socks

una gorra – a cap

(zapatos de) tenis – sneakers/tennis shoes

d. un traje de bano – bathing suit

pantalones cortos – shorts

camisetas – T-shirts

falda – skirt

blusa – blouse

e. un impermeable – raincoat

el paraguas – umbrella

botas – boots

zapatos de tacones bajos – low-heeled
shoes/flats

un vestido – dress

OPTIONAL ACTIVITY.

Create your own stories like those above. Use as many vocabulary terms in each as you can. Pass your finished story onto other classmates to read out loud to you!

1.11 **Adult check.** Answers will vary.

1.12 **Instructor:** Instruct students to complete the activity individually. Review the activity as a class, choosing students randomly to read each entire Spanish sentence out loud.
1. un vestido
zapatos de tacones altos
2. calcetines
3. Los vaqueros/Los jeans
una camiseta
4. el sombrero
la chaqueta
un suéter
5. una billetera/cartera cara
una mochila
6. un paraguas
un impermeable
7. debe
un traje
8. arrugados
sucios
9. una falda nueva
10. blusa
claro

1.13 a. No, la almohada es azul.
b. No, el libro es rojo.
c. Cuelga un traje/una chaqueta.

d. No, no hay una camiseta púrpura sobre la mesa de noche. Hay una camiseta roja, una camiseta amarilla y una camiseta verde.
e. Están debajo de la cama.
f. Los jeans son azules y están arrugados/sucios.
g. Una camisa amarilla está sobre la almohada de la cama.
h. No, es blanco.
i. La gorra es anaranjada (y negra).
j. El traje está limpio. / La chaqueta está limpia.

1.14 **Adult check.** Verify the correctness of each illustration to its description. Translations:
a. She is wearing a purple skirt and a black blouse. She is also wearing green socks and high-heeled shoes.
b. He is wearing blue jeans. His tennis shoes are red. His T-shirt is light blue. He is also wearing a red cap.
c. He is wearing black pants and a white shirt. He is also wearing a red, green, and orange tie.
d. She is wearing a jacket and a blue hat. Her pants are dark brown. She is also wearing boots.
e. She is very elegant. She has a long dress. It is yellow. She is wearing an expensive necklace. Her (drop) earrings are very large. Her low-heeled shoes are black.

1.15 **Adult check.** Sample answers are given. Students' answers may vary slightly in structure. Each should use the correct terminology for the particular items of clothing.
a. Lleva una gorra roja. Lleva una camiseta blanca. Tiene vaqueros/jeans. Lleva tenis rojos. Tiene una cadena de oro.
b. Lleva una falda larga y azul. Tiene una blusa azul también. Tiene un collar. Lleva pendientes azules. Tiene zapatos negros de tacones altos.

c. El chico lleva una camisa arrugada. Lleva pantalones largos. Su corbata fea es anaranjada. Sus zapatos están sucios.

d. Ella lleva un short (pantalones cortos) de color café. Su blusa es rosada. Tiene calcetines blancos. Es muy informal. Lleva tenis blancos.

e. Su chaqueta es amarilla. Tiene botas rojas. Lleva vaqueros/jeans y una blusa verde. Lleva un paraguas negro.

1.16 **Adult check.** Sample answers given:

1. **Debe llevar** vaqueros/jeans viejos, una camiseta limpia, una gorra negra…
No debe llevar un traje elegante, un short informal, un traje de baño rosado…

2. **Debe llevar** un traje, una camisa fina, zapatos limpios…
No debe llevar vaqueros/jeans, una camiseta, tenis feos…

3. **Debe llevar** un vestido elegante, zapatos de tacones altos, una bolsa negra…
No debe llevar un vestido viejo, un sombrero feo, tenis sucios…

4. **Deben llevar** un traje de baño nuevo, un sombrero grande, un short azul…
No deben llevar un suéter negro, una chaqueta limpia, guantes finos…

5. **Debe llevar** vaqueros viejos, una camisa azul, tenis viejos…
No debe llevar un sombrero nuevo, un traje fino, botas negras…

6. **Debemos llevar** un traje, zapatos de tacones altos, una blusa fina…
No debemos llevar un short, vaqueros, una camisa arrugada…

7. **Debo llevar** pantalones, una camisa limpia, zapatos…
No debo llevar un traje de baño, una camiseta sucia, un sombrero…

8. **Deben llevar** vaqueros, una camiseta, tenis…
No deben llevar un vestido formal, un traje elegante, una corbata…

1.17
Parte 1

1. b. the pants
2. f. the dress
3. h. the tie
4. j. the socks
5. d. the jacket
6. a. the stockings
7. i. the pijamas
8. e. the size
9. g. the bracelet
10. c. the backpack

Parte 2

1. c. limpio
2. f. el paraguas
3. h. claro
4. b. apretado
5. g. la bufanda
6. j. la falda
7. a. fino
8. d. probarse
9. e. los guantes
10. i. muy

1.18 **Instructor:** Encourage your student(s) to do as much as possible from memory first, even if it means completing the problems out of numerical order. Let them use their notes and lists afterwards.

Spanish to English:

a. The man is wearing a new suit with a white shirt.

b. I put on a long skirt, but it's tight.

c. I have a light blue blouse that I wear with the white pants.

d. She bought some ugly boots.

e. We wear high heels with a formal dress.

f. I bring an old umbrella.

g. She always wears a lot of jewelry.

h. Shorts with a T-shirt and a cap are good for the picnic.

i. I get (receive) some elegant (drop) earrings for my birthday.

j. The fine suit is very elegant on (for) him.

English to Spanish:

k. Ella lleva una falda vieja con una blusa negra.

l. ¿Tienes (Tiene Ud.) una camisa limpia?

m. Cristina compró un collar elegante.

n. Las botas del chico son muy apretadas.

o. Jorge consiguió (obtuvo) una mochila nueva y una billetera (cartera) nueva.

p. Él lleva una corbata fina con el traje formal.

q. La cadena de oro es bastante larga.

r. Los vaqueros (jeans) son muy informales para el trabajo.

s. Los zapatos baratos son feos.

t. Carlos trae/lleva un paraguas y un impermeable a la escuela.

1.19   **Adult check.**

Parte 1

M: Vamos a divertirnos esta tarde. Me gusta ver lo que lleva todo el mundo.

J: Quiero ir a la boda, pero no me gusta la ropa formal.

M: Compré un nuevo vestido elegante. Es verde oscuro.

J: ¡No te olvides de llevar zapatos!

M: Muy divertido. Tengo zapatos negros de tacones altos.

J: Pues, yo voy a llevar vaqueros, una camisa y tenis rojos.

M: ¿Cómo? Una boda es una ocasión formal.

J: No me importa. No me gusta llevar un traje nuevo.

M: Tienes que llevar una camisa y una corbata. Y pantalones también. Los vaqueros son demasiado informales.

J: No tengo una chaqueta de color oscuro para llevar con los pantalones azules.

Parte 2

M: No tienes que llevar una chaqueta. ¿Tienes una corbata fina?

J: Puedo llevar la corbata roja con los tenis rojos.

M: No, no, no. Tienes zapatos de color oscuro, ¿no?

J: Tengo zapatos negros.

M: Está bien. Puedes llevar los pantalones azules con una camisa azul, la corbata roja y los zapatos negros.

J: Gracias por tu ayuda. No me gusta la ropa formal.

M: De nada. Hay que confiar en mí. No tienes que ser elegante, pero necesitas vestirte bien.

1.20   **Adult check.** Answers may vary.
Sample composition:

Para ir a la boda de mi hermana, llevé un vestido elegante. Llevé un vestido largo de color azul. Mis zapatos de tacones altos fueron negros. También tuve una cadena de oro. Hoy llevo pantalones verdes y una camisa verde claro. Llevo tenis y calcetines blancos. Este fin de semana voy a llevar vaqueros. Voy a ponerme una camiseta. Me pongo una chaqueta cuando salgo. Llevo la gorra favorita.

LISTENING EXERCISES I

Ex 1.   1.   No, son aretes.
2.   No, son zapatos.
3.   Sí, es una blusa.
4.   Sí, es un short.
5.   Sí, es una mochila.
6.   No, es una camisa.
7.   No, son guantes.
8.   No, es un traje de baño.
9.   Sí, es una corbata.
10.   Sí, es una billetera.

Ex 2.   1.   b.   informal
2.   c.   largo
3.   a.   un short
4.   c.   negro
5.   b.   las gorras

Ex 3.   a.   5
b.   2
c.   1
d.   3
e.   4

SECTION TWO

2.1 *Suyo* agrees with *vestido* in number and gender.

2.2
   a. They're Raul's sneakers / tennis shoes.
   b. They're his sneakers.
   c. They're his sneakers.
   d. They're HIS sneakers.
   e. They're his.
   f. *Los tenis* is plural. / There is more than one sneaker.

2.3
   a. It's my skirt.
   b. It's my skirt.
   c. It's MY skirt.
   d. It's mine.
   e. It's Ricardo's and my clothing.
   f. It's our clothing.
   g. It's our clothing.
   h. It's OUR clothing.
   i. It's ours.
   j. They're your gloves.
   k. They're your gloves.
   l. They're YOUR gloves.
   m. They're yours.

2.4
   a. la camisa; Carmen
   b. la camisa; ella
   c. su
   d. la; suya
   e. suya

2.5
   a. los pendientes; mis hermanas
   b. los pendientes
   c. sus
   d. los; suyos
   e. suyos
   f. las medias; mi madre
   g. las medias; ella
   h. sus
   i. las; suyas
   j. suyas

2.6
   a. mí, ti
   b. de, a, para, por, con, sin, en (etc.)

2.7 **Instructor:** You may wish to complete this activity orally. Ask your students to explain their choice of pronoun. For example:
la abuela→one woman→her
   a. Son los zapatos de ella.
   b. Es la chaqueta de él.
   c. Es el vestido largo de ella.
   d. Son las botas de ella.
   e. Es el collar de nosotros.
   f. Es la cadena de oro de él.
   g. Es la ropa de ellos.
   h. Es el traje de baño de ella.

2.8 **Adult check.**
   a. It's Raul's coat.
   b. It's MariCarmen's umbrella.
   c. They're my dad's pants.
   d. It's the lady's skirt.
   e. He/She brings your T-shirt.
   f. He/She puts on Jorge's and Guillermo's jackets.
   g. I have our jewelry.
   h. Él lleva las botas de mí.
   i. ¿Es el vestido de Elena?
   j. Tú tienes (Ud. tiene) el suéter de él.
   k. Te pones (Se pone) la gorra de Pedro.
   l. Ella lleva la falda de Cristina.
   m. Me pruebo los tenis de tí (de Ud.).
   n. ¿Tiene la chaqueta de él?
   o. ¿Dónde está la nueva blusa de mí?

2.9
   a. directly in front of/before the noun
   b. no
   c. *Zapatos* is more than one. / *Mis* agrees with *zapatos*.
   d. *Joyas* is feminine plural.
   e. No. *Tus* is used because *guantes* is plural.

2.10   a. my
       b. your
       c. his
       d. her
       e. your
       f. our
       g. your
       h. their
       i. your

2.11   a. mis
       b. su
       c. su
       d. nuestra
       e. Sus
       f. tu
       g. Tus
       h. nuestra
       i. mi
       j. Su

2.12   a. su
       b. su
       c. mis
       d. Nuestros
       e. Su
       f. tu
       g. nuestro
       h. Mi
       i. nuestras
       j. sus

2.13   a. Es su collar.
       b. Es nuestra bolsa.
       c. Es su paraguas.
       d. Son sus zapatos.
       e. Es nuestro suéter.
       f. Necesito usar sus camisas.
       g. ¿Dónde están mis medias?
       h. Prefieren su traje de baño.
       i. Quieren ver tu vestido nuevo.
       j. Llevo su ropa al sastre.

2.14   a. su
       b. mis
       c. su
       d. tu
       e. nuestras
       f. mi
       g. sus
       h. su
       i. su
       j. tus

2.15   **Adult check.** Responses must contain the correct possessive adjective, be logical, and reflect an understanding of the question asked. You may wish to review the activity on the board after the students have completed it.

Sample answers:

   a. Mis libros están en el estante.
   b. Sí (No), (no) perdí sus llaves.
   c. Papá puso tu mochila en la cocina.
   d. Sí (No), (no) vi tu pulsera.
   e. Susana tiene mi bolsa.
   f. Sí (No), (no) lavo su ropa / la ropa de mi hermano.
   g. Sí (No), (no) pongo sus camisetas / las camisetas de mis amigos.
   h. Sí (No), Enrique (no) quiere llevar mi corbata nueva.
   i. Mis tarjetas de crédito están en mi billetera / cartera.
   j. Sí (No), (no) uso su lápiz / el lápiz del profesor.

THE STRESSED POSSESSIVE ADJECTIVE

Instructor: Read this passage with your students. Use your tone of voice to emphasize whose backpack it is.

2.16   a. YOUR skirt is longer.
       b. No, MY/dress is blue.
       c. THEIR jewelry is prettier.

Instructor: Complete this section with your students. Ask them to read the translations out loud, placing stress on the appropriate parts of speech.

2.17 a. after
b. what is owned
c. yes
d. to emphasize ownership without changing the tone of voice significantly
e. *nuestro(a)(s)* and *vuestro(a)(s)*

2.18 a. mío(s)
b. mía(s)
c. tuyo(s)
d. tuya(s)
e. suyo(s)
f. suya(s)
g. nuestro(s)
h. nuestra(s)
i. suyo(s)
j. suya(s)

2.19 a. La; suya
b. la; tuya
c. la; mía
d. Los; nuestros
e. la; suya
f. el; suyo
g. Los; míos
h. el; suyo
i. el; mío
j. La; suya

2.20 a. la; suya
b. Las; suyas
c. las; nuestras
d. la; tuya
e. los; suyos
f. El; mío
g. los; suyos
h. las; nuestras
i. las; mías
j. Los; nuestros

2.21 a. Yo tengo las llaves suyas.
b. ¿Por qué quieren la billetera tuya?
c. Ellos trajeron la chaqueta mía.
d. Ellas buscan las joyas suyas.
e. Me pongo la falda suya.
f. Vendieron la ropa nuestra.
g. El señor Pacheco es un amigo mío.
h. No entiendo por qué llevas los zapatos suyos.
i. El ladrón roba las joyas nuestras.
j. Él devuelve el paraguas suyo.

2.22 1. a. el short de mí
b. mi short
c. el short mío
2. a. la cadena de oro de él
b. su cadena de oro
c. la cadena de oro suya
3. a. la ropa de nosotros
b. nuestra ropa
c. la ropa nuestra
4. a. las medias de ella
b. sus medias
c. las medias suyas
5. a. el cinturón de él
b. su cinturón
c. el cinturón suyo
6. a. el dormitorio de nosotros
b. nuestro dormitorio
c. el dormitorio nuestro
7. a. la hermana de Ud.
b. su hermana
c. la hermana suya
8. a. el garaje de ti
b. tu garaje
c. el garaje tuyo
9. a. la mochila de mí
b. mi mochila
c. la mochila mía
10. a. las camisetas de Uds.
b. sus camisetas
c. las camisetas suyas

2.23   **Adult check.** Answers may vary.
    a. La casa mía es (blanca).
    b. El mejor amigo mío es (Roberto).
    c. Sí (No), el coche suyo (no) es grande.
    d. Sí (No), (no) puedo hacer la tarea tuya.
    e. La madre nuestra viene (a las seis).
    f. El cuaderno mío es (azul).
    g. La familia mía es (pequeña y simpática).
    h. La mejor amiga mía es (alta, bonita y rubia).
    i. Sí (No), el cumpleaños mío (no) es el nueve de abril.
    j. Sí (No), el dormitorio suyo (no) está sucio.

2.24   a. It replaces a noun.
    b. It has two parts: a definite article and a stressed possessive adjective (an agreeing adjective).

2.25   a. Es suyo.
    b. Son suyos.
    c. Son suyos.
    d. Es mía.
    e. Son nuestros.
    f. Son tuyos.
    g. Es suya.
    h. Son suyos.
    i. Son suyas.

2.26   a. el mío
    b. la mía
    c. los míos
    d. las mías
    e. el tuyo
    f. la tuya
    g. los tuyos
    h. las tuyas
    i. el suyo
    j. la suya
    k. los suyos
    l. las suyas
    m. el nuestro
    n. la nuestra
    o. los nuestros
    p. las nuestras
    q. el suyo
    r. la suya
    s. los suyos
    t. las suyas

2.27   a. female
    b. *el suyo*
    c. masculine
    d. no
    e. The word *suyo* agrees in number and gender with *libro*, which is masculine singular.

2.28   a. no
    b. no
    c. The word *nuestras* agrees in number and gender with *chaquetas,* which is feminine plural.

2.29   a. Usas la suya.
    b. Tienen los suyos.
    c. Limpiamos el nuestro.
    d. Necesito los míos.
    e. La abuelita trajo las tuyas.

2.30   a. No puedo ver el mío.
    b. Diste de comer a los suyos.
    c. Compra los tuyos.
    d. Sacamos las nuestras.
    e. ¿Dónde compra Ud. las suyas normalmente?

2.31   a. ¿No te gusta la suya?
    b. Prefiero la nuestra.
    c. Escribe con el suyo.
    d. ¿Bebieron todos los tuyos?
    e. ¿Dónde están los míos?

2.32   a. no tienes la tuya
    b. se olvidó de traer la suya
    c. no tienen los suyos
    d. no llevan las suyas
    e. no llevan la suya
    f. no tengo el mío
    g. no traen las suyas
    h. no tenemos el nuestro
    i. no tiene el suyo
    j. no trae los suyos

OPTIONAL ACTIVITY A:

Instructor: This is a speaking activity. You and your student(s), or pairs of students, should take turns playing each role.

Locate your flashcards from LIFEPAC 3 (The House and Home). Scan the activity for the exact pictures you will need.

You and your partner will face each other. Both partners can view the questions to be asked, but only one partner will ask the printed question, holding up the appropriate flashcard for each problem. One will answer affirmatively, using a possessive pronoun in his/her answer. Follow the example.

Instructor: Act out the model with your student(s).

Example: ¿Es tu cuchillo? (**Instructor:** Hold up the knife flashcard.)
   Sí, es mío.

a. ¿Es su sofá?
    Sí, es suyo.
b. ¿Es mi manguera?
    Sí, es tuya.
c. ¿Son sus flores?
    Sí, son suyas.
d. ¿Es tu mesa?
    Sí, es mía.
e. ¿Es su teléfono (de Uds.)?
    Sí, es nuestro.
f. ¿Es tu cuadro?
    Sí, es mío.
g. ¿Es mi espejo?
    Sí, es tuyo.
h. ¿Es su olla?
    Sí, es suya.
i. ¿Es su cama (de Uds.)?
    Sí, es nuestra.
j. ¿Son nuestras cortinas?
    Si, son suyas.

OPTIONAL ACTIVITY B:

Instructor: Repeat this activity, having the partners switch roles. It may seem repetitive, especially to the student(s), but it is important that all students play both roles.

2.33   a. No, Papá no tiene la suya.
       b. Sí, tenemos los nuestros. / Sí, Uds. tienen los suyos.
       c. Sí, tiene la suya.
       d. No, (no) tienes los tuyos.
       e. Sí, tengo el mío.
       f. No, ellos no tienen los suyos.
       g. Sí, tengo la mía.
       h. Sí, tienen las suyas.
       i. No, no tiene los suyos.
       j. Sí, tienes la tuya.

2.34   1. a. Es la cadena de la señora.
          b. Es su cadena.
          c. Es la cadena suya.
          d. Es suya.
       2. a. Es la gorra de mi amigo.
          b. Es su gorra.
          c. Es la gorra suya.
          d. Es suya.
       3. a. Es el coche de nosotros.
          b. Es nuestro coche.
          c. Es el coche nuestro.
          d. Es nuestro.
       4. a. Son los zapatos de mí.
          b. Son mis zapatos.
          c. Son los zapatos míos.
          d. Son míos.
       5. a. Son los anteojos de ti.
          b. Son tus anteojos.
          c. Son los anteojos tuyos.
          d. Son tuyos.

2.35　1.　a.　nuestra familia

　　　　　b.　su familia

　　　　　c.　su familia

　　　2.　a.　las suyas

　　　　　b.　las nuestras

　　　　　c.　las mías

　　　3.　a.　el dormitorio de Pedro

　　　　　b.　el dormitorio mío

　　　　　c.　el dormitorio suyo

　　　4.　a.　las primas suyas

　　　　　b.　las primas de Verónica

　　　　　c.　las nuestras

　　　5.　a.　la computadora tuya

　　　　　b.　su computadora

　　　　　c.　la mía

2.36　a.　el; suyo

　　　b.　El; suyo

　　　c.　las; mías; las tuyas

　　　d.　Su; el mío

　　　e.　nuestra

　　　f.　su; el mío

　　　g.　de ellos; el suyo; de ella

　　　h.　de mí; mío

　　　i.　La; de Enrique

　　　j.　suya

2.37　**Adult check.** Read the dialogue, taking one role while the student takes the other role; or have two students dialogue with one another.

LISTENING EXERCISES II

Ex 1.　a.　they are

　　　　b.　we are

　　　　c.　you are

　　　　d.　he is

　　　　e.　you are

　　　　f.　I am

　　　　g.　she is

　　　　h.　they are

　　　　i.　I am

　　　　j.　you are

Ex 2.　a.　tu

　　　　b.　nuestra

　　　　c.　su

　　　　d.　sus

　　　　e.　nuestro

　　　　f.　su

　　　　g.　sus

　　　　h.　mi

　　　　i.　su

　　　　j.　sus

Ex 3.　a.　la mía

　　　　b.　el nuestro

　　　　c.　la suya

　　　　d.　la tuya

　　　　e.　la suya

　　　　f.　las tuyas

　　　　g.　la nuestra

　　　　h.　las suyas

　　　　i.　los nuestros

　　　　j.　la suya

SECTION THREE

3.1   1.   a.   buscando
      b.   looking for
   2.   a.   viviendo
      b.   living
   3.   a.   teniendo
      b.   having
   4.   a.   estudiando
      b.   studying
   5.   a.   asistiendo
      b.   attending
   6.   a.   cantando
      b.   singing
   7.   a.   abriendo
      b.   opening
   8.   a.   pensando
      b.   thinking
   9.   a.   poniendo
      b.   putting
  10.   a.   subiendo
      b.   boarding, going up, getting on, climbing

Instructor: You may wish to write the incorrect *leiendo* next to the correct *leyendo* on the board. Ask your students to try pronouncing both. Once you have established with them that *leiendo* is difficult to say, make great effort to cross out and then erase the misspelled participle.

3.2   1.   a.   creyendo   b.   believing
   2.   a.   trayendo   b.   bringing
   3.   a.   poseyendo   b.   possessing
   4.   a.   huyendo   b.   fleeing
   5.   a.   influyendo   b.   influencing
   6.   a.   cayendo   b.   falling
   7.   a.   leyendo   b.   reading
   8.   a.   construyendo   b.   building, constructing
   9.   a.   oyendo   b.   hearing
  10.   a.   yendo   b.   going

3.3   1.   a.   divirtiendo   b.   having fun
   2.   a.   prefiriendo   b.   preferring
   3.   a.   vistiendo   b.   dressing

   4.   a.   pidiendo   b.   ordering, asking for
   5.   a.   impidiendo   b.   stopping
   6.   a.   muriendo   b.   dying
   7.   a.   sirviendo   b.   serving
   8.   a.   siguiendo   b.   following
   9.   a.   durmiendo   b.   sleeping

3.4   a.   The girl crying follows after her parents.
   b.   The teacher continues speaking while the phone rings.
   c.   I come running to greet you.

3.5   a.   how the girl is following
   b.   how the teacher continues
   c.   how I come
   d.   the verb
   e.   like an adverb

3.6   a.   leer
   b.   Trabajar
   c.   Estudiar
   d.   Jugar; mirar
   e.   Tocar
   f.   fumar
   g.   Ahorrar
   h.   Hablar
   i.   esquiar
   j.   Subir

3.7   a.   leyendo
   b.   hablando
   c.   llorando
   d.   Leer
   e.   Escoger
   f.   divirtiendo
   g.   molestándote
   h.   Comer
   i.   tropezando

3.8   **Adult check.**
   a.   Upon greeting his friend, he said, "How are you?"
   b.   Upon jumping from the train, he/she broke his/her leg.

c. Upon putting on the dress, she felt like a princess.

d. Upon finishing the homework, I was happy.

e. I started to work upon hearing the bell.

f. Upon seeing the bear, he ran very fast.

g. You realized that you forgot to comb your hair upon looking at yourself in the mirror.

h. Upon receiving milk, the baby calmed down.

i. They opened the gifts upon getting (receiving) them.

j. Upon going to bed, we fell asleep.

3.9   **Instructor:** You may choose to have student(s) complete this activity and the next one with yourself or a partner. This may make the job of understanding the paragraph less arduous.

1. portando
2. concentrando
3. moviéndose
4. notar
5. estudiándolo
6. copiando
7. Copiar
8. diciendo
9. oír
10. llamar

3.10   1. dirigiendo
2. dirigirlo
3. estar
4. perdiendo
5. sonando
6. oír
7. ver
8. chocar

3.11   a. recibiendo; recibir
b. correr; corriendo
c. Escuchar; escuchando
d. orando; Orar
e. gritando; gritar

f. Hacer; haciendo
g. Al ver; viendo
h. Cultivar; cultivando
i. Al escoger; escogiendo
j. hablando; hablando

3.12   **Instructor:** You may wish to give the student(s) time to work out the actual dialogue; that is, rehearse it before presenting it. Allow them to write only the verbs/infinitives they will need to perform the dialogue, perhaps on an index card, for reference. It is important that they begin to create the language in their heads *and* on the spot. It's an important skill, and one cannot be fluent until one has become comfortable with it. Allow them time to rehearse orally, but not to write every single word.

The key for the dialogue is given as a guideline. As long as the students are communicating the ideas, and using proper syntax and grammar, their translation should be considered correct.

el/la dependiente: ¿Está Ud. buscando ropa para los niños?

el padre/la madre: Sí, van a empezar las clases la semana que viene. Vine para ir de compras aquí a causa de sus precios rebajados esta semana.

el/la dependiente: A los niños les gusta ropa nueva para la escuela.

el padre/la madre: Sí, pero a mí no me gusta gastar demasiado dinero.

el/la dependiente: Es difícil encontrar buena ropa a precios baratos. ¿Qué necesita Ud. para su familia?

el padre/la madre: Mi hijo siempre sale llevando jeans/vaqueros. A mi hija le gusta llevar vestidos informales.

el/la dependiente: Tenemos los jeans/vaqueros para los chicos y los vestidos para las chicas a precios rebajados.

el padre/la madre: ¡Es magnífico! ¿Dónde están jeans/vaqueros para los chicos?

el/la dependiente: Por aquí.

LISTENING EXERCISES III

Ex 1.
a. present participle
b. infinitive
c. infinitive
d. infinitive
e. present participle
f. present participle
g. present participle
h. infinitive
i. present participle
j. present participle

Ex 2.
a. levantándonos
b. recibir
c. huyendo
d. tratando
e. estudiar
f. rogándole
g. recibir
h. ganar
i. terminando
j. caminar

Ex 3. **Instructor:** This activity takes a bit of thought. You may wish to pause the tape in order to give your students a little more time to consider how to word their answers. You may even choose to help them word the first one or two.

a. Yo sigo hablando con él.
b. Ellos salen llorando de la casa.
c. Al leer por mucho tiempo, tú estás cansado.
d. Nosotros estamos jugando al fútbol.
e. Al recibir la llamada, Juan sale.

SECTION FOUR

4.1   a. viviste
    b. pasé
    c. iban
    d. charlé
    e. ayudábamos
    f. llevaba
    g. tenían
    h. vio
    i. visitaron
    j. asistíamos

4.2   a. No fuimos porque llovía.
    b. Eran las dos y media cuando salimos.
    c. ¿Nevaba cuando te despertaste?
    d. La mujer que se cayó llevaba una falda gris.
    e. Me dieron una fiesta cuando tenía seis años.
    f. Era el once de octubre. Sacaste una mala nota en el examen de ciencias.
    g. ¿Qué tiempo hacía cuando estaban de vacaciones?
    h. Eran las once de la noche cuando terminé la tarea.
    i. El chico que llevaba un short blanco y una camiseta verde jugó al béisbol muy bien ayer.
    j. El chico de quien hablé era pelirrojo.

4.3   a. Escuchaba; sonó
    b. hablaba; interrumpí
    c. despedimos; escuchaba
    d. echaste; miraba
    e. salía; enfermó
    f. compró; estaba
    g. comió; tenía
    h. Caminaba; vi
    i. mirábamos; apagaron
    j. rompió; hacía

4.4   a. Estaba; estaba
    b. alegraba; contesté
    c. corrieron; querían
    d. pensaba; ocurrieron
    e. creía
    f. cayó; quería
    g. presentó; Parecía
    h. estabas; ganó
    i. pensábamos; levantamos
    j. escogió; quería

4.5   a. Por
    b. por
    c. para
    d. por
    e. para
    f. por
    g. para
    h. para
    i. por
    j. para

4.6   a. pero
    b. sino
    c. pero
    d. sino que
    e. sino
    f. pero
    g. sino que
    h. pero
    i. pero

4.7   a. porque
    b. a causa de
    c. porque
    d. a causa de
    e. porque
    f. porque
    g. a causa de
    h. porque
    i. a causa de
    j. a causa de

4.8   a. por; pero
    b. a causa de
    c. sino

d. para

e. pero

f. porque

g. sino

h. Para

i. a causa de

j. para

4.9   a. no, el garaje

b. sí

c. sí

d. no, el baño

e. no, la cocina

f. sí

g. no, el comedor/la cocina

h. no, la sala

i. sí

j. no, el baño/el dormitorio

k. no, la cocina/el comedor

l. sí

m. no, la cocina

n. no, el baño

o. no, el dormitorio

4.10   **Adult check.** Remind your students to include the articles *el/la, los/las* with each noun. Possible answers:

a. la silla, el sillón, el sofá

b. la manguera

c. el teléfono

d. la mesa

e. la alfombra

f. el horno de microondas

g. el armario, la cómoda, el ropero

h. el espejo

i. el vaso, la taza

j. las cortinas

k. la mesa de noche

l. la aspiradora

m. el sillón

n. la sartén

o. la cama

4.11   **Adult check.** Answers will vary.

Sample composition: La familia cena en el comedor. Hay cinco sillas. La mesa es grande. Una persona usa un tenedor. Otra persona come con un tenedor y un cuchillo. Tienen velas. En la cocina, el joven prepara la ensalada. La ensalada está en un plato hondo. A las personas les gusta el café. Van a beber el café en tazas.

Translation: The family eats dinner in the dining room. There are five chairs. The table is big. One person uses a fork. Another person eats with a fork and a knife. They have some candles. In the kitchen the young man prepares the salad. The salad is in a deep bowl. The people like coffee. They are going to drink coffee in cups.

4.12   **Adult check.** You will need to guide this activity. Give students two minutes to look at the drawings and gather their thoughts. Have one student identify an item by name. Then have another student offer one Spanish sentence describing this item, or discussing what activity is done with this item. Continue the discussion about each drawing with the student(s) until absolutely no more can be said.

Sample discussion:

(Comment 1) Es una silla.

It is a chair.

(Comment 2) Es una silla roja.

It is a red chair.

(Comment 3) Es grande.

It is big.

(Comment 4) Se sienta en la silla.

He/She sits in the chair.

(Comment 5) La silla está en el comedor.

The chair is in the dining room (etc.).

a. a group of three plants: a purple tulip, a green fern and a red tulip

b. a green sofa

c. a black pot

d. a portrait

    e. a fork

    f. a bed with a red and blue blanket

    g. a window dressed with lacy curtains

    h. a long, green garden hose

    i. a shiny white kitchen sink

    j. a bar of pink bath soap

4.13   **Adult check.** Answers will vary.

Sample composition:

Manuel trabajaba en una mueblería. Un día, Manuel tuvo que llevar los muebles a los clientes. El trabajo era muy difícil, porque los muebles eran muy grandes y pesaban mucho. Él creía que el sofá amarillo pertenecía a la casa de la Sra. Sánchez. Manuel sacó el sofá del camión y lo llevó a la puerta. Tocó a la puerta. La Sra. Sánchez lo saludó. Estaba irritada. Impidió a Manuel de entrar. Ella no quería el sofá porque había comprado (had bought) un sillón de color café. Manuel tuvo que llevar el sofá al camión otra vez. Le dolía mucho la espalda. Regresó con el sillón. Por lo menos, no pesaba tanto como el sofá. Ella le dio a él una propina de diez dólares. Manuel salió para entregar los otros muebles a otras personas.

SECTION FIVE

5.1 **Adult check.** Check the work of your student(s) against a world map or atlas. Better still, fill in this map along with your student(s).

5.2
a.	11	i.	13
b.	4	j.	6
c.	9	k.	3
d.	8	l.	14
e.	15	m.	7
f.	1	n.	5
g.	10	o.	12
h.	2	p.	16

5.3
1. las Islas Canarias
2. Galicia
3. Ceuta y Melilla
4. Castilla y León/Castilla-La Mancha
5. Castilla y León/Castilla-La Mancha
6. Navarra
7. Murcia
8. Extremadura
9. las Islas Baleares
10. Asturias/el País Vasco

5.4
1. Se habla catalán en Barcelona y en las Islas Baleares.
2. Se habla gallego en Santiago de Compostela, Vigo y La Coruña.
3. Se habla castellano en Madrid, Segovia, Toledo y Salamanca.
4. Se habla andaluz en Sevilla, Granada, Cordoba y Málaga.
5. Se habla vasco en Bilbao y San Sebastián.

5.5 **Adult check.**

Instructor: It is important to understand that these activities are intended to give the learner an appreciation for the language diversity in Spain. There is much more to Spain than "Spanish."

OPTIONAL ACTIVITY C:

Instructor: Research the languages of Spain! Research the political divisions of Spain. Create two more maps: one illustrating all fifty provinces of Spain, the other illustrating all fourteen languages spoken there. The Internet is particularly useful here.

SECTION ONE

1.1 **Instructor:** The paragraph is rewritten here for your benefit only:

Para los que trabajan en casa, hay **la oficina de casa.** Hay muchas cosas para mantenerla. **La computadora** está sobre **el escritorio**, cerca de **la ventana** (para disfrutar de la luz del sol). El trabajador se sienta en **la silla** frente a la computadora. **Los papeles** importantes, **los archivos**, están en **el archivador**, mantenidos en órden alfabético. Los papeles que ya no son importantes están en **la papelera.** Saca la basura luego. Cuando la computadora no funciona, el trabajador tiene que usar **la máquina de escribir** para escribir las cartas y los documentos importantes. A veces tiene que escribir a mano. Es buena idea organizarse con **un cuaderno** grande. Para los asuntos monetarios, se usa **la calculadora.** Es buena idea tener copias de un documento y por eso tiene **una copiadora.** Necesita **sobres** y **sellos** para mandar los documentos por correo. **El diccionario** están en **el estante de libros** con los otros libros.

a. la oficina de casa—the home office
b. la computadora—the computer
c. el escritorio—the desk
d. la ventana—the window
e. la silla—the chair
f. los papeles—the paper
g. los archivos—the files
h. el archivador—the file cabinet
i. la papelera—the wastebasket
j. la máquina de escribir—the typewriter
k. un cuaderno—a notebook
l. la calculadora—the calculator
m. una copiadora—a photocopier
n. los sobres—the envelopes
o. los sellos—the stamps
p. el diccionario—the dictionary
q. el estante de libros—the bookshelves

1.2 **Adult check.** Make sure the student has one card for each vocabulary word from Exercise 1.1.

1.3 **Adult check.** Instructor will lay out five unlabeled pictures of office supplies for ten seconds, and then turn them face down. The student(s) will orally identify in Spanish, from memory, the five items pictured. The instructor will display the same pictures a second time. After they are turned over, the students will write the names of these objects in Spanish

The instructor will repeat this process several times, using different combinations of pictures each time. As the students' skills improve, the number of pictures they have to memorize should be increased.

1.4 Crossword puzzle:

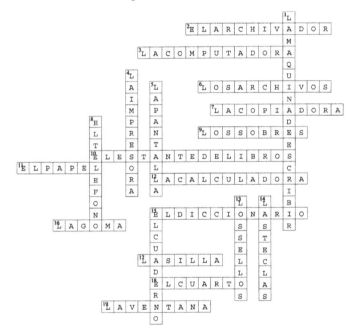

1.5 a. una calculadora; una computadora
b. un sello; el sobre
c. archivo; la papelera
d. escritorio; la ventana
e. el diccionario; el estante de libros
f. escritorio; papeles
g. lápiz; goma
h. la copiadora; la impresora
i. las teclas
j. cuaderno; el archivador

1.6 **Adult check.** Answers may vary.
Sample composition:

En mi cuarto hay un escritorio. Hay una papelera. Sobre el escritorio tengo una computadora. Hay bolígrafos y lápices. Pongo el diccionario en el estante de libros.

1.7 **Adult check.** Answers may vary.

Do not allow the student to write out their presentation ahead of time. Sample composition:

Aquí está el escritorio. Aquí está la computadora. El cuaderno está a la derecha de la computadora. Hay dos lápices cerca del cuaderno. Tengo un teléfono.

1.8 **Adult check.** Answers will vary, but should be accurate to the drawing. Sample responses:
   a. Los papeles están en la papelera.
   b. La ventana está detrás del escritorio.
   c. Sí, hay cortinas.
   d. Se usa un bolígrafo o un lápiz para escribir.
   e. La computadora está sobre el escritorio.
   f. No, no hay un archivador.
   g. La papelera está al lado del/a la derecha del escritorio.
   h. Se usa la computadora para escribir los documentos.
   i. La calculadora está a la izquierda de la computadora.
   j. El cuarto está en orden.

1.9
   a. una novela/un libro
   b. artículos
   c. imprimir
   d. El escritor/autor (La escritora/autora)
   e. editor/redactor
   f. traduce
   g. revisa

1.10
   a. telefonear/llamar por teléfono
   b. comunicar por correo electrónico
   c. calcular
   d. archivar
   e. conversar
   f. los documentos oficiales/legales
   g. dirigir un negocio
   h. los impuestos
   i. un contrato
   j. una reunión

1.11
   a. diseñar/crear
   b. dibujar
   c. planear
   d. un esquemático
   e. crear/producir
   f. el programador (la programadora)
   g. programar
   h. el arquitecto (la arquitecta)
   i. un dibujo (técnico)
   j. dibujar/diseñar/pintar

1.12
   a. La secretaria archivó las copias.
   b. El procesador de textos lee el documento.
   c. Ayudo al jefe a redactar una carta.
   d. Copiaste el documento.
   e. Ella escribe bien a máquina.
   f. Ud. archiva la copia de la carta.

1.13
   a. leen
   b. investigaciones
   c. La tarea; escribir una tesis
   d. Me educo; muchos artículos
   e. Ahorramos dinero
   f. investigar la tarea
   g. dirige su propio negocio
   h. Los estudiantes critican
   i, una tesis; enseñar los valores de familia
   j. La tarea; leer

1.14 **Adult check.** Answers may vary. Sample answers are provided:
   a. El archivador me ayuda a archivar.
   b. La computadora me ayuda a componer cartas y documentos.
   c. El teléfono me ayuda a comunicar con otros.
   d. El bolígrafo me ayuda a escribir.
   e. La copiadora me ayuda a copiar.
   f. La calculadora me ayuda a mantener las cuentas.
   g. Los libros me ayudan a educarme.
   h. La impresora me ayuda a imprimir.
   i. La oficina de casa me ayuda a ahorrar dinero.
   j. El diccionario me ayuda a comprender palabras.

1.15   **Adult check.** Actual descriptions of the professionals' jobs may vary. Answers should be logical to the picture and grammatically sound. Sample answers are provided:

    a. Es arquitecto. Diseña las casas.

    b. Es contadora. Mantiene las cuentas.

    c. Es secretaria. Escribe las cartas.

    d. Es ingeniero. Trabaja con computadoras.

    e. Es escritor. Escribe novelas.

    f. Es estudiante. Lee mucho.

    g. Es dibujante técnico. Crea los diseños.

    h. Es artista. Crea esculturas.

    i. Es mujer de negocios. Se comunica con los clientes.

    j. Es artista. Dibuja historietas.

1.16   **Adult check.** Sample answers provided. **Do not allow** the use of such words as *desk, pen, telephone,* and *wastebasket* in every single response, as it defeats the purpose.

    1. a. el escritorio
       b. la computadora
       c. el papel
       d. el esquemático
       e. la silla

    2. a. el teléfono
       b. el archivador
       c. el correo electrónico
       d. la computadora
       e. la copiadora

    3. a. los libros
       b. el estante de libros
       c. las novelas
       d. las obras de literatura
       e. el diccionario

    4. a. la calculadora
       b. los archivos
       c. el lápiz
       d. la silla
       e. el cuaderno

    5. a. el escritorio
       b. la computadora
       c. el bolígrafo
       d. el cuaderno
       e. los sellos/los sobres

1.17   Answers may vary. Possible answers:

    a. cuidar a los niños

    b. viajar a un trabajo

    c. ahorrar dinero

    d. educarse con cursos de computadora

    e. dirigir su propio negocio

    f. enseñar los valores de familia

1.18   Answers may vary. Sample answers:

    a. La estudiante hace las investigaciones usando la computadora.

    b. Los clientes escriben al hombre de negocios por correo electrónico.

    c. El cuaderno del contador está en el estante de libros.

    d. La secretaria archiva la carta en el archivador.

    e. El dibujante crea los diseños en la pantalla.

    f. Archiva la tarea en el cuaderno y pone el cuaderno en el estante de libros.

    g. El estudiante imprime una copia de la tarea en la impresora.

    h. La contadora se comunica con la mujer de negocios por correo electrónico.

    i. El arquitecto no viaja a la reunión. Usa la computadora y el correo electrónico.

    j. El dibujante crea un archivo del esquemático y hace una copia del esquemático.

1.19   Students may choose to complete this activity orally. Answers may vary.

    a. La secretaria puede trabajar en una oficina de casa.

    b. El hombre de negocios necesita un teléfono, una computadora, una impresora y una copiadora.

    c. La contadora puede comunicarse con los clientes por correo electrónico.

    d. La secretaria pone los documentos en el archivador.

    e. Escribe una carta con una máquina de escribir.

    f. La familia puede cuidar a los niños.

    g. Él puede preparar los contratos en la computadora.

    h. Un redactor revisa los artículos.

i. Una persona no tiene que viajar a otra ciudad para el trabajo.

j. Usa las teclas/el teclado.

1.20 **Adult check.** After the student has completed writing the answers, review the exercise orally.

a. No, es una escultura.

b. Sí, es un artículo.

c. No, es una impresora.

d. No, es una goma.

e. No, es un estante de libros.

f. No, es una calculadora.

g. No, es un esquemático.

h. Sí, es una historieta.

i. No, es un teclado.

j. Sí, es un periódico.

1.21 Remind the student to use the articles (*el/la*) with each noun.

a. la pantalla (computer screen)/la computadora (computer)

b. el teclado (keyboard)

c. el papel (paper)

d. el bolígrafo (pen)

e. el cuaderno (notebook)

f. el periódico (newspaper)

g. el teléfono (telephone)

h. el archivo (file folder)

i. el esquemático (blueprint)

j. el sobre (envelope)

1.22 **Instructor:** Encourage the student to do as much from memory as possible FIRST before resorting to notes. Even if the student can only remember two or three terms, at least those two or three terms have been practiced.

1. g. the publisher
2. d. the engineer
3. e. the student
4. j. to educate yourself
5. h. the literary works
6. a. the artist
7. i. the tax forms
8. c. to revise
9. f. the editor
10. b. to calculate

1.23
1. e. el autor
2. g. la impresora
3. i. publicar
4. c. cuidar de
5. a. la silla
6. f. los sellos
7. h. investigar
8. d. el teclado
9. j. copiar
10. b. mandar

LISTENING EXERCISES I

Ex 1.
a. el estudiante
b. el editor
c. el contador
d. la secretaria
e. el programador
f. el dibujante
g. el arquitecto
h. el artista
i. el dibujante
j. el autor

Ex 2.
a. 4
b. 8
c. 1
d. 7
e. 2
f. 9
g. 3
h. 5
i. 6
j. 10

Ex 3.
a. traducir
b. escribir
c. comunicar
d. archivar
e. dibujar/diseñar
f. mantener las cuentas
g. publicar
h. mandar
i. copiar
j. estudiar

SECTION TWO

2.1　a.　The accounts are maintained.
　　b.　The article is revised.
　　c.　The letter is sent.
　　d.　The documents are translated.
　　e.　The taxes are calculated.
　　f.　The blueprint is produced.
　　g.　The children are cared for.
　　h.　The comics are drawn.
　　i.　The book is typed.
　　j.　The daughter is raised.

2.2　a.　publican
　　b.　calculan
　　c.　escribe
　　d.　copian
　　e.　necesita
　　f.　dirige
　　g.　archivan
　　h.　enseñan
　　i.　ahorra
　　j.　escuchan

2.3　**Instructor:** You may wish to identify the verb of each sentence and from what Spanish infinitive it came BEFORE instructing the student(s) to proceed.
　　a.　Se ponen los bolígrafos en el escritorio.
　　b.　Se educa el niño en casa.
　　c.　Se diseña el esquemático.
　　d.　Se programan las computadoras.
　　e.　Se ahorra dinero.
　　f.　Se archivan los documentos.
　　g.　Se llaman los hombres de negocios a la reunión.
　　h.　No se miran los diseños.
　　i.　Se pone el diccionario en el estante de libros.
　　j.　Se usa el teléfono ahora mismo.

2.4　a.　¿Cuándo se publican los libros?
　　b.　Se reparan las computadoras.
　　c.　Se producen los manuscritos en la oficina de casa.
　　d.　Se paga bien ese trabajo.
　　e.　Se escribió la carta ayer.
　　f.　Se mantienen las cuentas todos los días.
　　g.　No se lee un libro durante una noche.
　　h.　No se investiga mucho ese tema.
　　i.　Se archivó el esquemático el martes.
　　j.　Se usa nuestra oficina de casa frecuentemente.

2.5　Answers may vary. Encourage the student to embellish each sentence a bit. For example, *se copian* is not enough; have the student tell what is copied, written, etc. The first one is done as an example for the student(s).
　　a.　*Se copian los documentos para la reunión.*
　　b.　Se investiga la tarea en la biblioteca.
　　c.　Se cuidan los hijos en casa.
　　d.　Se produce un manuscrito para una novela.
　　e.　Se programan las computadoras por muchas horas.
　　f.　Se usa el teléfono y se escriben los apuntes en la oficina.
　　g.　Se imprimen las cartas para anunciar el nacimiento del bebé.
　　h.　Se dibujan las historietas para el periódico.
　　i.　Se manda un paquete a los primos.

2.6　a.　lejos del
　　b.　cerca de
　　c.　sobre
　　d.　delante de
　　e.　en
　　f.　a la derecha de
　　g.　lejos del

h. sobre
i. a la derecha
j. cerca del

2.7 a. The eraser is to the right of the notebook.
b. A chair is beside/next to the desk.
c. The desk is far from the bookcase.
d. The calculator is (located) on the file cabinet.
e. The computer is in front of the window.
f. The (pencil) eraser is under the dictionary.
g. The copier is to the left of the bookcase.
h. The blueprints are (located) beside/next to the computer.
i. The pencil is between the pen and the file.
j. The window is behind the curtains.

2.8 **Adult check.** Answers will vary.
Sample composition:
El escritorio está al lado de la ventana. Hay una computadora sobre el escritorio. La impresora está en el escritorio, al lado de la pantalla. El teléfono está a la derecha de la computadora. Unos papeles están entre la computadora y el teléfono. La papelera está debajo del escritorio. La oficina está arriba. Los archivos están dentro del archivador. Hay una calculadora sobre la silla. La silla está frente al escritorio.

2.9 **Adult check. Instructor:** The drawings need not be true-to-life. Labeled squares will suffice. (NOTE: The English translation is for the instructor's benefit.)
Maria arranges the home office. She puts a big desk next to the window. The chair, naturally, is (located) facing the desk. On the desk, she puts paper, her notebooks and a calculator. (There's no computer.) The notebook is (located) on top of the paper in order to

protect it from the breezes. A low file cabinet is (located) far from the desk, on the other side of the office. There are few files inside the file cabinet. The wastebasket is between the desk and the file cabinet. She hangs the phone on the wall, to the right of the window.

2.10 **Adult check.** Answers may vary. Sample sentences:
a. ¿Quién está a la izquierda de la niña?
   ¿Quién está a la derecha de la niña?
b. ¿Quién está al lado del teléfono?
   ¿Quién está lejos del teléfono?
c. ¿Quién está detrás de la silla?
   ¿Quién está delante de la silla?
d. ¿Quién está encima de la mesa?
   ¿Quién está debajo de la mesa?
e. ¿Quién está lejos del árbol?
   ¿Quién está cerca del árbol?

2.11 a. Paquito está frente a la pantalla.
b. Elena está cerca del estante de libros.
c. Hay una copiadora al lado de nosotros.
d. La computadora está en el escritorio.
e. Estamos en la oficina.

2.12 **Adult check.** Answers will vary. **Instructor:** You may wish to offer extra credit to the student who creates more than the required seven sentences. Examples:
a. Mi abuela está cerca de la ventana.
b. Yo estoy cerca de la oficina.
c. Nosotros estamos al lado de la computadora.
d. La Sra. Jiménez está enfrente de las cortinas.
e. Hay una pantalla cerca de Elena.
f. La computadora no está en esta oficina.
g. Hay cinco libros en el estante de libros.

LISTENING EXERCISES II

Ex 1.
a. I
b. R
c. I
d. I
e. I
f. R
g. R
h. R
i. I
j. R

Ex 2.
1. b. delante de la ventana
2. c. la lámpara
3. a. mirar la televisión
4. b. fuera de la sala
5. c. encima de la chimenea

Ex 3.
a. Se ponen los papeles en la papelera.
b. Se pone la oficina abajo.
c. Se pone la impresora cerca del archivador.
d. Se ponen los bolígrafos debajo del escritorio.
e. Se pone un esquemático a la izquierda de la pantalla.
f. Se pone el teclado delante de la pantalla.
g. Se pone la silla cerca del teléfono.
h. Se pone la copiadora lejos de la oficina.
i. Se ponen los libros en el estante.
j. Se pone una revista debajo de los libros.

SECTION THREE

3.1   a. I, you, he, she, we, they
       b. Pronouns replace nouns.
       c. nouns
       d. the verb

3.2   yo   nosotros, nosotras
       tú   *vosotros, vosotras*
       él, ella, Ud.   ellos, ellas, Uds.

3.3   *Tú* is the informal form of *you;* and *usted* is the formal form of *you,* speaking to one person.

3.4   *Ud.* is singular. *Uds.* is plural.

3.5   a. Él
       b. Ellos
       c. Él
       d. Uds.
       e. Uds.
       f. Nosotros
       g. Nosotros/Nosotras
       h. Ellos
       i. Ellas
       j. Ellos

3.6   a. Yo; ellos/ellas
       b. Nosotros/Nosotras; tú
       c. Ella; él
       d. Uds.; yo
       e. yo; él
       f. Ella y yo; ellos/ellas
       g. Nosotros/Nosotras; tú
       h. yo
       i. Uds.; él
       j. Ellos/Ellas; ella

3.7   mí   nosotros, nosotras
       ti   *vosotros, vosotras*
       él   ellos
       ella   ellas
       Ud.   Uds.

3.8   a. mí
       b. él
       c. ti
       d. nosotros/nosotras
       e. Ud.
       f. mí
       g. ti
       h. ti
       i. ella
       j. (con)migo/(con)tigo

3.9   a. mí
       b. ti
       c. nosotros
       d. Yo
       e. ellos/ellas/Uds.
       f. Yo
       g. mí
       h. (con)tigo
       i. Tú
       j. Ud.

3.10 a. la tarea
       b. la carta
       c. papas fritas
       d. mi madre
       e. la casa
       f. una película
       g. los niños
       h. mis amigos
       i. las matemáticas
       j. el ruido

3.11 1. b. el mantel
       2. a. la película
       3. c. a mí
       4. c. la mantequilla
       5. a. la idea
       6. c. a ti
       7. c. el nombre
       8. a. la televisión
       9. c. los manuscritos
     10. b. a nosotros

3.12 a. la
     b. Lo
     c. la
     d. me
     e. Los
     f. Nos
     g. los
     h. te
     i. las
     j. los

3.13 **Instructor:** Remind students to place the pronouns *in front* of the conjugated verb in each sentence.
     a. la tarea de matemáticas.
        No la entiendo todavía.
     b. los esquemáticos
        ¿Cuándo los necesitas devolver?
     c. al profesor
        ¿Lo puedes oír?
     d. las investigaciones
        Muchos estudiantes las hacen en la biblioteca.
     e. una película
        La miras el sábado.
     f. vestidos nuevos
        ¿Por qué los quieres?
     g. a los estudiantes
        La profesora los mira.
     h. la puerta
        Ella la cierra.
     i. al bebé
        La mamá lo cuida.
     j. la ropa
        La lavamos frecuentemente.

3.14 a. Necesito lavarlos.
        Los necesito lavar.
     b. Pueden revisarlos.
        Los pueden revisar.
     c. Estamos enseñándolos.
        Los estamos enseñando.
     d. No puedo ayudarte.
        No te puedo ayudar.

e. Vas a comprarlo.
   Lo vas a comprar.
f. No quieren escribirla.
   No la quieren escribir.
g. Tengo que lavarlo.
   Lo tengo que lavar.
h. Puedes ayudarnos.
   Nos puedes ayudar.
i. Van a visitarme.
   Me van a visitar.
j. El autor necesita revisarlos.
   El autor los necesita revisar.

3.15 a. lavarlo
     b. ayudarte
     c. Lo puedes
     d. diciéndola
     e. Los/Las tengo
     f. nos oye
     g. los estás
     h. hacerlas
     i. Lo vas
     j. me golpeó

3.16 a. to me
     b. Mom
     c. me
     d. us
     e. them

3.17 a. para ti
     b. Te
     c. for you
     d. the indirect object pronoun

3.18 **Instructor:** You may ask students to highlight the objects before writing the pronouns in the blanks.
     a. a mí
     b. a ti
     c. a él
        a ella
        a Ud.

d. a nosotros
   a nosotras
e. a ellos
   a ellas
   a Uds.

3.19 a. Estaba contándome el cuento.
     b. Quería comprarnos un regalo elegante.

3.20 a. le
     b. te
     c. Nos
     d. te
     e. Le
     f. le
     g. me
     h. les
     i. Le
     j. le

3.21 a. a Ud.
     b. a Uds.
     c. a ella
     d. a mis primos/primas
     e. A mí
     f. para Antonio
     g. a Ud.
     h. A nosotros
     i. a ti
     j. a los profesores/a las profesoras

3.22 a. te lo
     b. te los
     c. me la
     d. nos las
     e. tela (copiártela)
     f. nos lo
     g. melas (dármelas)
     h. Nos la
     i. telas (vendértelas
     j. me la

3.23 **Adult check.** Answers may vary.
     Instructor: You may wish to work out the first few answers on the board with the students. Remind them to consider the questions *whom* or *what* to determine the direct object and *to whom* or *for whom* to determine the indirect object of the sentence.

     a. (Mi madre) me lo cocina.
     b. Sí (No), (no) se las escribo.
     c. Sí (No), (no) se los lavo frecuentemente.
     d. (Mi madre) nos la lava.
     e. Sí (No), (no) recuerdo escribírselas. / Sí (No), (no) se las recuerdo escribir.
     f. Sí (No), (no) voy a tocársela. / Sí (No), (no) se la voy a tocar.
     g. Sí (No), mis amigos (no) me los compran.
     h. Yo (Mi hermano) se lo corto (corta).

LISTENING EXERCISES III

Ex 1.	a. object
	b. subject
	c. object
	d. prepositional
	e. object
	f. object
	g. prepositional
	h. subject
	i. prepositional
	j. object

Ex 2.
a. la
b. la
c. los
d. las
e. lo
f. lo
g. lo
h. lo
i. la
j. los

Ex 3.
a. a ti
b. a Uds.
c. a él
d. a nosotros
e. a mí
f. a ellos
g. a Ud.
h. a nosotros
i. a ti
j. a mí

SECTION FOUR

4.1 **Instructor:** Allow students to review Unit 4 to find the terms. It is better that they look up the correct terms rather than guess and possibly practice a wrong answer.
    a. de mí
    b. de ti
    c. de él, de ella, de Ud.
    d. de nosotros, de nosotras
    e. de ellos, de ellas, de Uds.

4.2 1. a. los amigos de Carmen
      b. los amigos de nosotros
      c. los amigos de mi padre
   2. a. la oficina de Ud.
      b. la oficina del presidente
      c. la oficina de ella
   3. a. la bolsa de la señora
      b. la bolsa de la madre de Raúl
      c. la bolsa de Ud.
   4. a. las herramientas del vecino
      b. las herramientas de la compañía
      c. las herramientas de ella
   5. a. el traje nuevo de Verónica
      b. los trajes nuevos de Consuelo y de Hernando
      c. los trajes nuevos de ellos/ellas
   6. a. el coche de su hermano
      b. el coche de nuestro profesor/nuestra profesora
      c. el coche de Antonio
   7. a. el cumpleaños de Pablo
      b. el cumpleaños de mi hermana
      c. el cumpleaños de nuestro primo/nuestra prima
   8. a. el libro de ciencias del estudiante (de la estudiante)
      b. el libro de ciencias de su amigo/amiga
      c. el libro de ciencias de Uds.
   9. a. la culpa de Ud.
      b. la culpa de ellos/ellas
      c. ¿la culpa de quién?
  10. a. las vacaciones de Pedro
      b. las vacaciones de nuestra familia
      c. las vacaciones de ella

4.3 a. No, es la blusa de Mónica.
    b. No, son las revistas de Chamo.
    c. No, es el libro de mis amigos.
    d. No, es el bolígrafo de esta chica.
    e. No, son los papeles de ellos.
    f. No, son los cuadernos de ella.
    g. No es la ropa de Enrique y Benito.
    h. No, son los calcetines de Ud.
    i. No, es la computadora de la familia.
    j. No, son los zapatos de mi hermano.

4.4 a. mi, mis
    b. tu, tus
    c. su, sus
    d. nuestro(s), nuestra(s)
    e. su, sus

4.5 a. su
    b. sus
    c. mis
    d. sus
    e. su
    f. nuestra
    g. tus
    h. nuestros
    i. sus
    j. mi

4.6 a. Es mi cuaderno.
    b. Son sus gomas.
    c. Es su oficina.
    d. ¿Es su lápiz?
    e. No son nuestras plantas.
    f. Voy a archivar tus tareas importantes.
    g. La editora no imprime sus artículos.
    h. Haga el favor de buscar sus guantes.
    i. ¿Por qué tienes sus llaves?
    j. Su historieta es excelente.

4.7 a. *el...mío / los...míos*
      la...mía / las...mías
    b. *el...tuyo / los...tuyos*
      la...tuya / las...tuyas

c. el...suyo / los...suyos
la...suya / las...suyas

d. el...nuestro / los...nuestros
la...nuestra / las...nuestras

e. el...suyo / los...suyos
la...suya / las...suyas

e. nuestras
f. míos
g. nuestro
h. suyo
i. suyas
j. suya

4.8
a. la casa suya
b. el pasatiempo favorito nuestro
c. el sombrero azul mío
d. el editor tuyo/ la editora tuya
e. la mejor clase suya
f. el programa suyo
g. los abuelos tuyos
h. las llaves suyas
i. la ropa vieja nuestra
j. las tareas suyas

4.9
a. Sí, es la contadora mía.
b. Sí, hablo mucho con las hermanas suyas.
c. Sí, sé donde está el artículo tuyo.
d. Sí, son los parientes suyos.
e. Sí, copio la tarea suya.
f. Sí, el traje mío es azul.
g. Sí, visitamos a los vecinos viejos suyos.
h. Sí, leí las revistas tuyas.
i. Sí, queremos leer el artículo suyo.
j. Sí, rechazo las ideas suyas.

4.10
a. el mío / los míos
la mía / las mías

b. el tuyo / los tuyos
la tuya / las tuyas

c. el suyo / los suyos
la suya / las suyas

d. el nuestro / los nuestros
la nuestra / las nuestras

e. el suyo / los suyos
la suya / las suyas

4.11
a. tuyo
b. mías
c. suyos
d. suya

4.12
a. encontrando
b. vistiendo
c. copiando
d. dirigiendo
e. leyendo
f. yendo
g. manteniendo
h. durmiendo
i. escribiendo
j. viendo
k. sintiendo
l. llamando
m. traduciendo
n. creyendo
o. influyendo

4.13
Instructor: Remind the students that their answer will have (at least) two words—a conjugated verb and a present participle.
a. Corrí temiendo
b. pusimos de pie gritando
c. continúa leyendo
d. hablan pidiendo
e. salen hablando
f. Me paseo sacando
g. Camina mirando
h. conducen charlando
i. continúa negando
j. sigo tropezando

4.14
a. Nadar es mi pasatiempo favorito.
b. Archivar los documentos es muy importante hacer en el trabajo.
c. Comer bien es bueno para la salud.
d. Ahorrar dinero es difícil.
e. Estoy orgulloso(a) de ser buen(a) estudiante.
f. Ir de compras me hace contento(a).

g. Estudiar mucho produce buenas notas.

h. Me gusta estar con mis amigos.

i. Practicar todos los días me ayuda a ser buen(a) atleta.

j. Me gusta mas jugar al fútbol.

4.15 a. Estamos estudiando

b. hablando

c. Ser

d. comiendo

e. escribiendo

f. correr, caminar

g. Aprender

h. estás pensando

i. Teniendo

j. Trabajando

4.16 Crossword puzzle:

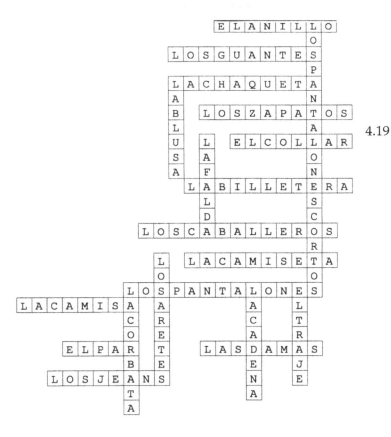

4.17 The student should include at least one adjective for each picture.

a. Es una camisa arrugada (azul).

b. Es una falda larga (roja).

c. Es un vestido elegante (blanco).

d. Son guantes nuevos (azul oscuro).

e. Son jeans sucios.

f. Es una blusa fea.

g. Es una cadena larga de oro.

h. Son calcetines limpios (blancos).

i. Es un traje fino (negro).

j. Son zapatos apretados (nuevos).

4.18 Answers may vary. Sample answers:

a. los pantalones, la corbata, la camisa, los zapatos, el abrigo

b. los jeans, la camiseta, los tenis, la gorra, la chaqueta

c. la falda, la blusa, las medias, los zapatos de tacones altos, los aretes

d. los pantalones informales, el suéter, los zapatos, los calcetines, la camisa

e. el vestido, las medias, los zapatos de tacones bajos, el collar, los aretes

4.19 Answers may vary.

a. jeans

b. tenis

c. una camiseta

d. una gorra

e. blancos

f. informal

g. viejos

h. fea

i. anillo/cadena

j. chaqueta

SECTION FIVE

5.1   a. the Feast of the Virgin of Guadalupe
       b. the beginning of Las Posadas
       c. *Nochebuena*
       d. *Navidad*
       e. *el Día de los inocentes*
       f. New Year's Day
       g. Twelfth Night

       h. the Christmas Eve midnight mass/ending of *las Posadas*
       i. eaten at midnight in Spain, New Year's Eve for good luck
       j. patron saint of Mexico: a young boy named, Juan Diego

5.2   a. Mexican boys dress as Juan Diego, the boy who received the vision of the Virgin Mary
       b. a Christmas game which determines who will be best friends for the coming year
       c. a papier-maché figure filled with small toys and candy used in a children's game
       d. the cape in which the image of the Virgin Mary can be seen
       e. Christmas Eve
       f. a ring-shaped cake to commemorate the Three Kings visiting Christ
       g. The shrine which the Virgin Mary instructed to Juan Diego to have built (located in Mexico City)

5.3   **Adult check. Instructor:** Discuss each specific holiday with the student before he/she writes the paper. Discussion helps them clarify feelings and it makes writing easier.

OPTIONAL ACTIVITY:

Choose a specific holiday and research it on the Internet or at the library. Have the student write a paragraph or two on what they have found. You may even recreate some of the celebrations of the specific holiday.

SECTION SIX

6.1   a. Falso. Archiva los papeles.
       b. Verdadero.
       c. Falso. Trabaja como hombre de negocios.
       d. Falso. Hay un cuaderno encima del escritorio.
       e. Falso. Dibuja historietas.
       f. Falso. Escribe con un lápiz.
       g. Falso. Estudia/Lee un libro.
       h. Verdadero.
       i. Verdadero.

6.2   **Adult check.** Sample composition:
Los archivos están en el archivador. Los papeles deben estar en el archivador también. La papelera está debajo del escritorio. Pone los libros en el estante de libros. El teléfono debe estar al lado de la computadora. La silla está enfrente del escritorio. Pone los bolígrafos a la derecha del teléfono. Pone los lápices cerca del teléfono. La impresora está al lado de la pantalla. La copiadora debe estar lejos del escritorio.

6.3   Sample answers:
       a. Conversa/Se comunica con los clientes. Habla por teléfono.
       b. Cuida al bebé.
       c. Archiva los documentos. Pone los documentos en el archivador.
       d. Dirige la reunión. Crea un contrato. Dirige su propio negocio.
       e. Investiga una tarea. Lee una novela.
       f. Imprime un documento. Copia un documento.
       g. Revisa el libro. No publica el libro.

6.4
a. Nos lo dices.
b. Te la deseo.
c. Las/Los veo.
d. No pueden oírnos.
e. Se los paga.
f. Se las/los revisa.
g. No voy a dársela/dárselo.
h. ¿Los/Las escuchas?
i. No nos lo puede encontrar. / No puede encontrárnoslo.
j. No nos gusta archivar.

6.5
a. an *x* on top of the square
b. an *x* beside/next to the square
c. an *x* inside the square
d. an *x* to the left of the square
e. an *x* below/under the square
f. an *x* far from the square
g. a few *x*'s around the square
h. an *x* near the square
i. an *x* to the right of the square
j. a square between two *x*'s

6.6
a. El archivador; derecha; la ventana
b. El hombre de negocios; sus clientes
c. El bolígrafo; debajo
d. Los documentos; impresora
e. el diseño; arquitecto; la oficina
f. una oficina de casa; ahorrar
g. Enseñar los valores de familia; la mujer de negocios
h. El autor; manuscrito
i. escritorio está entre
j. La secretaría; copias; artículo

6.7
a. Sí, se puede usar la computadora por la tarde.
b. Sí, se permite mirar la televisión.
c. Se usa el teléfono por la noche.
d. No, no se necesita comprar toallas.
e. Se habla español en casa.
f. Se guardan las galletas en el gabinete.
g. Se come la cena a las ocho.
h. Se bebe agua con la cena.

6.8
a. ¿Quién me lo diseñó?
b. La secretaria los pone en el archivador.
c. Un contador se las mantiene.
d. Los padres deben enseñárselos. / Los padres se los deben enseñar.
e. El redactor le habla por teléfono.
f. No lo piensan escuchar. / No piensan escucharlo.
g. ¿Quién las produjo?
h. Te las deseo leer. / Deseo leértelas.
i. No nos la investiga.
j. El señor se la arregla.

6.9
a. contador.
b. escribir a máquina.
c. es padre.
d. un cliente.
e. al gobierno.

SECTION ONE

1.1 **Adult check.**

1.2
a. the address
b. the last name
c. the employment, job
d. the professional objective
e. the education
f. the references
g. the first name
h. the phone number
i. the resumé
j. the experience
k. the awards, prizes
l. the recognitions

1.3 Translation:

Octavio Buñara wants to change jobs. He wants to elevate his position and earn a better salary. He writes/drafts a new resumé. He is careful to describe clearly his professional objective: his goal is to advance professionally.

He describes his qualities. He has a lot of confidence. He is successful in his current position. He is a very good employee. He is almost never absent from work.

He wants to copy his resumé and send it to various employers. First, he needs to buy a newspaper. He wants to read the ads.

1.4 **Adult check.**

1.5
a. **Ad 1:** Manual laborer needed. No experience required. Varying workday schedule. Set your own hours. Pay by the hour. Salary based on experience. Regular pay raises. Call to make an appointment for an interview: 555-8901.
b. **Ad 2:** Secretary needed. Executive office. Competitive salary. 5 years experience required. Set workday, with fixed hours. Paid vacation. Complete benefits. Applications accepted until January 2nd. Apply at our office: 86 Calle Montevideo.

c. **Ad 3:** Hiring a salesperson for luxury products. Popular department store. Two years' minimum experience. Competitive salary. Generous commission. Health insurance offered. Many opportunities for advancement. Flexible workday. You should be available to work on Saturdays. Send your resumé to 302 Avenida Toluca.

1.6 Suggested answers:
Ad 1:
a. varied workday schedule, set own hours, regular pay raises
b. no experience necessary
c. the experienced employee
Ad 2:
d. No, 5 years experience is required.
e. competitive salary
f. paid vacation, complete benefits
Ad 3:
g. commission is mentioned
h. luxury items
i. working on Saturdays

1.7 **Adult check.** Oral Activity.

1.8
a. Glad to meet you.
b. It's my pleasure. / The pleasure is mine.
c. to be in order
d. it (they) interest(s) me
e. the company
f. to have the desire, feel like
g. the goals
h. to train
i. to advance
j. the level
k. the management
l. the recognitions
m. to be successful
n. to treat
o. the specialty
p. absent

1.9   a.   mandar el currículum vitae
           hacer una cita
           emplear
     b.   buscar
           redactar
           llamar
     c.   redactar
           mandar
           tener una entrevista
     d.   redactar
           llamar
           solicitar
     e.   redactar un anuncio
           emplear
           capacitar
     f.   buscar
           solicitar
           cambiar
     g.   cambiar
           avanzar
           ganar más

1.10   a.   El empleador
     b.   preparar
     c.   sueldo
     d.   disponibles
     e.   ausente
     f.   ofrece
     g.   las aptitudes
     h.   disgusta
     i.   El aspirante
     j.   ofrece

1.11   a.   el nombre de pila
     b.   ascender
     c.   cambiar
     d.   estable
     e.   el horario
     f.   el sueldo
     g.   los beneficios
     h.   capacitarse
     i.   la cualidad/la aptitud
     j.   el obrero
     k.   dar un trabajo/dar empleo/emplear
     l.   el empleado

     m.   la aspiracion/el objetivo
     n.   el currículum vitae
     o.   una entrevista

1.12   **Adult check.** Answers may vary.
Sample ad:
La escuela Cervantes necesita un profesor de inglés con mínimo de tres años de experiencia, debe hablar español muy bien, horario estable de lunes a jueves, no hay clases los viernes, vacaciones compensadas, seguro médico, sueldo competitivo.

OPTIONAL ACTIVITY. Adult check.

1.13   1.   a.   ocho horas
        2.   a.   generoso
        3.   c.   Se puede llegar a ser gerente.
        4.   b.   las cartas de referencia
        5.   c.   el gerente
        6.   c.   El placer es mío.
        7.   a.   Nunca está ausente.
        8.   c.   Busca una carrera nueva.
        9.   c.   Mi ausencia fue el martes.
      10.   b.   Se da una comisión generosa.

1.14   a.   *Pilar firma el contrato.*
     b.   Marco llama para hacer una cita.
     c.   Raúl prepara el currículum vitae.
     d.   Marta lee los anuncios.
     e.   Elena solicita un puesto en una compañía grande.
     f.   Antonio indica que quiere ser aspirante para el puesto.
     g.   Luisa capacita a Tomás.

1.15   **Adult check.** Answers will vary. Suggested answer:
La oficina necesita secretaria. Es una compañía buena. Tiene beneficios completos y un sueldo competitivo. Tres señoritas hacen una cita para una entrevista. El empleador habla con la primera señorita. Dos señoritas están esperando. Las señoritas están bien vestidas.

LISTENING EXERCISES I

Ex 1.
a. un obrero manual
b. una secretaria
c. un hombre de negocios
d. un gerente
e. un escritor
f. un vendedor
g. una mujer de negocios
h. un ingeniero
i. una contadora
j. una madre

Ex 2.
a. V
b. F   Es artista.
c. F   Es secretaria.
d. V
e. F   Es contador.
f. V
g. F   Es el bebé.
h. V
i. F   Es el empleador.
j. V

Ex 3.   Answers may vary. Examples:
a. Va a tener una entrevista con el gerente de una compañía.
b. Va a buscar un trabajo.
c. Va a ascender en la compañía.
d. Va a solicitar un trabajo.
e. Va a hacer una cita para una reunión.
f. Va a recibir una comisión por el buen trabajo.

SECTION TWO

2.1   **Adult check.** Internet/research activity.   Answers will vary.

SECTION THREE

3.1
a. más largo que; menos corto que
b. más feo que; menos bonito que
c. más sucio que; menos limpio que
d. más barato que; menos caro que
e. más fácil que; menos difícil que

3.2.
a. The blue car is as big as the red car.
b. The suit costs as much as the dress.
c. I buy as many apples as oranges.

3.3
a. más rápido que
b. más cara que
c. tan limpios como
d. menos arrugada que
e. tanto como
f. más libros que; menos libros que
g. tantos libros como
h. tan rápidamente como
i. tantos perros como
j. más que; tanto como

3.4
a. más lento que; menos rápido que
b. más contento que; menos triste que
c. más bajo que; menos alto que
d. más barato que; menos caro que
e. más ancho que; menos estrecho que
f. más rápido que; menos lento que
g. más alto que; menos bajo que
h. más pequeño que; menos grande que
i. más rico que; menos pobre que
j. mas simpático que; menos antipático que

3.5
a. 18
b. 15

3.6
a. más baja
b. mayor
c. más atlética
d. menos contento
e. más altos
f. más ocupada
g. más cansada
h. menos largo
i. menores
j. más inteligentes

3.7   a. El vestido es más elegante que los pantalones.
   b. La tortuga es menos rápida que el conejo.
   c. El perro es menos simpático que la señora.
   d. La chica es más estudiosa que el chico.
   e. El árbol está más cerca que la casa.
   f. El señor del traje es menos pobre que el otro señor.
   g. La chica está más triste que el chico.
   h. La señora está más sorprendida que el señor.
   i. El gato es más débil que el elefante.
   j. La papelera es más pequeña que el pupitre.

3.8.   a. Chamo es menor que Elena.
     Elena es mayor que Chamo.
   b. Marcos es menor que Enrique.
     Enrique es mayor que Marcos.
   c. Cristina es tan joven como Beatriz.
     Beatriz es tan joven como Cristina.

3.9   a. La blusa verde es más bonita que la blusa azul. / La blusa azul es menos bonita que la blusa verde.
   b. Ir en bicicleta es menos lento que ir a casa a pie. / Ir a casa a pie es más lento que ir en bicicleta.
   c. Un collar de plata es menos caro que un collar de oro. / Un collar de oro es más caro que un collar de plata.
   d. Mis bisabuelos son mayores que mi abuelo. / Mi abuelo es menor que mis bisabuelos.
   e. La gripe es peor que un resfriado. / Un resfriado es mejor que la gripe.
   f. El anillo de Sara es más grande que el anillo de Ana. / El anillo de Ana es menos grande que el anillo de Sara.
   g. El bebé es menor que yo. / Yo soy mayor que el bebé.
   h. Para mí, el español es más interesante que las matemáticas. / Para mí, las matemáticas son menos interesantes que el español.
   i. La montaña es más alta que el cerro. / El cerro es menos alto que la montaña.
   j. Hacer la cama es menos difícil que cortar el césped. / Cortar el césped es más difícil que hacer la cama.

3.10   Answers may vary. Examples:
   a. La clase de matemáticas es más difícil que la clase de inglés.
   b. El rojo es más bonito que el azul.
   c. Carlos es menos alto que mi mejor amigo.
   d. El abogado gana más dinero que la secretaria.
   e. Ir de compras es menos aburrido que pintar.
   f. Lavar platos es más aburrido que planchar.
   g. Mi abuelo es mayor que mi padre.
   h. El béisbol es mejor que el fútbol.
   i. El tren va menos rápidamente que el avión.
   j. El coche de mi madre es mejor que el coche de mi padre.

3.11   a. the nicest lady
   b. the most difficult class
   c. the longest road
   d. the most delicious meal
   e. the best designs

3.12   a. El hombre es el más alto del grupo.
     The man is the tallest in the group.
   b. La blusa azul es la más cara de todas.
     The blue blouse is the most expensive of all (the blouses).
   c. Esta clase es la más grande de la escuela.
     This class is the biggest (largest) in the school.
   d. Este rey es el más poderoso del mundo.
     This king is the most powerful in the world.
   e. La clase de historia es la clase más difícil del día.
     History class is the most difficult (hardest) class of the day.
   f. Anita lleva el vestido más elegante de todas las chicas.
     Anita wears the most elegant dress of all the girls.

g. Prefiero conducir el coche menos grande de nuestra familia.
I prefer to drive the smallest car in our family.

h. Mis abuelos son las personas mayores de mi familia.
My grandparents are the oldest people in my family.

3.13 a. el mejor artista de todos

b. son las verduras más picantes de todas (las verduras)

c. más importante del día

d. la mayor de todos mis tíos

e. las peores para la salud de todas (las comidas)

f. el mejor deporte de todos (los deportes)

g. la actriz menos nerviosa de todas (las actrices)

h. el más rico de todos los hombres de negocios que conozco

3.14 **Adult check.** Sample answers:

a. El chico con gafas es el más alto de la clase.
El chico que lleva la camiseta roja está el más cansado.
El chico que lleva la gorra roja es el más bajo.

b. La piña es la más grande de todas la frutas.
La manzana es la mejor para la salud.
La naranja es más pequeña que la manzana.

c. El anillo de diamantes es la más cara de todas las joyas.
Los collares de plata son menos caros que los collares de oro.
Los aretes son más baratos que los collares.

3.15 Translation:

C: I need a good (nice) gift for my girlfriend. It's her birthday.

D: What interests her?

C: She likes jewelry. Show me the most expensive earrings you have.

D: These diamond ones are more expensive than the others.

C: How much are they?

D: They cost $1000.

C: Oh! I don't have that much. Show me some earrings that are less expensive.

D: I can offer you some less expensive ones for $100.

C: Yes, yes. I want the most expensive jewelry in the store, but I have money only for the least expensive earrings.

D: You can look a little more.

C: Do you have something more elegant than the least expensive ones, but that cost less than $1000?

D: What do you think of these?

C: Oh, yes. They are prettier than the others.

D: And they cost less. They cost only $110.

C: I think these are the best earrings of all. I'll buy (take) them.

Comprehension Questions:

a. Cuestan mil dólares.

b. Cuestan cien dólares.

c. Las joyas que cuestan ciento diez dólares son las más bonitas.

d. Los primeros pendientes cuestan demasiado/cuestan mil dólares.

e. Son más bonitos que los otros y cuesta ciento diez dólares.

3.16 **Adult check.**

LISTENING EXERCISES III

Ex 1.
a. José
b. Patricio
c. Mariel
d. la deshonra
e. una milla
f. MariCarmen
g. yo
h. mi papá
i. el coche rojo
j. los calcetines

Ex 2.
a. F   Está a la derecha.
b. F   Está delante del carro 12.
c. V

d. F   La familia tiene el padre, la madre y una hija.
e. F   No les gusta su música./No toca bien.
f. V
g. F   No están aburridos./Estudian en clase./Hacen un examen.
h. V
i. V
j. F   Jorge está entre los otros./Pablo está a la izquierda de los otros.

Ex 3.
1. a.   María
2. c.   Marcos
3. c.   Verónica
4. b.   the best friend
5. a.   Beto y Chela

SECTION FOUR

4.1 a. ¿Va alguien a la tienda?
    b. Nadie va a la tienda./No va nadie a la tienda.

4.2 a. Do you see something in the distance?
    b. I don't see anything in the distance.

4.3 nothing

4.4 a. Does she always talk like that?
    b. She never talks like that.

4.5 never

4.6 a. Nunca
    b. Nadie
    c. Tampoco
    d. Nada
    e. Ninguna
    f. Ningún
    g. Nunca
    h. Ningún
    i. Tampoco
    j. Ninguna

4.7 a. I don't have anything./I have nothing.
    b. Can I give you something?
    c. No one sees the program.
    d. I can never understand this lesson.
    e. She doesn't bring any food./She brings no food.
    f. Aren't you going tomorrow either?
    g. None of my friends remembers my birthday.
    h. I'm sorry, I like neither fish nor chicken./I don't like either fish or chicken.
    i. You never go shopping there.
    j. Is he/she speaking with someone?

4.8 a. Pedro no tenía ninguna camisa limpia.
    b. Nunca voy allí./No voy allí nunca.
    c. ¿Puede oírme alguien?
    d. No compramos ninguna falda hoy.
    e. Tú no hablas a nadie.
    f. Nadie trabaja hoy.
    g. No quiero ni cebollas ni jalapeños.
    h. Hay algo afuera.
    i. No cantan y no bailan tampoco.
    j. ¿Puede repetirlo alguien?

4.9 Translation:
    E: Would you like an appetizer?
    C: We don't want anything to eat at first. We are thirsty.
    E: Do you want water or a soft drink?
    C: We don't drink water or soft drinks.
    E: You can order something different.
    J: We like to drink milk.
    E: We never serve milk here.
    J: All right, we will have coffee.
    E: You must be hungry. What would you like?
    C: Some hamburgers, please.
    E: We never serve them. Do you want something else?
    C: We would like fried chicken.
    E: We don't serve chicken either.
    J: What is the problem? Why can't we order anything?
    E: This is a vegetarian restaurant. We don't serve any meat to anyone here.

Comprehension questions (sample answers):

    a. No sirven ninguna carne en el restaurante. Es un restaurante vegetariano.

    b. No, nunca sirven leche.

    c. No sirven ni hamburguesas ni pollo.

    d. Van a beber café.

    e. Están enojados porque no pueden pedir nada.

LISTENING EXERCISES IV

Ex 1.
    a. thing
    b. time
    c. person
    d. place
    e. thing
    f. place
    g. time
    h. thing
    i. person
    j. place

Ex 2.
    a. No hay nadie.
    b. No tengo ninguno.
    c. No va nunca.
    d. No traemos ninguna.
    e. Tampoco está aquí.
    f. No voy con nadie.
    g. No quiero nada.
    h. También lo veo.
    i. Nadie me oye.
    j. No comprendo nada.

Ex 3.
    a. I read nothing.
    b. No one told me.
    c. They never leave early.
    d. He always brings me something.
    e. No one opened it.
    f. I'm not going either.
    g. We're not studying anything.
    h. I don't have it.
    i. Me too.
    j. Someone listens.

SECTION FIVE

5.1   a. this (one), these
       b. that (one), those (nearby)
       c. that (one), those (faraway)

       r. ésta
       s. éstos
       t. aquéllos

5.2   a. Yo traigo éstos.
       b. Uds. no tienen ésas.
       c. ¿Por qué no tienen aquélla?
       d. Tú necesitas ésos.
       e. ¿Funcionan aquéllas?
       f. Van a conducir aquél.
       g. No escucharon a ésa.
       h. Te vas poniendo éste.
       i. No puedo escribir con éstos.
       j. ¿Quién es ése?

5.3   a. I bring these.
       b. You don't have those.
       c. Why don't they have that one?
       d. You need those.
       e. Do those work?
       f. They are going to drive that one.
       g. They didn't listen to that one.
       h. You are putting on this one.
       i. I can't write with these.
       j. Who is that (one)?

5.4   a. éste
       b. ése
       c. aquélla
       d. ésa
       e. éstos
       f. ésos
       g. ésta
       h. ésa
       i. aquéllas
       j. éstas
       k. éste
       l. ése
      m. éstos
       n. aquéllos
       o. ésas
       p. aquéllas
       q. ésa

5.5   a. Ella puede acostarse.
       b. Ella se puede acostar.

5.6   a. se   f. me
       b. se   g. te
       c. te   h. se
       d. nos   i. se
       e. se   j. nos

5.7   a. not reflexive   f. not reflexive
       b. not reflexive   g. not reflexive
       c. not reflexive   h. reflexive
       d. reflexive   i. reflexive
       e. reflexive   j. reflexive

5.8   a. se cubre   f. se hacen
       b. nos miramos   g. te limpias
       c. se van   h. se aburre
       d. me acerco   i. se divierte
       e. se preocupa   j. nos llamamos

5.9   *ir + a + infinitive*
       a. va a bañarse
       b. se va a bañar
       c. voy a ducharme
       d. me voy a duchar
       e. vamos a alejarnos
       f. nos vamos a alejar
       g. van a volverse
       h. se van a volver
       i. vas a acostarte
       j. te vas a acostar

5.10   *acabar + de + infinitive*
    a. acaba de romperse
    b. se acaba de romper
    c. acabo de caerme
    d. me acabo de caer
    e. acabamos de despertarnos
    f. nos acabamos de despertar
    g. acaban de afeitarse
    h. se acaban de afeitar
    i. acabas de levantarte
    j. te acabas de levantar

5.11   *poder + infinitive*
    a. puedes maquillarte
    b. te puedes maquillar
    c. puede levantarse
    d. se puede levantar
    e. pueden peinarse
    f. se pueden peinar
    g. puedo ponerme
    h. me puedo poner
    i. podemos irnos
    j. nos podemos ir

5.12   a. me siento
    b. se sienten
    c. nos secamos
    d. Elena se seca
    e. te miras
    f. se mira
    g. mi familia se marcha
    h. Tomás se marcha
    i. el niño se lava
    j. me lavo
    k. ella y yo nos sentamos
    l. los padres se sientan
    m. nos peinamos
    n. Uds. se peinan
    o. te quitas
    p. se quitan
    q. se aleja
    r. me alejo
    s. el profesor se enoja
    t. Uds. se enojan

5.13   a. afeitarse; se ducha
    b. bañarme; cepillarme
    c. irte; te pones
    d. levantarse; despertarse
    e. acostarnos; nos lavamos
    f. maquillarse; se peina
    g. vestirse; se quita
    h. cepillarme; mirarme
    i. irse; se cubren
    j. hacerse; prepararse

5.14   a. la mía
    b. la tuya
    c. la suya

    d. las nuestras
    e. las suyas
    f. las suyas

    g. la suya
    h. la nuestra
    i. la suya

    j. el mío
    k. el nuestro
    l. el suyo

    m. los tuyos
    n. los suyos
    o. los suyos

    p. la suya
    q. la suya
    r. la mía

    s. los nuestros
    t. los suyos
    u. los tuyos

    v. la mía
    w. la nuestra
    x. la suya

5.15 a. la suya
      b. el suyo
      c. las nuestras
      d. el mío
      e. las suyas
      f. la tuya
      g. los suyos
      h. la suya
      i. el suyo
      j. las tuyas

5.16 a. el suyo
      b. la suya
      c. el suyo
      d. los suyos
      e. las suyas
      f. la suya
      g. las suyas
      h. el suyo
      i. los míos
      j. las nuestras

5.17 a. las mías
      b. los suyos
      c. los suyos
      d. el tuyo
      e. los tuyos
      f. las mías
      g. las suyas
      h. la suya
      i. el nuestro
      j. el suyo

5.18 Answers may vary.
      a. Sí (No), (no) tengo los suyos.
      b. Sí (No), (no) tiene la suya.
      c. Sí (No), (no) duerme con el suyo.
      d. Sí (No), (no) traemos los nuestros.
      e. Sí (No), (no) monto en la mía frecuentemente.
      f. Sí (No), (no) hablan con los suyos.
      g. Sí (No), (no) repara el mío.
      h. Sí (No), (no) puedes pedir prestado el mío.
      i. Sí (No), (no) conduzco el suyo.
      j. Sí (No), (no) entiendo la mía.

SECTION SIX

6.1   a. Se prohibe fumar.

b. Se prohibe nadar.

c. Se prohiben los perros.

d. Se prohiben los coches.

e. Se prohibe beber.

f. Se prohibe entrar.

g. Se prohiben las fotos.

h. Se prohibe patinar.

6.2   Answers will vary.

a. No se venden llantas aquí.

b. No se permite grabar el concierto.

c. No se copian los libros aquí.

d. No se sirven hamburguesas en el café.

e. No se puede nadar en el océano.

f. No se presenta el programa a las ocho.

g. No se permite hablar en clase.

h. No se muestra una película de horror en el cine hoy.

i. No se camina en el campo.

j. No se dan regalos en la fiesta.

6.3   **Adult check.** Answers may vary.

a. No se puede sacar fotos aquí.

b. No se vende aspirina en esta tienda.

c. Nunca se dicen las palabrotas en mi casa.

d. No se monta en bicicleta en el centro.

e. Se tiene que susurrar en la biblioteca.

f. No se tocan los platos antiguos de mi abuela.

g. Se recibe una multa si se conduce muy rápidamente.

h. Se planchan las camisas en la lavandería.

i. Se escriben muchos artículos en esta oficina.

j. Se debe viajar a Europa por avión.

6.4   1. b. near, close to

2. g. far from

3. l. on top of

4. h. to the right of

5. p. opposite, facing

6. r. behind

7. m. inside of

8. j. to the left of

9. e. in, on

10. c. on, over

11. i. next to, beside

12. k. around

13. a. upstairs

14. n. downstairs

15. p. opposite, facing

16. o. between

17. f. under

18. d. in front of

19. q. outside of

6.5   a. a la derecha de

b. detrás

c. sobre

d. delante

e. dentro

f. lejos

g. a la izquierda

6.6   1. a. Las llaves están fuera de la bolsa.

2. b. El coche está estacionado al lado de la casa.

3. a. Mi primo vive lejos de mí.

4. b. El baño está abajo.

5. a. La bandera está detrás del escritorio.

6. a. Estaciono el coche cerca de la oficina.

7. a. En el jardín se encuentran las flores delante del árbol.

8. b. Se pone la manta sobre la cama.

9. a. Jorge camina a mi izquierda.

10. b. Miro al joven lejos de mí.

6.7   a. 6

b. 7

c. 3

d. 9

e. 2

f. 5

g. 4

h. 8

i. 10

j. 1

6.8   Example translation:
The sofa is on the right side of the room, opposite (facing) the fireplace. The television is to the right, and is near the fireplace. In front of the sofa there is a table. A nice portrait hangs above the fireplace. The sofa is between two small tables. There is a lamp on the little table to the left. Far from the sofa there is a window. The stereo (boom box) is under the window. An armchair is beside the window. Someone left a magazine on the armchair.

6.9   **Adult check.** Answers will vary. Example sentences:
Se ponen los libros en el estante de libros cerca de la ventana.
Se ponen las llaves encima del escritorio en el dormitorio.
Se ponen los platos en la cocina.
Se pone el abrigo en el armario en la sala.
Se pone la computadora a la izquierda de la cama en el dormitorio.

6.10   a. debajo de/al lado de
      b. delante de
      c. cerca de
      d. debajo
      e. sobre
      f. detrás de
      g. encima del
      h. debajo del
      i. alrededor de
      j. cerca del

6.11   1. b. el escritor
      2. a. el redactor
      3. c. al arquitecto
      4. c. el contador
      5. b. la mujer de negocios
      6. a. el hombre de negocios
      7. c. el dibujante
      8. b. la secretaria
      9. b. el artista
    10. a. el estudiante

6.12   Answers will vary. Examples:
      a. El redactor revisa las revistas.
      b. El hombre de negocios hace un contrato y dirige una reunión.
      c. El contador prepara los impuestos.
      d. La secretaria archiva los documentos y usa la computadora.
      e. El estudiante prepara la tarea.
      f. El artista pinta un retrato.
      g. El autor escribe novelas.
      h. El arquitecto hace esquemáticos.
      i. Los padres cuidan a sus hijos.
      j. El dibujante hace dibujos técnicos/historietas.

6.13   a. El redactor revisa un manuscrito.
      b. La contadora mantiene las cuentas.
      c. El artista crea un retrato.
      d. El escritor escribe una novela.
      e. La madre cría a los niños.
      f. El hombre de negocios dirige una reunión.
      g. La secretaria archiva documentos.
      h. El ingeniero programa la computadora.
      i. El arquitecto diseña un esquemático.
      j. El estudiante investiga un tema.

SECTION ONE

1.1 **Picture 1:**

a. el avión (airplane)

b. el aeropuerto (airport)

c. el estacionamiento (parking lot)

d. aterrizar (to land) / el aterrizaje (landing)

e. despegar (to take off) / el despegue (takeoff)

f. estacionar (to park) / el coche / carro

Picture 2:

a. facturar el equipaje / las maletas (to check luggage / suitcases) / el mostrador de facturación (check-in counter)

b. la aduana (customs) / el control de pasaportes (passport inspection)

c. hacer cola (to stand in line)

d. la maleta (suitcase) / el equipaje (luggage)

e. la puerta (gate)

f. el horario (schedule)

g. despedirse de (to say good-bye)

h. la cafetería (cafeteria)

i. la tienda de recuerdos (souvenir shop)

j. el quiosco (newsstand)

k. mirar la televisión (to watch TV)

Picture 3:

a. el mostrador de facturación (check-in counter)

b. el boleto (ticket)

c. facturar el equipaje (to check your luggage)

d. hacer cola (to stand in line)

Picture 4:

a. abordar (to board) / subir a (to get on)

b. la azafata (flight attendant)

c. el piloto (pilot)

d. los asientos (seats)

e. abrocharse el cinturón de seguridad (to fasten the seatbelt)

f. presentarse a (to introduce oneself to)

g. el medio del avión (the middle of the plane)

h. el fondo del avión (the back of the plane)

i. presentar la tarjeta de embarque (to present the boarding pass)

j. despegar (to take off) / el despegue (the takeoff)

Picture 5:

a. aterrizar (to land) / el aterrizaje (landing)

b. bajar de / desembarcar de (to get off)

c. encontrar el equipaje (to look for the luggage)

d. pasar por el control de pasaportes (to go through passport inspection)

e. la sala de equipaje (baggage room)

1.2 a. obtener los boletos / pasar por el control de pasaportes / buscar los asientos

b. estacionar el coche / facturar las maletas / despedirse

c. prepararse para el vuelo / despegar / aterrizar

d. obtener las tarjetas de embarque / buscar el asiento / abrocharse los cinturones de seguridad

e. mirar el horario / encontrar la puerta / abordar

f. llevar las maletas / facturar las maletas / buscar las maletas

g. abordar / bajar / aterrizar

1.3 **Adult check. Instructor:** The final frame, drawn by the student, will differ with each student's perspective. It must be logical to the sequence of events previously shown. It must be labeled correctly.

b. El avión aterriza. Baja del avión. Pasa por el control de pasaportes.

c. Mira el horario. Busca la puerta. Espera.

d. Estaciona el coche. Se despide. Entra en el aeropuerto.

e. Sube al avión. Presenta la tarjeta de embarque. Busca el asiento.

f. Aterriza. Se despide de la azafata. Baja del avión.

g. Encuentra la puerta. Mira el horario. El avión llega con retraso.

h. Presenta la tarjeta de embarque. Busca el asiento. Se abrocha el cinturón de seguridad.

1.4 **Adult check.** Answers will vary. Examples:

a. Puedes estacionarlo en el estacionamiento.

b. Puedes visitar la tienda de recuerdos.

c. Puedes pedir ayuda.

d. Puedes ir a la sala de equipaje.

e. Puedes hacer cola.

f. Puedes visitar el quiosco.

g. Puedes presentar la tarjeta de embarque.

h. Puedes abrocharte el cinturón de seguridad.

i. Puedes pasar por la aduana.

j. Puedes visitar la sala de equipaje.

1.5
1. d. el avión
2. c. la cafetería
3. a. el quiosco
4. g. la tienda de recuerdos
5. e. el mostrador de facturación
6. i. el asiento
7. b. el estacionamiento
8. j. el aeropuerto
9. f. el control de pasaportes
10. h. la sala de equipaje

1.6 **Adult check.** Answers will vary. Examples:

a. Encuentro el asiento.

b. Los pasajeros pasan por la aduana.

c. Estacionas el coche.

d. Van a la sala de equipaje.

e. Van a la puerta.

f. Se abrocha el cinturón de seguridad.

g. Haces cola. / Esperas.

h. Miro la televisión. / Leo una revisita o el periódico.

i. Bajamos del avión.

j. Subo al avión.

1.7
a. No, el avión aterriza.

b. No, toman algo en la cafetería.

c. No, busca el equipaje.

d. No, hace cola.

e. No, estaciona el coche.

f. No, mira el horario.

g. No, se despide de su familia.

h. No, pasa por el control de pasaportes.

i. No, viaja en avión.

j. No, visita la tienda de recuerdos.

1.8
a. I say good-bye to my family.

b. They check the luggage after parking the car.

c. The flight is arriving late, so I visit the souvenir shop.

d. We stand in line in order to get the boarding passes.

e. Upon boarding, you have to present the boarding pass.

f. She asks the flight attendant for help.

g. The plane just took off.

h. I need to check my luggage.

i. The schedule indicates that the flight is arriving very late.

j. They have to find the gate.

1.9   Crossword puzzle:

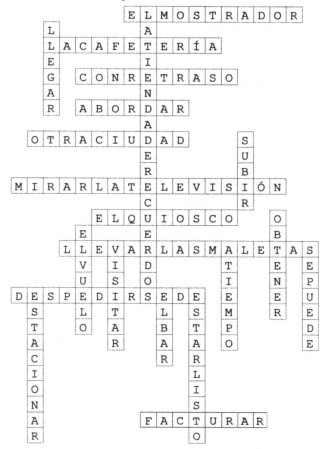

1.10   **Adult check.** Answers will vary. Examples:

Picture 1.   Los pasajeros están en el avión.
La azafata habla a los pasajeros.
El señor a la derecha se abrocha el cinturón de seguridad.

Picture 2.   Los viajeros hacen cola en el mostrador de facturación.
Un señor mira el horario.
Los pasajeros tienen muchas preguntas.

1.11   **Instructor:** Help your students organize ideas for these conversations prior to assigning them. Make three lists of terms on the board, one for each topic. Elicit terms from your students. Leave the lists on the board as they work out their speeches. Many students are extremely nervous and insecure about speaking the language. It's a big risk for them. Organizing lists on the board prior to the dialogues reduces their level of stress and the amount of errors in each conversation.

LISTENING EXERCISES I

Ex 1.   1. J
2. B
3. H
4. A
5. G
6. C
7. E
8. I
9. D
10. F

Ex 2.   1. c. Tienes que mirar el horario.
2. a. Necesitas presentar la tarjeta de embarque.
3. a. Dijo que aterrizamos muy pronto.
4. c. Voy al extranjero.
5. c. en la sala de equipaje
6. b. Puedes visitar la cafetería.
7. c. Visitas la tienda de recuerdos.
8. a. Pide ayuda.
9. c. La familia tiene que salir primero.
10. a. Es necesario abrocharse los cinturones de seguridad.

Ex 3.   Answers will vary. Examples:
a. Miro el horario.
b. Estoy esperando en la sala de equipaje.
c. Estoy comiendo en la cafetería.
d. El avión despega.
e. Subo al avión. Busco mi asiento.
f. Tengo que hacer cola con otras personas.
g. Le muestro la tarjeta de embarque.
h. Acabo de estacionar el carro / coche.
i. Compro un periódico en la tienda de recuerdos (en el quiosco).
j. Muestro mi pasaporte, cuando paso por el control de pasaportes.

SECTION TWO

FUTURE TENSE

2.1   **Instructor:** You may complete this activity orally with the class.
   a. Tomorrow Jorge (George) is going to speak with his teacher.
   b. Are you going to play tennis on Monday?
   c. I know that she is not going to be able to come with us.
   d. Aren't you going to call Pedro on Thursday?
   e. I'm going home tomorrow.

2.2   a. va a hacer
   b. va a necesitar
   c. no voy a poder
   d. van a sacar fotos Uds.
   e. vamos a preparar

2.3   **Adult check.** Answers may vary slightly. Make sure your student has expressed some sort of "will" action. Examples:
   a. you will eat
   b. we will dance
   c. you won't/will not live
   d. I will prefer
   e. I will like
   f. she will drink
   g. you will study
   h. you will not understand
   i. he will write
   j. we will work

2.4   **Adult check.** Answers may vary. Examples:
   a. They all have accents except for *nosotros* / they have *ar* in them / they're longer / *nosotros* and *vosotros* have *er* endings, etc.
   b. the infinitive / *estudiar*
   c. _the infinitive

2.5   **Instructor:** You may wish to work this chart out at the front of the class along with your students.

   a. trabajaré
   b. trabajarás
   c. trabajará
   d. trabajaremos
   e. trabajarán
   f. I will work
   g. you will work
   h. he/she/you will work
   i. we will work
   j. they/all of you will work

2.6   a. venderé
   b. no venderé
   c. venderán
   d. no venderemos

   Instructor: Point out to your students that the words "will" and "won't" are built into the verb form. When they translate to and from Spanish and English, your students must keep that in mind and avoid the urge to look up "will" (which turns out to be *testamento* or *mando* in the dictionary).

2.7   **Instructor:** This is something else you may choose to do at the head of the class.
   a. abrirán
   b. abrirás
   c. no abrirás
   d. ¿abrirán Uds.?
   e. I will open
   f. They are the same for all three groups of infinitives: *-ar*, *-er*, and *-ir*.

2.8   a. -é
   b. -ás
   c. -á
   d. -emos
   e. -án

2.9   **Adult check. Instructor:** Some subjects from the list may agree with more than one verb form. Which blank is filled with which subject is not entirely important, as long as everything is in agreement.

a. Elena y yo / Nosotros
b. Mis amigos / Uds. / Ellas
c. Mis amigos / Uds. / Ellas
d. Ud.
e. Tú
f. Yo
g. mi tarea
h. Nosotros / Elena y yo
i. Mis amigos / Ellas / Uds.
j. jugar al fútbol

Instructor: Spelling and accent marks should "count" full credit when it comes to grading verb conjugations. One can significantly change the tense, person, and meaning of a verb form by spelling and accentuation errors.

2.10　　a. haré
　　　　b. harás
　　　　c. hará
　　　　d. haremos
　　　　e. harán

2.11　　a. I will not do, make
　　　　b. Raquel will do, make
　　　　c. you won't do, make
　　　　d. the students will do, make
　　　　e. we won't do, make
　　　　f. all of you will do, make

2.12　　a. diré
　　　　b. dirás
　　　　c. dirá
　　　　d. diremos
　　　　e. dirán

2.13　　a. saldré
　　　　b. saldrás
　　　　c. saldrá
　　　　d. saldremos
　　　　e. saldrán

2.14　　a. I will tell, say
　　　　b. we will tell, say
　　　　c. no diré

d. saldrá
e. saldrán
f. ¿no saldrás?

2.15　　a. tendré
　　　　b. tendrás
　　　　c. tendrá
　　　　d. tendremos
　　　　e. tendrán

2.16　　a. valdré
　　　　b. valdrás
　　　　c. valdrá
　　　　d. valdremos
　　　　e. valdrán

2.17　　a. I will have
　　　　b. they won't have
　　　　c. it will be worth
　　　　d. tendremos
　　　　e. no valdrá
　　　　f. valdrán

2.18　　a. podré
　　　　b. podrás
　　　　c. podrá
　　　　d. podremos
　　　　e. podrán

2.19　　a. pondré
　　　　b. pondrás
　　　　c. pondrá
　　　　d. pondremos
　　　　e. pondrán

2.20　　**Instructor:** Point out that the only difference between the two sets of forms is that *poner* has an "n."
　　　　a. podrá
　　　　b. no podrá
　　　　c. Will you all be able?
　　　　d. you will put
　　　　e. pondrán
　　　　f. no pondré

2.21   a. vendré
       b. vendrás
       c. vendrá
       d. vendremos
       e. vendrán

2.22   a. sabré
       b. sabrás
       c. sabrá
       d. sabremos
       e. sabrán

2.23   a. querré
       b. querrás
       c. querrá
       d. querremos
       e. querrán

2.24   a. sabremos
       b. sabrá
       c. no sabré
       d. querrán
       e. you will want
       f. all of you will want
       g. vendré
       h. vendrá
       i. you will come

2.25   1. c. leerá
       2. b. no tendré
       3. a. escucharán
       4. b. tocaremos
       5. c. no escribirás
       6. a. me levantaré
       7. b. haremos
       8. a. irán
       9. c. saldrás
      10. b. beberán

2.26   a. nos levantaremos
       b. cubrirá
       c. participaremos
       d. escogeré
       e. comprenderán
       f. no irán

       g. estarás
       h. pedirá
       i. impondrá
       j. perderá
       k. serán
       l. volverán
      m. detendré
       n. cabrá
       o. venderá
       p. habrá

2.27   1. a. impondrás   b. venderás
       2. a. irán   b. entretendrán
       3. a. saldré   b. podré
       4. a. jugaremos   b. trabajaremos
       5. a. será   b. traerá
       6. a. verán   b. diseñarán
       7. a. te peinarás   b. te acostarás
       8. a. no me vestiré   b. no almorzaré
       9. a. convendremos   b. devolveremos

OPTIONAL ACTIVITY A:

Each student will need two sets of 3 x 5" index cards. On one set, write the PRESENT TENSE forms of the infinitives listed in this activity. On the other set, write the FUTURE TENSE forms of the infinitives listed in this activity.

Once the student(s) have completed their sets of cards, have them prepare to listen carefully to you. As you read certain English phrases to the student(s), have them hold up the card that translates that phrase to Spanish accurately. For example, the student has the verb **saber**; on one side of each card will be a present tense form: **sé**, **sabes**, **sabe**, **sabemos**, **saben**. On one side of each of another set of cards will be the future tense forms: **sabré**, **sabrás**, **sabrá**, **sabremos**, **sabrán**. So for one infinitive, your student will create 10 index cards.

Once the cards have been created, all you have to do is read the list of phrases one by one. All students will hold up a card. Quickly check that the student(s) have the appropriate response and correct any incorrect answers.

Finally, you don't have to use only the present and future tenses. If you feel the student(s) need(s) to review the preterit or the progressive, substitute these forms. You will have to slightly change the phrases you read to match the meanings of the other tenses.

Infinitives:

irse   cambiar   venir
hacer   jugar   pensar
mostrar   querer   vivir
entender

1. I will make [student holds up] *haré*
2. he plays *juega*
3. we want *queremos*
4. they will live *vivirán*
5. you (friendly) show *muestras*
6. we will understand *entenderemos*
7. you (friendly) will come *vendrás*
8. all of you change *cambian*
9. I go away *me voy*
10. you (formal) will think *pensará*
11. she changes *cambia*
12. they will leave *se irán*
13. we will want *querremos*
14. I understand *entiendo*
15. you (formal) live *vive*

Periodically, pull the cards out again, perhaps just before your student(s) complete the mastery exercises. You can create different translations for your student(s).

2.28   a. Platicaremos un rato.
       b. ¿No te visitarán?
       c. ¿Qué dirás a tu madre?
       d. Recogerá la pelota.
       e. Me vestiré bien para la fiesta.
       f. No los podré ver. (No podré verlos.)
       g. ¿Quiénes asistirán a la reunión?
       h. El lunes se quedará en casa.
       i. El seis de abril Josefina y su hermano gemelo tendrán 56 años.
       j. No pondremos la mesa.

2.29   a. No me quitaré la chaqueta.
       b. ¿Detendremos pronto?
       c. No lo llevará.

       d. Nunca lo encontrarás. (No lo encontrarás nunca.)
       e. Compondrán un poema.
       f. ¿No será Ud. ingeniero?
       g. Uds. prepararán la cena.
       h. Recogeré la pelota.
       i. No sabremos la verdad.
       j. ¿Quién limpiará nuestra casa?

2.30   Crossword puzzle:

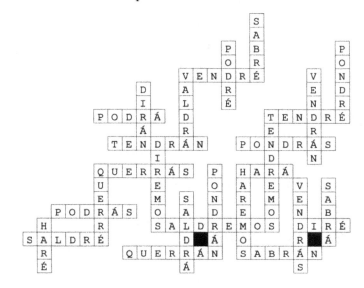

2.31   **Adult check.**
Me levantaré temprano por la mañana, y mi familia también. **Nos lavaremos** y **nos vestiremos**. No **comeremos** el desayuno porque **querré** salir muy pronto. **Pondré** las maletas en el baúl del coche. **Hará** buen tiempo. Después de unas horas **nos pararemos** para el desayuno. **Habrá** un buen café en el camino que va a nuestro destino. Para divertirnos, **escucharemos** la radio. A mis niños les **gustará** cantar con la música. A mi esposa le **tocará** conducir. **Viajaremos** unas cuatro horas, pero **tendremos** paciencia. Al fin del viaje, nos **reuniremos** con nuestros parientes. Todos **se divertirán** mucho.

ADDITIONAL USES OF THE FUTURE TENSE
     Instructor: Look at the examples with the student. Then, clarify the explanation so the student understands the use of "I" in the translations.

Which word means *I*? *There isn't one*
Why should we translate that phrase as
such? *It's how we speak. It's natural to us.*

2.32 Answers will vary.
a. Consuelo must be a scientist.
b. This book must be in the library.
c. I wonder who it could be? / Who must
it be?
d. Oh no! I wonder what time it is!
e. They probably work there.
f. I wonder where he/she could be?
g. His/Her files must be in the office.
h. His/Her family must be nice, right?
i. I wonder where they will go next summer?
j. The meals at that restaurant must be
expensive.

2.33 Answers will vary.
a. Mi bolsa debe de estar en la cocina.
Mi bolsa estará en la cocina.
Probablemente mi bolsa está en la cocina.
b. ¡Debes de hablar en broma!
¡Tú hablarás en broma!
c. La clase debe de ser difícil.
La clase será difícil.
Probablemente la clase es difícil.
d. ¿Adónde irá?
¿Adónde debe de ir?
e. Debe de ser medianoche.
Será medianoche.

LISTENING EXERCISES IIA

Ex 1.
a. estarán
b. Parecerá
c. Tendrá
d. Vendrá
e. gastaremos
f. pasaremos
g. Escribirán
h. estará
i. Lavarán
j. Estaré

Ex 2.
a. today
b. tomorrow
c. today
d. tomorrow
e. yesterday
f. yesterday
g. yesterday
h. today
i. tomorrow
j. tomorrow

Ex 3.
a. se marchará
b. cocinarán
c. querremos
d. tendrás
e. estará
f. seré
g. pensará
h. estarán
i. levantarán
j. te prepararás

CONDITIONAL TENSE

2.34
a. I would speak
b. we would study
c. he would eat
d. all of you would write
e. would you buy?
f. Fernando would play
g. Julieta and Rachel would be
h. I would live
i. you would not work
j. we would go

2.35
a. buscaría
I would look for
b. buscarías
you would look for
c. buscaría
he/she/you
would look for
d. buscaríamos
we would look for
e. buscarían
they/all of you
would look for

2.36　　a. crearía　　　　d. crearíamos
　　　　b. crearías　　　　e. crearían
　　　　c. crearía

2.37　　a. vendería　　　　d. venderíamos
　　　　b. venderías　　　　e. venderían
　　　　c. vendería

2.38　　a. me sentiría　　　　d. nos sentiríamos
　　　　b. te sentirías　　　　e. se sentirían
　　　　c. se sentiría

2.39　　1. b. we would write
　　　　2. c. all of you would prefer
　　　　3. c. I would like
　　　　4. c. I would look for
　　　　5. a. you would understand
　　　　6. b. they would take off
　　　　7. a. she would go
　　　　8. c. we would be
　　　　9. a. I would get dressed
　　　　10. b. they would play

2.40　　a. I would enjoy, have fun
　　　　b. they would like
　　　　c. she would put on makeup
　　　　d. we would bring
　　　　e. you would study
　　　　f. you would eat
　　　　g. you would not talk, converse
　　　　h. would he pass?
　　　　i. wouldn't you like?
　　　　j. all of you would drink

2.41　　1. b. jubilaría
　　　　2. a. nos marcharíamos
　　　　3. c. se irían

2.42　　a. pedirían
　　　　b. volverían
　　　　c. llegaría
　　　　d. prometería
　　　　e. conoceríamos

　　　　f. descubrirían
　　　　g. darías
　　　　h. oirían
　　　　i. nos despertaríamos
　　　　j. no aprendería
　　　　k. conduciría
　　　　l. leerías
　　　　m. sería
　　　　n. pagarían
　　　　o. aplaudiría

2.43　　1. a. hallarían
　　　　　　b. hallaría
　　　　　　c. hallaría
　　　　2. a. no crearías
　　　　　　b. no crearíamos
　　　　　　c. no crearía
　　　　3. a. nos perderíamos
　　　　　　b. se perdería
　　　　　　c. se perderían
　　　　4. a. archivarían
　　　　　　b. archivaríamos
　　　　　　c. archivaría
　　　　5. a. cumplirías
　　　　　　b. cumpliría
　　　　　　c. cumpliría
　　　　6. a. devolvería
　　　　　　b. devolvería
　　　　　　c. devolverían
　　　　7. a. nos acostaríamos
　　　　　　b. se acostaría
　　　　　　c. se acostarían
　　　　8. a. no abriría
　　　　　　b. no abrirían
　　　　　　c. no abriría
　　　　9. a. vería
　　　　　　b. veríamos
　　　　　　c. verían
　　　　10. a. estarías esperando
　　　　　　b. estarían esperando
　　　　　　c. estaríamos esperando

2.44   Crossword puzzle:

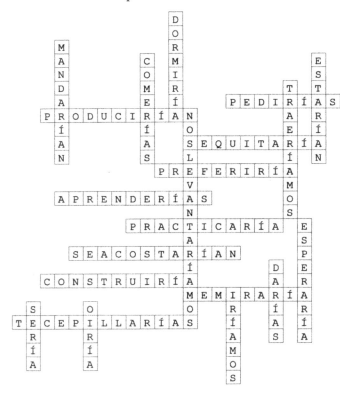

2.45   a. gustaría; tiene
        b. comerías; tuviste
        c. prometimos; veríamos
        d. creerías; dije; habría
        e. explicó; necesitaría
        f. Compraría; es
        g. traería; es
        h. dije; iría
        i. sabía; estaría
        j. estudiaría; está

2.46   a. caber – to fit
        b. decir – to say, tell
        c. haber (hay) – there is, are
        d. hacer – to do, make
        e. poder – to be able, can
        f. poner – to put, place, set (table)
        g. querer – to want, love
        h. saber – to know (facts)
        i. salir – to leave, go out
        j. tener – to have
        k. valer – to be worth
        l. venir – to come

2.47   a. har–
        b. saldr–
        c. dir–
        d. tendr–
        e. valdr–
        f. podr–
        g. pondr–
        h. vendr–
        i. sabr–
        j. querr–
        k. habr–
        l. cabr–

2.48   a. haría   d. haríamos
        b. harías   e. harían
        c. haría

2.49   a. diría   d. diríamos
        b. dirías   e. dirían
        c. diría

2.50   a. saldría   d. saldríamos
        b. saldrías   e. saldrían
        c. saldría

2.51   **Adult check.** Answers will vary. Examples:
        a. Normalmente, mi padre saldría para el
            trabajo a las siete de la mañana.
        b. Sí (No), (no) llevaría a mi mejor amigo a
            mi restaurante favorito.
        c. Tendría cuatro coches.
        d. Sí (No), no diría una mentira para evitar
            un castigo.
        e. Sí (No), no haríamos mucho trabajo para
            ayudar a nuestros padres.
        f. Sí (No), no tendría que compartirlo con la
            familia.
        g. Sí (No), no tendría que presentar un
            discurso.
        h. Iría a una universidad grande para seguir
            mi carrera.
        i. No le diría nada a mi amigo.
        j. Pediría la langosta (lobster).

2.52   a. valdría   d. valdríamos
        b. valdrías   e. valdrían
        c. valdría

2.53   a. tendría   d. tendríamos
        b. tendrías   e. tendrían
        c. tendría

2.54   a. pondría   d. pondríamos
        b. pondrías   e. pondrían
        c. pondría

2.55   a. podría   d. podríamos
        b. podrías   e. podrían
        c. podría

2.56   a. podré   podría
        b. tendré   tendría
        c. saldré   saldría
        d. valdré   valdría
        e. pondré   pondría
        f. haré   haría
        g. diré   diría

2.57   a. sabría   d. sabríamos
        b. sabrías   e. sabrían
        c. sabría

2.58   a. querría   d. querríamos
        b. querrías   e. querrían
        c. querría

2.59   a. ¿No lo querrías tú?
        b. ¿Quién sabría nadar?
        c. No lo querrían.
        d. ¿Por qué lo querría ella?
        e. ¿Cuándo sabríamos la respuesta?
        f. No querría comprarlo.
        g. Ella y yo no sabríamos la verdad.
        h. Uds. no querrían aprenderlo.
        i. ¿No lo sabría yo?
        j. ¿Cómo lo sabrías?

2.60   a. conditional
        b. conditional

        c. conditional
        d. querer
        e. querer
        f. conditional
        g. querer
        h. conditional
        i. querer
        j. querer

2.61   a. trabajar
        b. decir
        c. vender
        d. venir
        e. hacer
        f. contener
        g. imponer
        h. poder
        i. tener
        j. salir

2.62   a. tomarían
        b. vendería
        c. compondrían
        d. habría
        e. aplaudiríamos
        f. sabría
        g. te dormirías
        h. estarían
        i. se quedaría
        j. no pensarías

2.63   a. Iría, pero tengo mucha tarea.
        b. No dijiste nunca (Nunca dijiste) que
           tendría que traer un postre.
        c. ¿Adónde viajará tu familia este verano?
        d. Son buenos estudiantes. No querrían
           hablar en clase.
        e. Haría ejercicio con nosotros, pero está
           cansado.
        f. Estoy irritado(a) porque no me
           escucharán.
        g. ¿Te callarías, por favor?
        h. Me gustaría un sandwich, por favor.
        i. No podremos asistir a la fiesta.

j. Ella iría a la biblioteca, pero su coche no funciona.

k. ¿Dónde estarán mis zapatos?

l. ¿Por qué no quisiste decirme la verdad?

m. Su hermano no nos ayudará.

n. ¿Cuándo tendrán el dinero?

o. Uds. no necesitarían mucho, quizás una manta y una toalla.

2.64 **Adult check. Instructor:** Encourage your students to have a little fun with this. Ask them to wear costumes. Videotape their performances. Students enjoy watching each other on tape afterward.

LISTENING EXERCISES IIB

Ex 1.
a. traerían el pan a la cena
b. no lo comprarían en el supermercado
c. iríamos a la escuela en bicicleta
d. no pasaría tres días en la casa de Alicia
e. (ella) querría mucho para su cumpleaños
f. estarían en el jardín
g. no perdería el partido
h. pondríamos la mesa para el almuerzo
i. (yo) no comería un postre delicioso
j. (Ud.) no se despertaría tarde / (Ud.) se despertaría temprano

Ex 2. Answers will vary. Possible answers:
a. Tendría un examen. / Tendría que estudiar.
b. Visitarías al médico / la clínica del médico / al doctor / el hospital.
c. Comprarían una hamburguesa.
d. Llevaríamos ropa fina / elegante.
e. Saldría temprano para estudiar en la biblioteca.
f. Le diría a la policía lo que pasó.
g. Estaría enojado(a) / triste.
h. No conducirías muy rápidamente.
i. Me pondría el impermeable.
j. Se dormiría inmediamente.

Ex 3.
1. Trabajaría de médico.
2. Estaría en la cafetería.
3. No podría conducir.
4. Estaría en la escuela.
5. Sería secretaria.
6. Estaría a la playa.
7. Participaríamos en un juego de básquetbol.
8. Serían las seis de la mañana.
9. Iría a la ópera.
10. Almorzaría(s).

SECTION THREE

3.1
1. a. más bajo que
   b. más alto que
   c. tan alto como
   d. tan bajo como
2. a. más bonita que
   b. más fea que
   c. tan bonita como
   d. tan fea como
3. a. más divertido que
   b. menos aburrido que
   c. tan divertido como
   d. tan aburrido como
4. a. más tranquilas que
   b. menos nerviosas que
   c. tan tranquilas como
   d. tan nerviosas como
5. a. mayor que
   b. menor que
   c. tan joven como
   d. tan viejo como
6. a. menos atléticos que
   b. más inteligentes que
   c. tan atléticos como
   d. tan inteligentes como
7. a. más irritada que
   b. más contenta que
   c. tan irritada como
   d. tan contenta como
8. a. menos desilusionados que
   b. más emocionados que
   c. tan desilusionados como
   d. tan emocionados como
9. a. más raro que
   b. más normal que
   c. tan raro como
   d. tan normal como
10. a. mejor que
    b. peor que
    c. tan bueno como
    d. tan malo como

3.2 **Adult check.** Answers may vary.
a. No, ella es menos baja (más alta) que el hombre.
b. No, la torta es menos pequeña (más grande) que la tortita.
c. No, el chocolate es más delicioso que la ensalada.
d. No, la joven es más atlética que el joven.
e. No, la cocina está menos sucia que el dormitorio.
f. No, la princesa es más bonita (menos fea) que el obrero.
g. No, la bicicleta corre más lentamente (menos rápidamente) que la motocicleta.
h. No, el número uno es más difícil que el número dos.
i. No, la chica está más enferma que el chico.
j. No, el chico rubio es más antipático que el chico con pelo moreno.

3.3 **Adult check.** Answers may vary. Examples:
a. Como la ensalada más, porque es más sana que la hamburguesa.
b. Viajo más por avión, porque el avión es más rápido que el coche.
c. Prefiero ser amigo(a) de la señora, porque es más simpática que el señor.
d. Quiero trabajar más en la fábrica, porque es más informal que el laboratorio.
e. Como más en la cafetería, porque es menos cara (más barata) que el restaurante.
f. Me gusta jugar más al tenis, porque es más fácil que el hockey.
g. Prefiero ir de vacaciones en el bosque, porque hay menos personas allí que en la playa.
h. Corto el césped más, porque es más interesante que lavar los platos.
i. Prefiero estudiar español, porque es más interesante que el inglés.
j. Me gusta más el estéreo, porque es más divertido que la bicicleta.

3.4   a.   Texas is the biggest state in the U. S.

b.   The *habanero* is the hottest pepper of all the peppers.

c.   This is the worst magazine of all.

d.   Patricia is the smartest (most intelligent) student in the class.

e.   For me, hockey is the least boring sport of them all.

f.   Soccer is the most popular sport in the world.

g.   I received the lowest grade in the class on the test.

h.   My grandmother is the nicest lady in my family.

i.   You bought the most expensive flowers of all.

j.   This show is the best one of all this year.

3.5   **Adult check.** Answers will vary. Examples:

a.   Mi papá es el hombre más inteligente de todas las personas que conozco.

b.   El viaje a California es el viaje más largo de mi vida.

c.   El inglés es la clase menos difícil de mi carrera.

d.   Planchar la ropa es el quehacer menos divertido para mí.

e.   (film title) es la peor película de todas las películas que vi el año pasado.

f.   (name) es el (la) mayor estudiante de mi clase.

g.   Para mí, el verano es la mejor estación del año.

h.   Me gusta más el helado.

i.   (two or more names) son mis amigos menos serios de todos.

j.   Mi dormitorio es el cuarto más cómodo de mi casa.

3.6   a.   No; ningún

b.   nunca; ningún

c.   no; nadie

d.   no; nada

e.   No; tampoco

f.   No; ni; ni

g.   No; ninguna

h.   No; nunca

i.   No; nadie

j.   No; nada

3.7   1.   b.   nadie

2.   c.   nada

3.   c.   ninguna

4.   b.   tampoco

5.   a.   ni…ni

6.   c.   nunca

7.   b.   ningún

8.   c.   nunca

3.8   a.   No, no quiero nada de beber.

b.   No, no voy a comprar ningún recuerdo de mi viaje.

c.   Nunca leo libros.

d.   No prefiero estudiar ni física ni química.

e.   No, Emilio no va a la fiesta tampoco.

f.   No, no oí nada.

g.   Nadie está cantando ahora.

h.   No, no quiero ninguna bebida.

i.   No, nunca toqué ningún instrumento en la orquesta.

j.   No, no puedo ver ningún árbol.

3.9   a.   stable
       b.   health insurance
       c.   the level
       d.   the resumé
       e.   the applicant
       f.   the objective
       g.   to advance
       h.   las ofertas de empleo
       i.   la ausencia
       j.   la especialidad
       k.   buscar
       l.   emplear
       m.   los premios
       n.   el empleador

3.10 1.   e. to compose
       2.   i. the skills
       3.   b. to promote
       4.   h. the surname (family name)
       5.   m. the employee
       6.   f. the interview
       7.   o. paid
       8.   n. available
       9.   k. the salary
      10.   c. to require
      11.   l. the workday
      12.   a. the benefits
      13.   d. the raise
      14.   g. the appointment
      15.   j. the first name

3.11 **Adult check.**
       a.   aumento
       b.   ausente
       c.   fijas
       d.   comisión
       e.   disponible
       f.   experiencia
       g.   preparar / redactar
       h.   ofertas de empleo
       i.   cambiar
       j.   beneficios
       k.   aspirante

SECTION FOUR

OPTIONAL ACTIVITY B:

Search the Internet for images pertaining to *el Día de la Raza* and *el Cinco de Mayo*. These images may include Mexican colonial towns, *baile folklórico* dancers, and *mariachis*. Print these images. Use them to create a collage that tells the story of these holidays.

OPTIONAL ACTIVITY C:

Celebrate *el Cinco de Mayo* in your class! Create parade (*desfile*) floats from shoe boxes. Decorate them brightly with tissue-paper flowers. Search your local library and the Internet again for traditional Mexican recipes and recordings of *mariachi* music. Spend *el Cinco de Mayo* in your class cooking, listening to music, and appreciating how the Mexican culture represents strength and unity of spirit.

4.1   **Adult check.**

4.2   **Adult Check.** Answers may vary somewhat. Examples:

a. the general of the small Mexican army who conquered the French army on May 5, 1862, in Puebla, Mexico

b. the one who discovered the New World

c. the Mexican Hat Dance

d. the traditional costume (a long dress of red, green, and white colors) for Mexican women

e. the girl from India, captured by pirates, and then adopted in Puebla, Mexico; others admired her acts of charity and copied her picturesque costume, called *la china poblana*

f. a Mexican holiday celebrated on September 16; known for Mexican solidarity, spirit, and pride

g. the president of Mexico during the battle against the French on May 5, 1862

h. the place where the famous battle against the French army took place on May 5, 1862

i. a group of men who play traditional music of Mexico

j. a large bass guitar played by the *mariachis*

SECTION ONE

1.1 **Adult check.**

1.2   1. a. en la parte delantera del coche
     2. c. cerca de los faros
     3. c. dentro del coche
     4. c. al fondo del coche
     5. b. al fondo del auto
     6. a. muy cerca de las ruedas
     7. b. a la derecha del volante
     8. a. alrededor de las ruedas
     9. c. en medio del volante
   10. a. debajo del volante

1.3   a. el volante
     b. la bocina / el claxon
     c. el acelerador
     d. el tanque
     e. el faro
     f. la ventanilla
     g. la puerta
     h. los limpiaparabrisas
     i. el baúl
     j. el parachoques
     k. la llanta
     l. la rueda
     m. la radio
     n. el motor
     o. el auto(móvil) / el coche / el carro

1.4   a. La ventanilla; coche (carro / auto)
     b. La bocina / El claxon
     c. llanta; el baúl
     d. los faros
     e. el tanque; el parabrisas
     f. la bocina / el claxon; los frenos
     g. el intermitente
     h. limpiaparabrisas; el parabrisas
     i. el parachoques
     j. La luz

1.5 **Adult check.** See page 2 for answers.

1.6   a. F; Los frenos paran el coche.
     b. V
     c. V
     d. F; Se llevan las maletas en el baúl.
     e. F; Los limpiaparabrisas quitan el agua del parabrisas.
     f. V
     g. F; Se usa el acelerador para aumentar la velocidad del coche.
     h. F; Los cinturones de seguridad protegen a los pasajeros durante un accidente.
     i. V
     j. F; Se debe tocar la bocina / el claxon solamente cuando sea necesario.

1.7   Answers will vary.
     a. El volante hace virar el automóvil.
     b. El cinturón de seguridad protege a la persona en el coche.
     c. Los limpiaparabrisas limpian las ventanas.
     d. La luz ilumina el coche.
     e. La bocina / El claxon toca y avisa a las otras personas.
     f. Los intermitentes muestran que el coche va a doblar la esquina.
     g. La radio toca la música. Entretiene a las personas en el coche.
     h. El parachoques impide los accidentes y las heridas.
     i. El acelerador aumenta la velocidad.

1.8   a.   la ventanilla
     b.   llenar el tanque
     c.   reducir la velocidad
     d.   el cinturón de seguridad
     e.   el coche / el auto(móvil) / el carro
     f.   la puerta
     g.   los faros
     h.   el baúl
     i.   el motor
     j.   reparar / arreglar
     k.   encender
     l.   parar
     m.   conducir
     n.   doblar
     o.   avisar

1.9   Answers will vary. Examples:
     a.   The turn signal signals that the car is turning right.
     b.   Fill the tank, please.
     c.   Our seatbelts protected us well in the accident.
     d.   Open the door and close the trunk.
     e.   The car isn't working because the engine didn't start this morning.
     f.   ¡Reduce la velocidad!
     g.   Ella puede cambiar las llantas.
     h.   Dirigiré / Guiaré el coche a la izquierda.
     i.   Mantengo mi coche en buenas condiciones cambiando el aceite con frecuencia.
     j.   Señaló a la izquierda, pero dobló a la derecha.

1.10   a.   alquilar / arrendar
     b.   un préstamo
     c.   obedecer
     d.   pagar a plazos
     e.   Se chocó con
     f.   presta atención
     g.   parar
     h.   el baúl
     i.   la ventanilla
     j.   adquirir

1.11   a.   5
     b.   2
     c.   9
     d.   6
     e.   4
     f.   1
     g.   10
     h.   7
     i.   3
     j.   8

1.12   Answers may vary.
     a.   Se echa la gasolina en el tanque.
     b.   Se guía el coche con el volante.
     c.   Se lava mucho el coche. Se cambia el aceite.
     d.   Se puede pedir un préstamo.
     e.   Se usan los faros.
     f.   Se obedecen las leyes. Se reduce la velocidad.
     g.   Los frenos son más importantes. Si no puedes parar el coche, puedes matar a alguien.

1.13   1. b.   more than ten years
     2. c.   a lot of paint
     3. b.   frustrated
     4. a.   the windshield wipers
     5. c.   Sell it quickly.

1.14   Answers may vary. Examples:
     a.   Su coche ya no funciona bien. Tiene muchos problemas. Quiere vender el coche. Necesita mucho dinero para un coche nuevo.
     b.   Él debe repararlo. No tiene dinero para un nuevo. Repararlo cuesta menos dinero que comprar un nuevo.
     c.   No debe conducir este coche. Es peligroso. Los frenos y el parachoques están en malas condiciones. Puede tener un accidente. Puede chocarse.
     d.   Pagaría cien dólares. No es bueno. No funciona bien. Costará mucho repararlo.

LISTENING EXERCISES I

Ex 1.
a. 3
b. 10
c. 2
d. 1
e. 4
f. 8
g. 6
h. 9
i. 7
j. 5

Ex 2.
1. a. alquilas
2. a. pagar cada mes
3. c. se para
4. a. tiene cuidado
5. c. Maneja
6. a. llena
7. b. arranca
8. b. toca
9. a. dobla
10. b. reducir la velocidad

Ex 3.
1. h
2. c
3. d
4. i
5. j
6. e
7. g
8. b
9. a
10. f

SECTION TWO

2.1 primero, first; segundo, second; tercera, third; cuarta, fourth; quinto, fifth; sexta, sixth; séptimo, seventh; octava, eighth; noveno, ninth; décimo, tenth

2.2
- a. quinta
- b. noveno
- c. segunda
- d. primero
- e. sexta
- f. décima
- g. séptimo
- h. tercera
- i. octavo
- j. cuarta

2.3
- a. El quinto día es lunes.
- b. El noveno día es viernes.
- c. El segundo día es viernes.
- d. El sexto día es martes.
- e. El cuarto día es domingo.
- f. El octavo día es jueves.
- g. El séptimo día es miércoles.
- h. El décimo día es sábado.

2.4
- a. El tercer día es sábado.
- b. El primer día es jueves.

2.5
- a. primera
- b. tercer
- c. tercera
- d. primera
- e. primer
- f. primera
- g. tercer
- h. primer
- i. primera
- j. tercera

2.6
- a. Me gusta más la segunda.
- b. Me gusta el quinto.
- c. Prefiero el octavo.
- d. Compraría el primero.
- e. El segundo y el noveno son los aretes más bonitos de todos.
- f. Me gusta el cuarto.
- g. Me gusta más la décima.
- h. Leería el sexto.

2.7 **Adult check.** Answers will vary. Examples: The bill was paid on time. That vase was bought yesterday. Carlos has traveled the world. The book was written by Colón.

2.8
1. c. walked
2. a. found
3. c. permitted
4. a. left
5. b. eaten
6. b. filed
7. a. rung
8. c. cut
9. b. played
10. c. bought

2.9
- a. cantado; sung
- b. vendido; sold
- c. mirado; watched, looked at
- d. sentido; felt
- e. pedido; ordered, asked for
- f. colgado; hung
- g. aprendido; learned
- h. tenido; had
- i. preferido; preferred
- j. dado; given

2.10
- a. caído
- b. poseído
- c. traído
- d. creído
- e. atraído
- f. leído

2.11   a.   opened
      b.   covered
      c.   said / told
      d.   written
      e.   done / made
      f.   printed
      g.   died
      h.   put
      i.   solved / resolved
      j.   broken
      k.   seen
      l.   returned

2.12   a.   descubierto
      b.   descrito
      c.   deshecho
      d.   impuesto
      e.   devuelto

2.13   a.   leído
      b.   visto
      c.   ido
      d.   roto
      e.   puesto
      f.   escrito
      g.   devuelto
      h.   caído; roto
      i.   abierta
      j.   hecho
      k.   dado
      l.   sido

2.14   1.   a. El hombre está cubierto de la manta.
         b. The man is covered by the blanket.
      2.   a. Jorge ha subido al avión.
         b. Jorge has boarded / gotten on the plane.
      3.   a. Marina ha hecho la cama.
         b. Marina has made the bed.
      4.   a. Se han creído sus palabras en todas partes del mundo.
         b. His words have been believed all over the world.
      5.   a. Javier ha comido una torta.
         b. Javier has eaten a cake.

      6.   a. Ellos han visto el monumento.
         b. They have seen the monument.
      7.   a. Se han impreso los apuntes este año.
         b. The notes have been printed this year.
      8.   a. Esta canción es oída en muchas naciones.
         b. This song is heard in many nations.
      9.   a. Ha vivido allí recientemente.
         b. He has lived there recently.
    10.   a. El regalo es dado el lunes.
         b. The gift is given on Monday.

2.15   **Adult check.** Answers will vary. Examples:
      a.   La puerta está cerrada.
      b.   Las flores están muertas.
      c.   El coche está parado.
      d.   La taza está rota.
      e.   El chico está herido.
      f.   Los platos están lavados.
      g.   La lámpara está encendida.
      h.   Las maletas están facturadas.
      i.   El currículum vitae está escrito.
      j.   El perro está mojado.

2.16   1.   a. fue comprado
         b. fue quemado
         c. fue publicado
      2.   a. fue llamada
         b. fue ayudada
         c. fue visitada
      3.   a. fueron reparados
         b. fueron conducidos
         c. fueron lavados
      4.   a. fueron regadas
         b. fueron dadas
         c. fueron compradas
      5.   a. fue creado
         b. fue hecho
         c. fue presentado
      6.   a. fue rechazada
         b. fue recibida
         c. fue sugerida
      7.   a. fue rota
         b. fue dada
         c. fue repetida

8. a. fueron recogidos
   b. fueron leídos
   c. fueron escritos

2.17 a. La puerta fue abierta por el jefe a las siete esta mañana.
   b. Las frutas son vendidas en el mercado por los granjeros.
   c. Un buen libro es escrito por Orzabal.
   d. El poema es traducido por el profesor.
   e. Una secretaria que habla francés es empleada por la compañía internacional.
   f. Las reglas son entendidas por todos los estudiantes.
   g. La historia es contada por el anciano.
   h. Mucha comida es traída por los invitados.
   i. La mesa es puesta por la niña.
   j. Muchos misterios son resueltos por el detective.

LISTENING EXERCISES II

Ex 1.

Marina	3
Chamo	7
Carlos	2
Manolo	5
Guillermo	1
MariCarmen y Beto	9
Marcos	10
Elisa	4
Luisa	6
Antonio	8

Ex 2. a. ir
   b. poner
   c. hablar
   d. ver
   e. jugar
   f. pensar
   g. abrir
   h. vender
   i. dormir
   j. hacer

Ex 3. a. parado
   b. hablado
   c. usado
   d. sentado
   e. comprado
   f. dado
   g. separado
   h. lavado
   i. notado
   j. cubierto

SECTION THREE

3.1 a. despertarse
    b. llamar
    c. leer
    d. poder
    e. comprar
    f. poner
    g. parecer
    h. conducir
    i. ver
    j. escribir

3.2 a. I have waited for the bus.
    b. I have thought a lot about this contract.
    c. I have gone to bed early.

3.3 a. You have danced a lot.
    b. Have you heard this song?
    c. She hasn't gone to the museum either.
    d. He has told the truth.
    e. We haven't believed him/it.
    f. Have they slept well?
    g. They have packed the suitcases.
    h. Have you studied Spanish?

3.4 a. has lavado
    b. has buscado
    c. has bebido
    d. has vendido
    e. has ido
    f. has preferido

3.5 a. has bebido
    b. has ido
    c. has lavado
    d. has preferido
    e. has vendido
    f. has buscado

3.6 a. no has buscado
    b. no has bebido
    c. no has vendido
    d. no has ido
    e. no has preferido

3.7 a. ¿Has lavado (tú)?
    b. ¿Has buscado (tú)?
    c. ¿Has bebido?
    d. ¿Has vendido?
    e. ¿Has ido?
    f. ¿Has preferido?

3.8 a. Lo has buscado.
    b. Lo has bebido.
    c. Lo has vendido.
    d. Lo has lavado.

3.9 a. he lavado, I have washed
    b. he buscado, I have looked (for)
    c. he bebido, I have drunk
    d. he vendido, I have sold
    e. he ido, I have gone
    f. he preferido, I have preferred

3.10 a. No lo he lavado.
    b. No lo he buscado.
    c. ¿No lo he bebido?
    d. Lo he vendido.
    e. No he ido allí.

3.11 a. ha lavado, s/he has/you have washed
    b. ha buscado, s/he has/you have looked (for)
    c. ha bebido, s/he has/you have drunk
    d. ha vendido, s/he has/you have sold
    e. ha ido, s/he has/you have gone
    f. ha preferido, s/he has/you have preferred

3.12 a. Ella no lo ha lavado.
    b. Ud. no lo ha buscado.
    c. Él no lo ha bebido.
    d. ¿Lo ha vendido él?
    e. Ella no lo ha preferido.

3.13 a. ¿No lo hemos lavado?
    b. No lo hemos buscado.
    c. ¿Lo hemos bebido?
    d. No lo hemos vendido.

e. No hemos ido allí.

f. No lo hemos preferido allí.

3.14 a. han lavado

b. han buscado

c. han bebido

d. han vendido

e. han ido

f. han preferido

g. No lo han lavado.

h. ¿Lo han buscado?

i. ¿No lo han bebido Uds.?

j. Uds. no lo han vendido.

k. Uds. no han ido allí.

l. No lo han preferido.

3.15 a. he

b. has

c. ha

d. hemos

e. han

3.16 a. he sido

b. has sido

c. ha sido

d. hemos sido

e. han sido

3.17 a. me he acostado

b. te has acostado

c. se ha acostado

d. nos hemos acostado

e. se han acostado

3.18 a. he escrito

b. has escrito

c. ha escrito

d. hemos escrito

e. han escrito

3.19 1. a. han descubierto

2. b. hemos leído

3. c. ha vuelto

4. a. ha ganado

5. c. has hecho

6. c. han estado

7. a. ha mostrado

8. b. ha querido

9. b. hemos salido

10. c. ha creado

3.20 1. a. ha visto

b. hemos visto

c. han visto

d. has visto

2. a. ha hecho

b. han hecho

c. has hecho

d. hemos hecho

3. a. he estado

b. has estado

c. ha estado

d. han estado

4. a. se han levantado

b. nos hemos levantado

c. te has levantado

d. se ha levantado

5. a. ha resuelto

b. han resuelto

c. has resuelto

d. He resuelto

3.21 1. a. Ha muerto.

b. Han muerto.

c. Ella ha muerto.

2. a. La compañía lo ha impreso.

b. Los estudiantes lo han impreso.

c. No lo hemos impreso.

3. a. Beto se ha caído.

b. Me he caído.

c. ¿Se han caído?

4. a. Hemos jugado al tenis.

b. No has jugado al tenis.

c. ¿Cuándo ha jugado al tenis tu familia?

5. a. Se ha vestido.

b. No me he vestido.

c. Se han vestido.

6. a. He roto el vaso.

b. Mi amigo(a) ha roto el vaso.

c. Uds. han roto el vaso.

7. a. ¿Has podido estudiar?
    b. No hemos podido estudiar.
    c. Los estudiantes han podido estudiar.
8. a. He salido esta noche.
    b. ¿Cuándo ha salido tu hermana?
    c. No hemos salido esta noche.
9. a. No has pagado la cuenta.
    b. Ha pagado la cuenta.
    c. ¿Hemos pagado la cuenta?
10. a. Luisa y Enrique me lo han dado.
    b. Tú (Ud.) y yo se lo hemos dado.
    c. ¿Se lo ha dado Ud.?

3.22   Answers will vary. Examples:
    a. se ha dormido/se ha acostado
    b. ha sacado
    c. han perdido/han buscado/han encontrado
    d. hemos estudiado/hemos salido de la biblioteca/hemos sacado muchos libros
    e. he conducido/he manejado
    f. ha comido/ha cenado
    g. han roto
    h. ha devuelto
    i. has recibido
    j. ha dicho

3.23   a. Hemos perdido
    b. Has dicho
    c. He escrito
    d. ha ido
    e. han traído
    f. He puesto
    g. has dado
    h. han obtenido
    i. Hemos salido
    j. ha devuelto

3.24   Answers will vary. Examples:
    a. He escrito un ensayo importante en la clase de ciencias.
    b. Sí (No), (no) he oído (nunca) la música latina.
    c. (Mi mamá) me ha dado un regalo especial.
    d. He viajado muy lejos de casa el verano pasado.

    e. Me ha gustado esquiar en el invierno.
    f. Me he sentido bien, gracias.
    g. Sí (No), mi mejor amigo (no) ha almorzado conmigo recientemente.
    h. (Jorge) ha sacado las mejores notas de mi clase.
    i. He trabajado (en casa, en un garaje, etc.).
    j. Hemos asistido a una gran fiesta en mayo.

3.25   1. b. un hijo
        2. a. un gato
        3. b. las seis de la noche
        4. c. su madre
        5. b. hambre

3.26   1. b. irritada
        2. a. la una y media
        3. c. hacer una tarea
        4. c. fue al parque
        5. c. las cuatro

3.27   a. hemos bailado
        b. han vivido
        c. has venido
        d. he jugado
        e. han sido/ido
        f. hemos visto
        g. ha hecho
        h. han pedido
        i. se ha acostado
        j. he/ha querido
        k. has podido
        l. hemos devuelto
        m. has escrito
        n. han leído
        o. he estudiado

3.28 **Adult check.** Sample composition:
Recomiendo a mi amiga Carlota. Ha hecho
muchas cosas. Ella ha pasado mucho tiempo
con los niños. Ha ayudado en la escuela. No
ha recibido dinero por su ayuda. Ha dado
dinero a muchas obras benéficas. Ha sido
una persona muy simpática. Ha hecho tarea
con los estudiantes que han necesitado
ayuda. Ha recibido muy buenas notas en sus
clases. Es mi mejor amiga.

LISTENING EXERCISES III

Ex 1. a. present perfect
  b. *tener que*
  c. present perfect
  d. present perfect
  e. *tener*
  f. *tener que*
  g. *tener*
  h. present perfect
  i. *tener*
  j. *tener que*

Ex 2. 1. b. preparar
  2. a. ir
  3. b. pagar
  4. c. crear
  5. a. dar
  6. c. poner
  7. a. estar
  8. b. hacer
  9. a. devolver
  10. b. poder

Ex 3. a. hemos jugado
  b. han ido
  c. he hablado
  d. has visto
  e. ha leído
  f. ha roto
  g. he dicho
  h. han visitado
  i. ha muerto
  j. hemos visitado

SECTION FOUR

4.1   Any order:
    a.   he viajado, había viajado
    b.   he leído, había leído
    c.   he oído, había oído

4.2   **Adult check.**
    leer
    a.   I had read
    b.   you had read
    c.   he/she/you had read
    d.   we had read
    e.   you had read
    f.   they/all of you had read
    viajar
    a.   I had traveled
    b.   you had traveled
    c.   he/she/you had traveled
    d.   we had traveled
    e.   you had traveled
    f.   they/all of you had traveled
    oir
    a.   I had heard
    b.   you had heard
    c.   he/she/you had heard
    d.   we had heard
    e.   you had heard
    f.   they/all of you had heard

4.3   a.   you had studied it
    b.   we had eaten
    c.   they had written
    d.   I had lived
    e.   you all had understood
    f.   I had paid
    g.   she had sung
    h.   you had sold them
    i.   we had gone
    j.   I had liked that

4.4   a.   *tú no lo habías estudiado*
    b.   nosotros no habíamos comido
    c.   ellos no habían escrito
    d.   yo no había vivido
    e.   Uds. no habían comprendido

    f.   yo no había pagado
    g.   ella no había cantado
    h.   Ud. no las había vendido
    i.   nosotros no habíamos ido
    j.   no me había gustado eso

4.5   a.   you hadn't studied it
    b.   we hadn't eaten
    c.   they hadn't written
    d.   I hadn't lived
    e.   all of you hadn't understood
    f.   I hadn't paid
    g.   she hadn't sung
    h.   you hadn't sold them
    i.   we hadn't gone
    j.   I hadn't liked that

4.6   a.   Had we eaten the fruit?
    b.   Had they written it to him/her/them/you?
    c.   Hadn't I lived there?
    d.   Had you understood it?
    e.   Hadn't I already paid the bill?
    f.   Hadn't she danced?
    g.   Hadn't you sold it?
    h.   Had we gone to the party?
    i.   Hadn't you liked the gift?
    j.   Had you broken the window?

4.7   a.   había cortado
    b.   habías cortado
    c.   había cortado
    d.   habíamos cortado
    e.   habían cortado

4.8   a.   había sufrido
    b.   habías sufrido
    c.   había sufrido
    d.   habíamos sufrido
    e.   habían sufrido

4.9   a.   había perdido
    b.   habías perdido
    c.   había perdido

d.   habíamos perdido

e.   habían perdido

4.10 a.   había muerto

b.   habías muerto

c.   había muerto

d.   habíamos muerto

e.   habían muerto

4.11 a.   me había despertado

b.   te habías despertado

c.   se había despertado

d.   nos habíamos despertado

e.   se habían despertado

4.12 a.   te habías marchado

b.   habían ido

c.   nos habíamos vestido

d.   no había abierto

e.   habían sacado

f.   había querido

g.   no había pensado

h.   habíamos seguido

i.   había concluido

j.   habían roto

k.   había dado

l.   no habían tenido

m. habían escrito

n.   habían estado

o.   habíamos salido

4.13 a.   había visto

b.   había prometido

c.   habías almorzado

d.   habían viajado

e.   se había levantado

f.   había perdido

g.   habían dicho

h.   había muerto

i.   habían asistido

j.   habíamos montado

4.14 a.   habías jugado; habíamos jugado

b.   te habías presentado; nos habíamos presentado

c.   no habías oído; no habíamos oído

d.   habías recogido; habíamos recogido

e.   habías desayunado; habíamos desayunado

f.   habías entretenido; habíamos entretenido

g.   habías descubierto; habíamos descubierto

h.   habías deshecho; habíamos deshecho

i.   habías resuelto; habíamos resuelto

j.   habías trabajado; habíamos trabajado

4.15 b.   Había mirado la televisión. No había estudiado.

c.   No habíamos seguido el mapa. Habíamos doblado en la calle incorrecta.

d.   Habías estado enferma. Te habías acostado temprano.

e.   Había jugado mal. No había practicado bien.

f.   No había tenido cuidado. Había roto el vaso.

g.   No había tomado aspirina. No me había puesto las gafas.

h.   Había hecho mucha investigación. Había ayudado a la raza humana.

i.   No había asistido a muchas fiestas. Me había dedicado a los estudios.

j.   Había conducido muy rápidamente. No había prestado atención.

4.16 a.   It had already begun to snow when they decided to leave.

b.   They printed your article yesterday, but they had already printed mine last week.

c.   Had Luisa paid attention in class before receiving the bad grade in math?

d.   Who had helped you to understand the differences between the preterit and the imperfect before Spanish class yesterday?

e.   We were hungry, because we had not eaten much breakfast.

4.17 a. Mi amigo me dijo que nuestro equipo ya había perdido el partido cuando llegué.

b. ¿Ya habías ido de compras antes de reunirte conmigo para el almuerzo ayer?

c. Me dijeron que habían abierto las puertas a las ocho esta mañana.

d. Ya habíamos obtenido las tarjetas de embarque cuando cancelaron el vuelo.

e. Anita ya había salido cuando llegó Josefina.

f. ¿Fueron Uds. a la casa donde habían muerto sus abuelos el año pasado?

g. ¿Ya habías comprado un regalo para tu madre antes de perder tu bolsa ayer?

h. Yo ya había pensado mucho en mi carrera futura antes de la graduación de la escuela secundaria la semana pasada.

i. Ya habíamos visitado a nuestra tía en el hospital cuando supimos que nuestro tío se había chocado con un árbol.

j. Yo ya les había dicho la verdad a mis padres cuando llegó el policía.

4.18 **Adult check.** Answers will vary.

LISTENING EXERCISES IV

Ex 1. a. pluperfect
b. present perfect
c. present perfect
d. present
e. present perfect
f. pluperfect
g. present perfect
h. present perfect
i. present
j. pluperfect

Ex 2. a. habían estado
b. había ido
c. habíamos traído
d. había dicho
e. habías hecho
f. habían dado
g. había trabajado
h. habías leído
i. había roto
j. habíamos jugado

Ex 3. Answers will vary. Possible answers:
a. Sí (No), (no) he viajado a un país donde se habla español.
b. Sí (No), ya (no) había hablado español en casa antes de comenzar a estudiar español en la escuela.
c. Sí (No), (no) he ido al cine recientemente.
d. Había (mirado la televisión) anoche antes de comenzar a hacer la tarea.
e. Dos amigos me han visitado en mi casa esta semana.

SECTION FIVE

5.1 a. Cocinarán
    b. leeré
    c. terminará
    d. entenderán
    e. traeremos
    f. me jubilaré
    g. permitarán
    h. asistirás
    i. hablará
    j. pedirás

5.2 a. vendrán
    b. tendrás
    c. sabrá
    d. harán
    e. diré
    f. querrás
    g. saldremos
    h. pondrán
    i. valdrán
    j. tendrá

5.3 a. Mis nietos me visitarán.
    b. ¿Qué pedirás?
    c. El sábado Patricia tendrá cinco años.
    d. No jugaremos al fútbol mañana.
    e. Los jóvenes se levantarán temprano mañana.
    f. Pensarás decir la verdad.
    g. No costará mucho la chaqueta.
    h. Me pondré el traje nuevo.
    i. Iremos a España el verano que viene.
    j. La secretaria archivará las copias.

5.4 1. a. ¿Quién va a venir mañana?
       b. ¿Quién vendrá mañana?
    2. a. Mis padres no van a estar allí.
       b. Mis padres no estarán allí.
    3. a. Vas a verlo pronto.
       b. Lo verás pronto.
    4. a. No vamos a escribir la carta.
       b. No escribiremos la carta.

5. a. ¿Qué hora va a ser?
   b. ¿Qué hora será?
6. a. Va a hacer calor afuera mañana.
   b. Hará calor afuera mañana.
7. a. Van a perder el partido.
   b. Perderán el partido.
8. a. ¿No vas a ayudarme?
   b. ¿No me ayudarás?
9. a. No vamos a quererlo.
   b. No lo querremos.
10. a. ¿Va a creerlo?
    b. ¿Lo creerá?

5.5 a. irá
    b. visitará
    c. pensarán
    d. escribiré
    e. irán
    f. tendremos
    g. sabrá
    h. podré
    i. dará
    j. hará

5.6 1. a. arrancaríamos
       b. masticaríamos
       c. influiríamos
    2. a. crearías
       b. subirías
       c. te vestirías
    3. a. conduciría
       b. me dormiría
       c. bebería
    4. a. encerrarían
       b. moverían
       c. partirían
    5. a. mostraría
       b. desearía
       c. trabajaría
    6. a. encendería
       b. aterrizaría
       c. herviría

7. a. sería
   b. daría
   c. volaría

8. a. firmarían
   b. ofrecerían
   c. romperían

5.7 1. a. haría
       b. harían
       c. haría

   2. a. nos pondríamos
      b. se pondría
      c. se pondría

   3. a. saldría
      b. saldrían
      c. saldría

   4. a. vendrían
      b. vendría
      c. vendrían

   5. a. tendría
      b. tendrías
      c. tendríamos

   6. a. diría
      b. dirían
      c. diría

   7. a. podría
      b. podrían
      c. podría

   8. a. querría
      b. querrían
      c. querría

   9. a. valdría
      b. valdrían
      c. valdría

   10. a. sabría
       b. sabríamos
       c. sabrían

5.8 a. Necesitaría
    b. querría
    c. Preferiría
    d. Verías
    e. gustaría
    f. leería

g. Pondrían
h. podría
i. Podrían
j. sabría

5.9 a. entretendrán; entretendrían
    b. empezaré; empezaría
    c. jugará; jugaría
    d. harás; harías
    e. poseerá; poseería
    f. navegaremos; navegaríamos
    g. oiré; oiría
    h. impondrá; impondría
    i. estarán; estarían
    j. veré; vería

5.10 Answers will vary. Examples:
    a. Tendré veinte años en el año 2012.
    b. Marisol será famosa, porque es muy divertida.
    c. Me gustaría vivir en California como adulto(a).
    d. Le daré un collar de oro para la Navidad.
    e. Me acostaré a las diez y media esta noche.
    f. Compraría una casa grande y un coche rápido.
    g. Sí (No), (no) me casaré algún día.
    h. Llamaría a la policía.
    i. Sacaré cien por ciento, porque estudiaré mucho.
    j. Haría buen tiempo. No tendría ninguna tarea. Iría a la playa con mis amigos y pasaríamos todo el día divirtiéndonos.

5.11 a. El aeropuerto; muy lejos
     b. La azafata; abrocharse
     c. hacer cola; esperar
     d. los boletos
     e. quiosco
     f. El estacionamiento; estacionar
     g. asiento
     h. El piloto; se prepara; el despegue
     i. Nos despedimos; abordar, subir (al)
     j. aeropuerto

5.12   a.   Es una azafata.

       b.   Es un avión.

       c.   Es el equipaje. / Son las maletas.

       d.   Es la cafetería.

       e.   Es el estacionamiento.

       f.   Es el boleto.

       g.   Es el horario.

       h.   Es el quiosco. / Es el periódico.

       i.   Es el despegue. / El avión despega.

       j.   Es el cinturón de seguridad.

       k.   Es el recuerdo.

       l.   Hacen cola.

       m.   Es el piloto.

       n.   Son los asientos.

       o.   Es el mostrador de facturación.

5.13   1.   b. el horario

       2.   c. el piloto

       3.   c. me abrocho el cinturón de seguridad

       4.   c. al extranjero

       5.   a. facturó el equipaje

       6.   b. a la azafata

       7.   b. bajan del avión

       8.   a. miro la televisión

       9.   a. en migración

     10.   c. hago cola

5.14   Answers will vary. Examples:

       a.   Facturaré el equipaje (las maletas).

       b.   Viajamos muy lejos de aquí.

       c.   Presenta la tarjeta de embarque a la azafata.

       d.   Al fin del vuelo, bajamos del avión.

       e.   No viste al piloto.

       f.   Visitó la cafetería porque el vuelo llegó con retraso.

       g.   Ella va al extranjero en avión.

       h.   Ud. tendrá que esperar en el mostrador de facturación.

       i.   Mis maletas (Mi equipaje) no están (está) en la sala de equipaje.

       j.   Se despidió de su novia en el estacionamiento.

SECTION SIX

6.1   **OPTIONAL ACTIVITY. Adult check.**

6.2   **Adult check.**

6.3   a.   Cuba
       b.   Nicaragua
       c.   the Dominican Republic
       d.   North America; South America
       e.   the Antilles
       f.   Central America
       g.   Guatemala; Belize
       h.   Panama
       i.   Puerto Rico
       j.   Pacific

6.4   1.   e. San Juan
       2.   i. Santo Domingo
       3.   a. Guatemala
       4.   f. San José
       5.   c. Panamá
       6.   h. Tegucigalpa
       7.   b. La Habana
       8.   d. Managua
       9.   g. San Salvador

6.5   **Adult check.**

6.6   **Adult check.**

6.7   a.   10   América del Sur
       b.   2   Cuba
       c.   8   Honduras
       d.   13   México
       e.   5   República Dominicana
       f.   11   Océano Pacífico
       g.   3   Costa Rica
       h.   9   Mar Caribe
       i.   6   Puerto Rico
       j.   7   Nicaragua
       k.   1   Canal de Panamá
       l.   4   Guatemala
       m.   12   El Salvador
       n.   14   Centroamérica

6.8   Crossword puzzle:

SECTION ONE

1.1 **Adult check.** Answers will vary somewhat.
Possible answers:
Illustration on left:
  el remolque
  hacer una barbacoa
  ir de camping / acampar
  el campo
  la naturaleza
  el picnic / ir de picnic
  las vacaciones

Illustration on right:
  los fuegos artificiales
  el remolque
  el día de descanso / el día libre
  el Día de la Independencia
  el espectáculo

1.2
a. las vacaciones
b. la limonada
c. acampar / ir de camping
d. los fuegos artificiales
e. un remolque
f. hacer una barbacoa
g. ir de picnic
h. un espectáculo
i. la hielera
j. la naturaleza

1.3
a. la torta de boda
b. la iglesia / el templo protestante
c. el regalo
d. la pareja / los esposos / los novios
e. el altar
f. el novio
g. el padre / el cura / el pastor
h. las flores
i. la sala de recepción
j. la novia

1.4
a. el Día de la Independencia
b. La iglesia / El templo protestante; flores; la boda
c. los fuegos artificiales

d. el remolque; acampar / ir de camping
e. pareja; la novia y el novio / los novios
f. Los parientes; la novia y el novio / los novios
g. Vamos de picnic; acampamos / vamos de camping
h. parientes; celebran; haciendo una barbacoa
i. la luna de miel; van de vacaciones
j. el espectáculo; fuegos artificiales; remolque

Answers may vary. Examples:
1.5
a. Necesita invitaciones.
b. Se ponen dulces (y juguetes) en la piñata.
c. Se celebra el cumpleaños con fuegos artificiales.
d. Serviría torta y helado.
e. La cantidad de las velas indica su edad.
f. Es el invitado de honor.
g. Puede usar los globos.
h. Los invitados asisten a una fiesta de cumpleaños.
i. Todo el mundo celebra el cumpleaños.
j. Los necesitan para divertirse.

Answers may vary. Suggested answers:
1.6
a. Se celebra el cuatro de julio.
b. Se representa una boda / el matrimonio.
c. Se celebrará una fiesta de cumpleaños.
d. Acampan. / Están acampando. / Van de camping.
e. Van a la luna de miel.
f. Es el altar.
g. El anfitrión preparó la fiesta de aniversario.
h. Van a casarse.
i. Miran un espectáculo de fuegos artificiales.
j. Celebran el aniversario de boda de los abuelos.

1.7
a. la torta
b. el padre / el cura / el pastor

c. los fuegos artificiales

d. la luna de miel

e. una invitación

f. un remolque

g. una iglesia / un templo protestante

h. brindar

i. la pareja

j. la piñata

1.8   a. la corneta

b. la sepultura / el cementerio

c. la soldada

d. la bandera

e. tocar (la corneta)

f. poner una bandera

g. luchar / la guerra / los soldados

h. el cementerio / las tumbas / las sepulturas

1.9   a. El soldado murió en combate.

b. El Día Conmemorativo de los Caídos en la Guerra es para recordar a los caídos.

c. Hay muchas flores en la tumba/sepultura.

d. El soldado toca la corneta.

e. Ponemos banderas en las tumbas/sepulturas para honrar a los muertos.

f. Conmemoramos a los soldados caídos en la guerra.

g. La ceremonia es en el cementerio.

h. El soldado luchó y murió.

i. La ceremonia honra a los muertos.

j. La sepultura del soldado está en este cementerio.

1.10   Adult check. This paragraph can be used as an example: Es una ceremonia. Hay cinco sepulturas. Hay una tumba. Es la tumba de un soldado. Ponen una bandera y flores en la tumba. El padre está presente. Hay cuatro soldados. Un soldado lleva una bandera. Respetan a los muertos. Un soldado toca la corneta.

1.11   a. el nacimiento

b. la creencia; salvación

c. Los Reyes Magos

d. burro

e. el milagro

f. María y José

g. árbol de Navidad

h. galletas; leche

i. Papá Noel / Santa Claus

j. el reno

1.12   a. la boda / el matrimonio

b. el Día de la Independencia

c. el Día Conmemorativo de los Caídos en la Guerra

d. el aniversario de boda

e. el cumpleaños

f. la boda

g. la Navidad

h. el Día Conmemorativo de los Caídos en la Guerra

i. la Navidad

j. el Día de la Independencia

k. la Nochebuena

1.13   **Adult check.** Some examples of what to look for are as follows.

a. Es el Día Conmemorativo de los Caídos en la Guerra. Están en el cementerio. Hay soldados. Honran a los muertos.

b. Es la Navidad (moderna). Papá Noel y sus renos visitan las casas.

c. Es una boda. Veo a los novios. Ella lleva un vestido de boda. Veo una torta y muchas flores.

d. Es una fiesta de cumpleaños. Hay una torta con velas. Los niños tienen globos.

e. Es una fiesta de aniversario de boda. Los invitados de honor son los abuelos.

f. Es la Navidad. Se ven al Niño Jesús, a María y a José.

1.14   a. el Día de San Patricio

b. la Pascua

c. el Día Conmemorativo de los Caídos en la Guerra

d. el Día de Acción de Gracias

e. el cumpleaños

f. la boda

g. el Día de la Independencia

h. el Día de San Valentín

i. el Año Nuevo

j. la Navidad

1.15 a. Se celebra la Navidad el veinticinco de diciembre.

b. Celebramos el cumpleaños del Salvador Jesús.

c. Se comen pavo, papas, legumbres y pasteles.

d. Se celebra el Día de Acción de Gracias en los Estados Unidos.

e. Se celebra el Día de la Independencia en los EE. UU. en el mes de julio.

f. Es el Día de San Valentín.

g. San Patricio expulsó los serpientes de Irlanda solamente con un trébol.

h. Se casan en una boda.

i. Es el último lunes de mayo.

j. Recuerda la muerte y la resurección de Jesús.

1.16 Crossword puzzle:

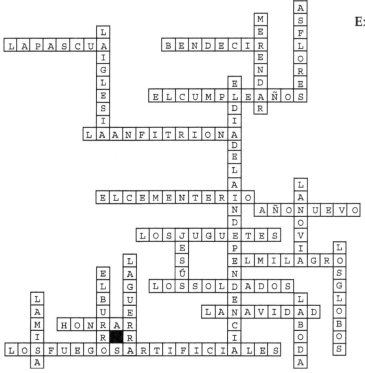

LISTENING EXERCISES I

Ex 1　1.　a

2.　i

3.　d

4.　f

5.　j

6.　g

7.　h

8.　b

9.　c

10.　e

Ex 2　1.　c.　Intercambian los anillos.

2.　a.　Se toca la corneta.

3.　b.　Él abrió los regalos.

4.　c.　Nos dimos tarjetas del Día de San Valentín.

5.　b.　Hacemos una barbacoa.

6.　c.　Papá brindó por ellos.

7.　c.　Otro solado izó la bandera.

8.　c.　Rompimos la piñata.

9.　a.　Los novios salieron para la luna de miel.

10.　b.　Comimos en un restaurante elegante.

Ex 3　1.　b.　la fiesta de cumpleaños

2.　b.　la Navidad

3.　b.　un aniversario

4.　c.　el Día Conmemorativo de los Caídos en la Guerra

5.　a.　el Día de la Independencia

6.　a.　la Pascua

7.　c.　la boda

8.　a.　el Día de San Patricio

9.　c.　el Día de Acción de Gracias

10.　b.　el Año Nuevo

SECTION TWO

2.1　a.　buscado
　　　b.　comprendido
　　　c.　podido
　　　d.　dado
　　　e.　leído
　　　f.　subido
　　　g.　traído
　　　h.　ido
　　　i.　venido
　　　j.　mostrado
　　　k.　caído
　　　l.　cerrado
　　　m.　dormido
　　　n.　sabido
　　　o.　tenido
　　　p.　corrido
　　　q.　querido
　　　r.　sido
　　　s.　estado
　　　t.　oído

2.2　a.　vuelto
　　　b.　escrito
　　　c.　hecho
　　　d.　visto
　　　e.　puesto
　　　f.　impreso
　　　g.　abierto
　　　h.　cubierto
　　　i.　dicho
　　　j.　roto

2.3　a.　hablado
　　　b.　dado
　　　c.　oído
　　　d.　descubierto
　　　e.　tenido
　　　f.　bailado
　　　g.　escogido
　　　h.　impreso
　　　i.　escuchado
　　　j.　encontrado
　　　k.　perdido
　　　l.　mandado

　　　m.　devuelto
　　　n.　ido
　　　o.　roto

2.4　a.　comenzar – to begin

he comenzado	hemos comenzado
has comenzado	*habéis comenzado*
ha comenzado	han comenzado

　　　b.　vivir – to live

he vivido	hemos vivido
has vivido	*habéis vivido*
ha vivido	han vivido

　　　c.　volver – to return

he vuelto	hemos vuelto
has vuelto	*habéis vuelto*
ha vuelto	han vuelto

2.5　a.　has querido; hemos querido
　　　b.　te has peinado; nos hemos peinado
　　　c.　no has escrito; no hemos escrito
　　　d.　has creído; hemos creído
　　　e.　te has despertado; nos hemos despertado
　　　f.　no has pensado; no hemos pensado
　　　g.　has sido; hemos sido
　　　h.　has salido; hemos salido
　　　i.　no has roto; no hemos roto
　　　j.　te has aburrido; nos hemos aburrido

2.6　a.　¿Ya nos ha llamado?
　　　b.　No lo he visto.
　　　c.　Nos hemos divertido bien.
　　　d.　Han comprado un coche nuevo.
　　　e.　Marisol no ha vuelto a tiempo.
　　　f.　Mucha gente (Muchas personas) ha(n) visitado el museo.
　　　g.　¿Has oído las noticias?
　　　h.　¿No han estado Uds. en la escuela?
　　　i.　Tu padre y yo hemos hablado del asunto.
　　　j.　Los estudiantes han impreso el periódico de la escuela.

2.7　a.　all of you had cried
　　　b.　we had disappeared
　　　c.　I hadn't thought
　　　d.　you had gone to bed
　　　e.　they had gone
　　　f.　we had broken
　　　g.　the mechanic hadn't repaired
　　　h.　I had written
　　　i.　you had left
　　　j.　you had lost it

2.8　a.　había ganado
　　　b.　había cubierto
　　　c.　se había mirado
　　　d.　habían impreso
　　　e.　había facturado
　　　f.　habíamos visto
　　　g.　había puesto
　　　h.　no habías apagado
　　　i.　había corrido
　　　j.　se había vestido

2.9　a.　*El despertador no había sonado. Yo había estado cansado(a).*
　　　b.　No había prestado atención. La clase había sido difícil.
　　　c.　Había conducido mal. No había prestado atención.
　　　d.　El autobús no había llegado a tiempo. Yo había caminado quince cuadras.
　　　e.　Yo le había dado el viejo a mi hijo. El viejo no había dejado de funcionar bien.
　　　f.　Ella no nos había escrito. Ella nos había dejado un mensaje.
　　　g.　Me había roto la pierna. No había podido levantarme.
　　　h.　Yo no había corrido. Un amigo me había llevado en auto.

2.10　**Adult check.** Sample composition provided: Mis primos menores se habían escondido detrás del sofá. Mamá había llamado a su hermana. Mi hermana había hecho una torta maravillosa. La abuelita había sacado la cámara. El abuelo había puesto la mesa.

Harley, nuestro perro, había bebido agua. Alonso, el mejor amigo de mi padre, había servido unas bebidas. Pedro había envuelto un gran regalo.

2.11　a.　primero　　f.　sexto
　　　b.　segundo　　g.　séptimo
　　　c.　tercero　　h.　octavo
　　　d.　cuarto　　i.　noveno
　　　e.　quinto　　j.　décimo

2.12　a.　David es la cuarta persona.
　　　b.　Se llama Adán.
　　　c.　Se llama Karina.
　　　d.　No, Juan es la novena persona.
　　　e.　Linda es la primera persona.
　　　f.　Guillermo es la séptima persona.
　　　g.　Bárbara es la sexta persona.
　　　h.　Se llama Pilar.
　　　i.　Sí, Josefina es la octava persona.
　　　j.　Tomás es la segunda persona.

2.13　a.　la octava casa
　　　b.　el cuarto libro
　　　c.　el primer día
　　　d.　el segundo cumpleaños
　　　e.　la primera escuela
　　　f.　el tercer señor/hombre
　　　g.　el noveno coche/carro/auto
　　　h.　el séptimo estudiante/la séptima estudiante
　　　i.　el quinto aniversario
　　　j.　la tercera señora/mujer

2.14　a.　cambiar el aceite
　　　b.　señalar
　　　c.　reparar / arreglar
　　　d.　doblar
　　　e.　parar
　　　f.　reducir la velocidad
　　　g.　aumentar la velocidad / acelerar
　　　h.　lavar
　　　i.　iluminar
　　　j.　dirigir

2.15   a.   el baúl
       b.   la ventanilla
       c.   la bocina / el claxon
       d.   la rueda
       e.   el motor
       f.   la llanta
       g.   el volante
       h.   los limpiaparabrisas
       i.   la luz
       j.   el intermitente
       k.   el parabrisas
       l.   el parachoques
       m.   los faros
       n.   los frenos
       o.   el cinturón de seguridad
       p.   la radio
       q.   el tanque
       r.   la cerradurra
       s.   la puerta

2.16   a.   el motor
       b.   la radio
       c.   los frenos
       d.   la luz
       e.   los intermitentes
       f.   la cerradurra
       g.   los faros
       h.   el acelerador
       i.   el cinturón de seguridad
       j.   los limpiaparabrisas

2.17   1.   c.   el volante
       2.   a.   la bocina
       3.   c.   la puerta
       4.   b.   el acelerador
       5.   a.   el tanque
       6.   a.   la luz
       7.   b.   el baúl
       8.   c.   el cinturón de seguridad
       9.   b.   los limpiaparabrisas
      10.   c.   los intermitentes

2.18   a.   Para mantener un coche, cambia el aceite con frecuencia.
       b.   Dobla a la derecha en la esquina próxima.
       c.   Abre el baúl, por favor.
       d.   Guía / Dirige el coche con el volante.
       e.   Es bueno conducir lentamente cuando hace mal tiempo.
       f.   Señala a la izquierda.
       g.   El cinturón de seguridad impide heridas graves.
       h.   Llena el tanque con gasolina, por favor.
       i.   El mecánico tiene que reparar los frenos. No paran / detienen el coche.
       j.   Los limpiaparabrisas no están quitando (no quitan) mucha agua del parabrisas.

There are no answer keys needed for Section Three.

SECTION FOUR

4.1

1.
a. *come*
b. *comió*
c. *comía*
d. *ha comido*
e. *había comido*
f. *está comiendo*
g. *comerá*
h. *comería*

2.
a. veo
b. vi
c. veía
d. he visto
e. había visto
f. estoy viendo
g. veré
h. vería

3.
a. vuelven
b. volvieron
c. volvían
d. han vuelto
e. habían vuelto
f. están volviendo
g. volverán
h. volverían

4.
a. hace
b. hizo
c. hacía
d. ha hecho
e. había hecho
f. está haciendo
g. hará
h. haría

5.
a. busco
b. busqué
c. buscaba
d. he buscado
e. había buscado
f. estoy buscando
g. buscaré
h. buscaría

6.
a. escribes
b. escribiste
c. escribías
d. has escrito
e. habías escrito
f. estás escribiendo
g. escribirás
h. escribirías

7.
a. comienzo
b. comencé
c. comenzaba
d. he comenzado
e. había comenzado
f. estoy comenzando
g. comenzaré
h. comenzaría

8.
a. tiene
b. tuvo
c. tenía
d. ha tenido
e. había tenido
f. está teniendo
g. tendrá
h. tendría

9.
a. soy
b. fui
c. era
d. he sido
e. había sido
f. estoy siendo
g. seré
h. sería

10.
a. vamos
b. fuimos
c. íbamos
d. hemos ido
e. habíamos ido
f. estamos yendo
g. iremos
h. iríamos

11.
a. sabe
b. supo
c. sabía
d. ha sabido
e. había sabido
f. está sabiendo
g. sabrá
h. sabría

12.
a. pueden
b. pudieron
c. podían
d. han podido
e. habían podido
f. están pudiendo
g. podrán
h. podrían

13.
a. digo
b. dije
c. decía
d. he dicho
e. había dicho
f. estoy diciendo
g. diré
h. diría

14.
a. pones
b. pusiste
c. ponías
d. has puesto
e. habías puesto
f. estás poniendo
g. pondrás
h. pondrías

15.
a. pago
b. pagué
c. pagaba
d. he pagado
e. había pagado
f. estoy pagando
g. pagaré
h. pagaría

16.
a. duerme
b. durmió
c. dormía
d. ha dormido
e. había dormido
f. está durmiendo
g. dormirá
h. dormiría

17.
a. conozco
b. conocí
c. conocía
d. he conocido
e. había conocido
f. estoy conociendo
g. conoceré
h. conocería

18.
a. estás
b. estuviste
c. estabas
d. has estado
e. habías estado
f. estás estando
g. estarás
h. estarías

19.
a. leen
b. leyeron
c. leían
d. han leído
e. habían leído
f. están leyendo
g. leerán
h. leerían

20.
a. vengo
b. vine
c. venía
d. he venido
e. había venido
f. estoy viniendo
g. vendré
h. vendría

21.
a. traemos
b. trajimos
c. traíamos
d. hemos traído
e. habíamos traído
f. estamos trayendo
g. traeremos
h. traeríamos

22.
a. se divierte
b. se divirtió
c. se divertía
d. se ha divertido
e. se había divertido
f. está divirtiéndose
g. se divertirá
h. se divertiría

23.
a. piden
b. pidieron
c. pedían
d. han pedido
e. habían pedido
f. están pidiendo
g. pedirán
h. pedirían

24.
a. conduzco
b. conduje
c. conducía
d. he conducido
e. había conducido
f. estoy conduciendo
g. conduciré
h. conduciría

25.
a. quieres
b. quisiste
c. querías
d. has querido
e. habías querido
f. estás queriendo
g. querrás
h. querrías

26.
a. doy
b. di
c. daba
d. he dado
e. había dado
f. estoy dando
g. daré
h. daría

27.
a. oyen
b. oyeron
c. oían
d. han oído
e. habían oído
f. están oyendo
g. oirán
h. oirían

SECTION FIVE

5.1 a. tarde
     b. más tarde
     c. anoche
     d. esta noche
     e. pronto
     f. más pronto
     g. primero
     h. pasada
     i. Entonces/Luego
     j. en ese momento
     k. después
     l. Ya no
     m. Todavía no
     n. ahora
     o. ahora mismo

5.2 1. b. still, yet
     2. a. before
     3. b. not yet
     4. c. the day before yesterday
     5. a. the day after tomorrow
     6. a. again
     7. b. the last time
     8. a. next
     9. b. no longer
     10. c. as soon as
     11. c. early
     12. a. then
     13. c. this very day
     14. c. last night
     15. b. sooner

5.3 1. h
     2. d
     3. f
     4. i
     5. a
     6. c
     7. g
     8. e
     9. j
     10. b

5.4 1. f
     2. c
     3. a
     4. g
     5. h
     6. b
     7. i
     8. j
     9. d
     10. e

5.5 1. e
     2. c
     3. h
     4. j
     5. f
     6. i
     7. a
     8. g
     9. d
     10. b

5.6 1. b. después
     2. c. temprano
     3. b. lo más pronto posible
     4. a. antes de
     5. c. tarde
     6. a. pasada

5.7 a. ahora (mismo)
     b. ayer
     c. por último
     d. con retraso
     e. mientras
     f. Ya no
     g. Hoy día
     h. anteayer
     i. anoche
     j. lo más pronto posible

5.8 a. I couldn't decide. Did I like the blue jacket or the red jacket more?

b. Finally, I bought the red (one).

5.9 a. the tall one (fem.)

b. a handsome one

c. a kind/nice one (fem.)

d. the fast one

e. the important ones

f. some dead ones

g. some smart/intelligent ones (fem.)

h. the older ones

5.10 a. La mujer puede ver a los jóvenes.

b. Pedí las finas.

c. Sus amigos resolvieron los difíciles.

d. Quieren comprar unos populares.

e. ¿No leíste una buena?

f. Esta tienda solamente vende los más elegantes.

g. ¿Quién dejó las rojas en la mesa?

h. Me dijo los mejores.

i. Rompí el pequeño.

j. Estaciona el nuevo en el garaje por la noche.

5.11 **Instructor:** Answers may vary. Sample answers are given.

a. Escoge la grande. No quiere la pequeña.

b. Quiere estar con las buenas (mejores). No escoge a las malas (peores).

c. Lleva la sucia. No prefiere las limpias.

d. Compra la más barata. Deja las más caras en el mostrador.

e. Compran el extraño (el raro). No quieren el normal.

f. Decidió colgar el pequeño. Va a colgar el grande más tarde.

g. Devuelve el roto. Necesita un nuevo.

h. Cubre la cama con la amarilla. Deja la azul al suelo.

5.12 a. I see a grey suit and a black suit. I buy the black one.

b. There are two ladies in the store. The older one helps me.

c. Why didn't you read the new one?

d. They don't prefer the small ones.

e. They get a perfect one.

f. I received some different ones for Christmas.

g. Someone parked a big one in front of my house.

h. Why didn't you give her the expensive one?

i. Who ate the fresh ones?

j. My son finishes the easy ones first.

5.13 a. No puedo ver a la rubia.

b. Lanza una rápida.

c. El azul es muy rápido.

d. Mi madre nunca compra los buenos.

e. Los inteligentes se quedaron en casa.

f. Deja los sucios en el baño.

g. Oigo una bonita.

h. Llevamos el pesado.

i. ¡Ésta es la peor!

j. ¿Y Uds. son los tranquilos/callados?

5.14 **OPTIONAL ACTIVITY: Adult check.** Listen for the student's mastery of vocabulary.

LISTENING EXERCISES V

Ex 1.
1. b. last night
2. c. very soon
3. c. after school
4. a. right now
5. b. not yet
6. b. early
7. c. the day before yesterday
8. a. the day after tomorrow
9. b. this very day
10. c. tonight

Ex 2.
a. cell phone
b. picture
c. gold watch
d. red bike
e. bad photo
f. preschooler, small child
g. big mushroom
h. short movie
i. vacuum cleaner
j. athlete

Ex 3.
1. b. I washed my hands.
2. a. riding the bus
3. b. Manolo
4. b. while the teacher teaches the lesson
5. b. first us, then my friend
6. a. tomorrow
7. b. you
8. b. no
9. a. as fast as we can
10. a. before we left

SECTION SIX

6.1   Answers will vary.
Finish the work.
Leave now.
Buy the apples.

6.2
a. Eat the sandwich!
b. Don't buy that hat!
c. Don't talk here!
d. Walk on the sidewalk!
e. Finish the assignment right now!
f. Don't look at me!
g. Turn off the lights!
h. Wait here, please.
i. Wear a jacket!
j. Return the book to the library!

6.3
a. no lleves, lleva, no te pongas, ponte
b. no
c. They look like *Ud.* forms.
d. They look like *tú* forms.
e. no
f. no lleves, lleva
g. ¡Canta!; Sing!
h. ¡No cantes!; Don't sing!

6.4
a. ¡Lee! / ¡No leas!; Read! / Don't read!
b. ¡Dobla! / ¡No dobles!; Turn! / Don't turn!
c. ¡Pide! / ¡No pidas!; Ask! / Don't ask!
d. ¡Abre! / ¡No abras!; Open! / Don't open!

6.5
a. -s
b. They seem to be opposites (flipped) compared to the affirmative. AR verbs end in -es; ER and IR verbs end in -as.

6.6
a. escribe; no escribas
b. vende; no vendas
c. habla; no hables
d. vive; no vivas
e. come; no comas
f. celebra; no celebres

6.7   yes

6.8   because you are working from the *yo* form of the present tense minus the -o ending

6.9
a. The *c* changes to *qu*.
b. the negative command
c. It is the only one needed because the endings must be reversed. *Saca* sounds fine the way it is, but once you invert the ending to *e* (getting sah-say) you change the sound of the *c*. You need *qu* to preserve the hard *ke* sound (sah-kay).
d. The *g* changes to *gu*.
e. In the negative form, the *z* changes to *c* before *e*.
f. It changes to keep the soft *g* sound of the infinitive.

6.10
a. paga; no pagues
b. marca; no marques
c. realiza; no realices

6.11   **Affirmative**
a. Drop; -s; *tú*
b. keep
Negative
a. *yo*; present; -es; -as
b. keep
c. *yo*; keep
d. -car, -gar, -zar; c–qu, g–gu, z–c
e. -ger, preserve the sound of the infinitive; g–j

6.12
a. Have!; ¡No tengas!
b. Leave!; ¡No salgas!
c. Put!; ¡No pongas!
d. Do! / Make!; ¡No hagas!
e. Come!; ¡No vengas!
f. Say! / Tell!; ¡No digas!

6.13
a. Buy!
b. Believe!
c. Eat!
d. Drink!
e. Describe!
f. Swim!
g. Don't work!
h. Don't bring!
i. Don't hide!
j. Don't write!

6.14
a. ¡Cree!
b. ¡Busca!
c. ¡Vuelve!
d. ¡Duerme!
e. ¡Corre!
f. ¡Llega!
g. ¡Brinda!
h. ¡Atrae!
i. ¡Descubre!
j. ¡Pide!

6.15
a. ¡No tengas!
b. ¡No salgas!
c. ¡No mires!
d. ¡No des!
e. ¡No juegues!
f. ¡No mueras!
g. ¡No pesques!
h. ¡No describas!
i. ¡No bendigas!
j. ¡No vuelvas!

6.16
a. toca, no toques
b. cuelga, no cuelgues
c. pide, no pidas
d. limpia, no limpies
e. pierde, no pierdas
f. quema, no quemes
g. conoce, no conozcas
h. oye, no oigas
i. conduce, no conduzcas
j. llora, no llores

6.17
Ad 1: lo, nos
Ad 2: te, te, te, te, te, te, te

6.18
a. after
b. an accent mark
c. when a pronoun is added to a one-syllable command; ponte
d. before the verb form

6.19
a. ponla
b. háblales
c. hazla
d. escúchala
e. márcalos
f. créelas
g. ofrécelo
h. páralo
i. recíbelo
j. dila

6.20
a. maquíllate
b. duérmete
c. acuéstate
d. mírate
e. ponte
f. vístete
g. diviértete
h. quítate
i. vete
j. hazte

6.21
a. the *yo* form
b. *-es, -as*
c. before
d. no

6.22
a. no las digas
b. no la leas
c. no las factures
d. no las saques
e. no lo traigas
f. no les cocines
g. no la abras
h. no lo repares
i. no lo menciones
j. no la mires

6.23　a.　no te bañes
　　　b.　no te aburras
　　　c.　no te vistas
　　　d.　no te despiertes
　　　e.　no te vayas
　　　f.　no te marches
　　　g.　no te preocupes
　　　h.　no te pruebes
　　　i.　no te acuestes
　　　j.　no te duermas

6.24　a.　Ábrela
　　　b.　Llévalas
　　　c.　Repítelo
　　　d.　Apágalas
　　　e.　Sácala
　　　f.　Ponlo
　　　g.　Devuélvelo
　　　h.　Ve
　　　i.　Hazla
　　　j.　Sírvelas

6.25　a.　ponlo
　　　b.　escúchala
　　　c.　te las acuestes
　　　d.　te laves
　　　e.　lávala
　　　f.　lo leas
　　　g.　la hagas
　　　h.　la estudies
　　　i.　cepíllatelos
　　　j.　bébela

6.26　a.　¡No los (las) laves!
　　　b.　¡No te quedes allí!
　　　c.　¡Sal a las seis!
　　　d.　¡Encuéntralos(las)!
　　　e.　¡No la escuches!
　　　f.　¡Apágalo(la)!
　　　g.　¡Vístete!
　　　h.　¡No lo (la) hagas!
　　　i.　¡No los (las) rompas!
　　　j.　¡Sé simpático(a)!

6.27　**Adult check.** Sample answers:
　　　a.　¡Llama al mecánico!
　　　b.　¡Haz una cita con el dentista!
　　　c.　¡Estudia dos horas cada día!
　　　d.　¡Cómprale una blusa bonita!
　　　e.　¡Lleva un lápiz y un cuaderno!
　　　f.　¡Sirve el pollo con papas!
　　　g.　¡Trabaja y ahorra dinero!
　　　h.　¡Contesta todas las preguntas!
　　　i.　¡Lleva un abrigo y guantes!
　　　j.　¡Pon la mesa y limpia la cocina!

6.28　a.　publique, publiquen
　　　b.　conduzca, conduzcan
　　　c.　crea, crean
　　　d.　limpie, limpien
　　　e.　pague, paguen
　　　f.　tenga, tengan
　　　g.　no salga, no salgan
　　　h.　no hable, no hablen
　　　i.　no cubra, no cubran
　　　j.　no pierda, no pierdan
　　　k.　no lea, no lean
　　　l.　no diga, no digan

6.29　a.　¡Acuéstense! ¡No se cansen!
　　　b.　¡Diviértase! ¡No se aburra!
　　　c.　¡Ayúdela! ¡No la pase!
　　　d.　¡Espérenlo! ¡No se vayan!
　　　e.　¡Ábrala! ¡No la cierre!
　　　f.　¡Cómanla! ¡No tengan hambre!
　　　g.　¡Mírese! ¡No se vista!
　　　h.　¡Márchense! ¡No se queden!
　　　i.　¡Llámela! ¡No se olvide!
　　　j.　¡Llévenlos! ¡No los dejen!

6.30　a.　¡Juega!
　　　b.　¡Preparen una comida para los parientes!
　　　c.　¡No se levanten temprano!
　　　d.　¡Pida un favor!
　　　e.　¡No le des la mano a Felipe!
　　　f.　¡No escojan ahora!
　　　g.　¡Maquíllese para ir al teatro!
　　　h.　¡Hagan mucha tarea!
　　　i.　¡Tenga cuidado!
　　　j.　¡No vuelva a las ocho!

6.31 **Adult check.** Answers may vary. Sample answers provided:

a. Vayan a la playa. No visiten la biblioteca.

b. Busca (Busque) un trabajo. No robes (robe) un banco.

c. Haz (Haga) ejercicio. No comas (coma) demasiado.

d. Ayúdalo (Ayúdelo). No escribas (escriba) la tarea para él.

e. Cómprenles un regalo. No olviden su aniversario.

f. Lleven un paraguas. No caminen ahora.

g. Practica (Practique) más. No seas (sea) perezoso(a).

h. Viaja (Viaje) a España. No pases (pase) tanto tiempo mirando la televisión.

i. Habla (Hable) con él. No te preocupes (se preocupe).

j. Escriban artículos para el periódico. No se desilusionen.

6.32 Crossword puzzle:

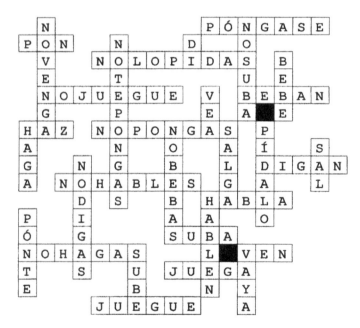

LISTENING EXERCISES VI

Ex 1.
1. b. ¡no juegues!
2. c. ¡márchate!
3. b. ¡decidan!
4. a. ¡no oiga!
5. c. ¡lee!
6. b. ¡dibuje!
7. c. ¡no espere!
8. a. ¡no vean!
9. a. ¡no tengas!
10. c. ¡haga!

Ex 2.
a. Estúdiala
b. Déselo
c. Cúbranlo
d. No salga
e. No digan
f. Acuéstate
g. Limpie
h. Póngase
i. No estén
j. Vaya

Ex 3.

Dialogue #1
1. a. a father and son
2. b. outdoors
3. c. gardening

Dialogue #2
1. b. a boss to an employee
2. b. in a business office
3. b. secretarial work

Dialogue #3
1. a. a family of travelers
2. c. at the check-in/baggage counter
3. a. 8:45

Dialogue #4
1. a. a doctor's office
2. b. the doctor
3. c. the pharmacy

Dialogue #5
1. b. a young person and a group of friends
2. a. to make plans for the evening
3. b. 7:30

SECTION ONE

1.1 **Instructor:** Allow students to look up the rules from Unit Nine. It would be a good idea to do the first one or two questions with the class before allowing your students to complete this. Leave the class's answers on the board while your students work.

	Tú	**Ud.**
a.	lee	lea
b.	busca	busque
c.	ve	vaya
d.	comienza	comience
e.	haz	haga
f.	mira	mire
g.	escribe	escriba
h.	sé	sea
i.	paga	pague
j.	da	dé

1.2

	Tú	**Ud.**
a.	no leas	no lea
b.	no busques	no busque
c.	no vayas	no vaya
d.	no comiences	no comience
e.	no hagas	no haga
f.	no mires	no mire
g.	no escribas	no escriba
h.	no seas	no sea
i.	no pagues	no pague
j.	no des	no dé

1.3 **Instructor:** With your students review and list which actions are depicted by the illustrations. The pictures are open to interpretation, so perhaps your students will think of a different reflexive action than the suggestions given here. Ask your students to recall the rules of pronoun placement (in front of negatives, attached to affirmative commands, and the addition of necessary accents) and list those on the board. It's better that they write a correct answer with some help than practice a wrong one.

a. ¡Aféitate! ¡No te afeites!
b. ¡Despídete! ¡No te despidas!
c. ¡Maquíllate! ¡No te maquilles!
d. ¡Despiértate! ¡No te despiertes!
e. ¡Cásate! ¡No te cases!
f. ¡Mejórate! ¡No te mejores!
f. ¡Dúchate! ¡No te duches!
h. ¡Quítate el suéter! ¡No te quites el suéter!

1.4 **Adult check.** Sample answers given:
a. ¡Duerme! ¡Descansa! ¡No salgas!
b. ¡Trabaje! ¡Pídalo a sus padres!
c. ¡Devuélvela a la tienda! ¡Arréglala!
d. ¡Vísta(n)se! ¡Vaya(n) a clase!
e. ¡Límpiala!
f. ¡Toma aspirina! ¡Acuéstate!
g. ¡Lea un libro! ¡Vaya al cine!
h. ¡Visita al médico! ¡Toma la medicina!
i. ¡Pídala(lo)! ¡Llámela(lo)!
j. ¡Pon la mesa! ¡Siéntate!

1.5 **Instructor:** Encourage your students to do as many as possible without the list first. That way they are practicing what is already in their memories. Then allow them to refer to the previous list.
a. hoy día, ahora mismo, ahora
b. aún
c. anteayer
d. tarde, con retraso
e. pronto, ahora mismo
f. el pasado
g. anoche
h. último
i. el primero
j. esta noche

1.6 a. último
b. temprano
c. después
d. ya no, todavía no
e. mañana, ayer

f. esta noche

g. todavía, aún

h. tarde

i. más tarde

j. mediodía

1.7 1. b. antes de

2. b. más tarde

3. a. Hoy

4. c. Esta noche

5. c. anoche

6. a. última

7. c. pronto

8. b. Entonces

9. a. Ya

10. c. hoy

1.8 a. lo más pronto posible

b. Entonces; la última vez

c. Después de

d. más tarde; esta noche

e. más pronto

f. en ese momento

g. La semana pasada

h. tan pronto como

i. Después de que

j. después

SECTION TWO

Instructor: Have your students read these vocabulary sections out loud in class. Choose one student to read the questions for each group of vocabulary. Have other students take turns reading the responses.

2.1 **Adult check.** Suggested answers:

a. He was in a car wreck.

b. He broke his leg and cut his forehead.

c. in the hospital emergency room

d. by ambulance

e. a doctor

f. He had an X-ray and they gave him stitches in his forehead. They put a cast on his leg for six weeks.

g. They gave him crutches.

h. He has to rest and stay in bed for a week. He has to walk with crutches.

i. He's in a lot of pain.

2.2 **Adult check.** Suggested answers:

a. She fell down the stairs.

b. She twisted her ankle. It's swollen and bruised.

c. No, she saw the doctor in her office.

d. She is wearing a bandage and has to be careful when walking.

2.3 **Adult check.** Suggested answers:

a. He has a fever and a headache; he is coughing and sneezing constantly. He is also nauseous and wants to vomit all the time.

b. He went to a clinic.

c. a nurse and a doctor

d. They took his temperature and his pulse. They listened to him breathe with a stethoscope.

e. nausea, vomiting, fever, headache, coughing, sneezing

f. antibiotics and cough syrup

g. stay in bed until he's better

2.4 **Adult check. Instructor:** Review the list with your students when they're done.

1. la herida – the wound, injury

2. torcerse – to twist, turn, sprain

3. el tobillo – the ankle

4. la muñeca – the wrist

5. la contusión – the bruise

6. caerse – to fall down
7. el corte – the cut
8. profundo – deep
9. la enfermedad – the illness
10. la pulmonía – the pneumonia
11. la bronquitis – the bronchitis
12. el resfriado – the cold, illness
13. la gripe – the flu, influenza
14. el síntoma – the symptom
15. hinchado – swollen
16. me duele – it hurts me
17. la fiebre – the fever
18. estornudar – to sneeze
19. toser – to cough
20. vomitar – to throw up, vomit
21. las náuseas – the nausea
22. el diagnóstico – the diagnosis
23. el reconocimiento – the (medical) examination
24. examinar – to examine
25. el (la) médico(a) – the doctor
26. el (la) enfermero(a) – the nurse
27. el hospital – the hospital
28. la clínica – the clinic
29. tomarle la temperatura – to take (someone's) temperature
30. el termómetro – the thermometer
31. tomarle el pulso – to take (someone's) pulse
32. el estetoscopio – the stethoscope
33. hacerse una radiografía – to take an X-ray
34. la ambulancia – the ambulance
35. darle puntos a – to give stitches to (someone)
36. el consultorio – the doctor's office
37. la cura – the cure, medical treatment
38. las muletas – the crutches
39. la venda – the (ace) bandage
40. la curita – the band-aid
41. el yeso – the cast
42. enyesar – to put on a plaster cast
43. vendar – to bandage
44. descansar – to rest
45. guardar cama – to stay in bed
46. la aspirina – the aspirin
47. el antibiótico – the antibiotic

48. la pastilla – the pill
49. recuperarse – to recuperate, recover
50. recetar – to prescribe
51. la receta – the prescription
52. el pañuelo de papel – the tissue, kleenex
53. el jarabe para la tos – the cough syrup
54. los deseos – the wishes, desires
55. ¡Que se (te) mejore(s) pronto! – Hope (May) you get better soon!
56. ¡Que se (te) recupere(s)! – Hope (May) you get well soon!
57. ¡Pobrecito! – Poor thing!
58. ¡Qué lástima! – What a shame/pity!
59. ¡Que se (te) sienta(s) mejor pronto! – Hope (May) you feel better soon!

OPTIONAL ACTIVITY A. Adult check. Check flashcards for accuracy.

2.5 a. El (La) enfermero(a)
     fiebre
     la temperatura
   b. una curita
     corte
   c. El (La) médico(a)
     dar veintiocho puntos
     corte profundo
   d. El (La) médico(a)
     examinarte
     consultorio
   e. una contusión
     el tobillo
   f. estornudar
     pañuelo de papel
   g. los síntomas
     la pulmonía
   h. médico(a)
     la clínica
   i. La radiografía
     te fracturaste (te rompiste) el brazo
   j. se torció el tobillo
     muletas

2.6　a.　me gusta

　　　b.　me gustan

　　　c.　la cabeza

　　　d.　My legs hurt (me).

　　　e.　las piernas

　　　f.　*Las piernas* is plural/more than one, needs the *ellos* form.

2.7　1.　a.　Me duele la cabeza.

　　　　　b.　No me duele la cabeza.

　　　　　c.　Le duele la cabeza.

　　　2.　a.　Me duelen los pies.

　　　　　b.　¿Te duelen los pies?

　　　　　c.　Le duelen los pies.

　　　3.　a.　¿Qué te duele?

　　　　　b.　¿Qué nos duele?

　　　　　c.　¿Qué les duele?

　　　4.　a.　No me duele la garganta.

　　　　　b.　Me duele la garganta.

　　　　　c.　A María le duele la garganta.

　　　5.　a.　Me duelen los dedos.

　　　　　b.　¿Le duelen los dedos?

　　　　　c.　No me duelen los dedos.

2.8　　Crossword puzzle:

2.9　a.　una enfermedad

　　　b.　una herida

　　　c.　una herida

　　　d.　una cura

　　　e.　una herida

　　　f.　una enfermedad

　　　g.　una cura

　　　h.　una cura

　　　i.　un síntoma

　　　j.　un síntoma

2.10　a.　Necesitas aspirina (dormir, descansar).

　　　b.　Debe llevar una curita.

　　　c.　Tomas el jarabe para la tos.

　　　d.　Debe descansar (llevar una venda).

　　　e.　Necesitas visitar al médico.

　　　f.　Mi hermano tiene que ir a la sala de emergencias (al hospital).

　　　g.　Uso un pañuelo de papel.

　　　h.　Timoteo se quedará en el hospital.

　　　i.　Necesita muletas.

　　　j.　La médica me toma la temperatura.

2.11　1.　b.　la bronquitis

　　　2.　c.　descansar

　　　3.　c.　al consultorio

　　　4.　a.　guardar cama

　　　5.　a.　me caí

　　　6.　c.　para mejorarse

　　　7.　a.　ciento un grados

　　　8.　b.　treinta y dos

　　　9.　b.　una enfermedad

　　　10.　c.　un choque

2.12　a.　el estetoscopio, auscultar

　　　b.　estornudar, un pañuelo de papel

　　　c.　caerse

　　　d.　los pañuelos de papel

　　　e.　las muletas, la pierna rota

　　　f.　tomarle la tensión arterial

　　　g.　el jarabe para la tos

　　　h.　una curita

　　　i.　un yeso, enyesar, la pierna fracturada/rota

　　　j.　las náuseas, vomitar

k. los antibióticos, la medicina, la receta, las pastillas

l. una receta, recetar

m. una enfermera, tomarle la tensión arterial

n. una venda, vendar

o. una ambulancia

b. Toso mucho y me duele el pecho.

c. No puedo caminar. Me duele mucho la pierna.

d. Estoy enfermo. Tengo que ir al cuarto de baño inmediatamente.

e. ¡Que te sientas mejor pronto!

2.13 a. un estetoscopio

b. un termómetro

c. una receta

d. muletas

e. una curita

f. el jarabe

g. una venda

h. una enfermera

i. antibióticos

j. una ambulancia

2.14 **Adult check. Instructor:** If the student insists he/she has never been hurt or ill, suggest that he/she write about a family member or friend.

Answers will vary. Sample composition: En mayo me caí en la escuela. Me fracturé la pierna. Me dolía mucho. Mi madre me llevó a la sala de emergencias. Me hicieron una radiografía. Me tomaron la tensión arterial. Me pusieron un yeso. Tomé mucha aspirina. Guardé cama durante una semana. Usé muletas. La médica me quitó el yeso.

OPTIONAL ACTIVITY B. Adult check. Answers will vary.

2.15 **Instructor:** Have a few students respond differently to each situation. Choose them randomly. Don't give them any time to write answers down first. Encourage complete sentences, but accept any appropriate response.

Adult check. Answers will vary. Sample answers:

a. Tiene la gripe.

LISTENING EXERCISES II

Ex 1. 1. h

2. a

3. j

4. d

5. g

6. b

7. f

8. c

9. e

10. i

Ex 2. 1. a. Te la fracturaste.

2. c. Sufres de la gripe.

3. c. No te preocupes. Te lo torciste.

4. b. Guarda cama.

5. a. ¿Te cortaste?

6. c. Tienes bronquitis.

7. b. Sigue esta receta.

8. b. Le pongo una venda.

9. a. Por favor, siéntese.

10. c. Necesitas antibióticos.

Ex 3. Answers will vary. Sample answers:

a. Tiene la gripe. Descanse.

b. Lleve una venda.

c. Duerma más. Tome la aspirina.

d. Necesita un yeso.

e. Tome jarabe para la tos.

f. Tienes la bronquitis (la pulmonía). Quédate en el hospital.

g. Vaya a la clínica. Visite a la enfermera.

h. Aquí están muletas. Descanse más.

i. Tome antibióticos. Use pañuelos de papel.

j. ¡Vaya al hospital! ¡Póngase una venda!

SECTION THREE

3.1 **Instructor:** You may get better results if you complete these orally with your student(s). Remember, there are other relative pronouns such as *when, that, which,* and *whose.* Work out the best-sounding sentences together. List your results on the board for your student(s) to copy.

Suggested answers:

a. My sister took the cookie that was on the table.

b. We saw the movie that played Saturday night.

c. I can't see the bald man that you are talking about.

d. Alonso, who is sixteen years old, just bought an automobile.

e. My mom bought the gold shoes, which she had to return the next day.

f. Betty's cousin, who has pneumonia, is in the hospital.

g. Here is a prescription for antibiotics that will help make you feel better.

h. Oven cleaner is a caustic chemical that burns the skin.

i. Consuelo is a friend whom/that I made a birthday cake for.

j. Mr. Allen, who is a retired dentist, spends winters in Cancún.

3.2 a. that pays very well
b. which is brand-new
c. who is working late at the supermarket

3.3 a. restrictive, that her mother had worn forty years ago
b. restrictive, that went off at six o'clock
c. restrictive, that was very elegant
d. restrictive, that her mother had made for her
e. none
f. nonrestrictive, whose parents are college professors

g. none
h. restrictive, that is low in cholesterol
i. restrictive, that's on the corner
j. none

Instructor: What follows is not a complete list of every relative pronoun in the Spanish language. That would be a very cumbersome lesson. The author has chosen to review very commonly-used relative pronouns for this level of study.

3.4 a. Rompí el vaso que te gusta mucho.
I broke the glass that you really like.

b. Me mostrará el anillo que cuesta ochocientos dólares.
He/She will show me the ring that costs eight hundred dollars.

c. Obtenemos el puesto que necesitamos muchísimo.
We get the job that we really need (a lot).

d. Perdiste la foto que te di.
You lost the picture that I gave you.

e. ¿Publicó esas mentiras que dijo ella?
Did he publish those lies that she told?

f. Conocemos a una secretaria que habla francés y español.
We know a secretary who speaks French and Spanish.

3.5 a. ¿Quién es ese hombre a quien hablabas?
b. Los amigos, con quienes voy a la fiesta, traen los refrescos.
c. No estoy seguro con quien llegaron los niños.
d. Almorcé con el Sr. Balnear, con quien trabajaba.
e. Marcos es el hombre de quien les hablé.
f. La señora con quien yo discutía era mi jefa.

3.6   a. quien
      b. que
      c. que
      d. quien
      e. que
      f. que
      g. que
      h. que
      i. que
      j. que

3.7   **Adult check.** Suggested answers:
      a. la casa
      b. cuartos
      c. *Cuyo* agrees with the masculine noun *jardín*.

3.8   a. Carlitos, cuyo avión llega tarde, espera en la cafetería.
      b. Mi madre, cuya oficina está en nuestra casa, es contadora.
      c. Conozco a la mujer cuyo número de teléfono tiene(s).
      d. El (La) estudiante cuyas tareas están aquí necesita recogerlas.
      e. Ese autor, cuyos libros son famosos, dio (presentó) una entrevista en la televisión.

3.9   a. ¿De quién es el almuerzo que tomaste ayer?
      b. ¿Sabes de quién es esta revista?
      c. ¿De quién es el coche que conduce?
      d. ¿De quién son las luces que están apagadas?
      e. ¿De quién es esa radio?

3.10   a. lo que
         que
      b. que
         lo que
      c. que
         lo que
      d. que
         lo que

3.11   a. No sé lo que quieres. Dime lo que quieres.
      b. Lo que quiero es encontrar un buen puesto.
      c. ¿Qué compraste?
      d. Compré el cereal que recomendaste.
      e. Dime todo lo que compraste.

3.12   a. They connect two related ideas or clauses.
      b. restrictive and nonrestrictive
      c. A restrictive clause specifically identifies a noun.
      d. A nonrestrictive clause refers to an understood entity.
      e. *que:* that, who, which
      f. *quien:* who(m), that
      g. *cuyo(a)(s):* whose
      h. *lo que:* that which, what
      i. *quien*

3.13   a. que
      b. que
      c. para quienes
      d. Qué
      e. todo lo que
      f. De quién
      g. con quien
      h. que
      i. cuyos
      j. lo que
      k. De quién(es)
      l. Quién
      m. cuya

LISTENING EXERCISES III

Ex 1. a. Nonrestrictive
b. Restrictive
c. Restrictive
d. Nonrestrictive
e. Nonrestrictive
f. Nonrestrictive
g. Restrictive
h. Restrictive
i. Restrictive
j. Nonrestrictive

Ex 2. 1. c. la oficina
2. b. los pobres
3. a. el amigo
4. a. Rosa y Anita
5. c. los zapatos
6. b. las galletas
7. a. las verduras
8. a. la mujer
9. a. mi madre
10. c. la estación

SECTION FOUR

4.1   You "flip" or switch the verb endings: *a* to *e* and *e* to *a*.

4.2   1.   a.   cambie
        b.   cambies
        c.   cambie
        d.   cambiemos
        e.   cambien
       2.   a.   comprenda
        b.   comprendas
        c.   comprenda
        d.   comprendamos
        e.   comprendan
       3.   a.   suba
        b.   subas
        c.   suba
        d.   subamos
        e.   suban

4.3   a.   visites
       b.   limpien
       c.   vivas
       d.   venda
       e.   escriba
       f.   se burlen de
       g.   comprendamos
       h.   se casen
       i.   abras
       j.   se maquille

4.4   *e-ie*

4.5   **Instructor:** It would be helpful to complete these forms with your student(s). Copy this chart onto the board. Start by writing just the appropriate stem in each square of the chart, and direct your student(s) to do the same. Complete the forms one by one, referring to the opening examples of this lesson for the verb endings. Once you and the class have completed the forms, draw a "shoe" around the stem-changing forms. Leave your sample on the board to remind your students of the spelling pattern and verb endings.

a.   entienda
b.   entiendas
c.   entienda
d.   entendamos
e.   entiendan

4.6   **Adult check.** Sample answers given:
a.   volver
b.   perder
c.   querer
d.   poder
e.   mover

4.7   **Instructor:** Proceed in the same manner with this infinitive as you did before.
a.   encuentre
b.   encuentres
c.   encuentre
d.   encontremos
e.   encuentren

4.8   **Adult check.** Answers will vary. Sample answers:
a.   jugar
b.   probar
c.   mostrar
d.   despertar
e.   rogar

4.9   a.   The *nosotros* and *vosotros* forms also have a spelling change. The *o* has changed to *u* in the *nosotros* and *vosotros* forms.
       b.   in the *él / ella / Ud.* and the *ellos / ellas / Uds.* forms of the preterit tense

4.10   **Instructor:** It may help your students for you once again to complete this chart with them.
a.   muera
b.   mueras
c.   muera
d.   muramos
e.   mueran

4.11   *Encontrar* is an *-ar* infinitive. The change in the *nosotros* and *vosotros* forms of the subjunctive applies to *-ir* verbs only.

4.12   **Instructor:** The spelling change may not be readily apparent. Ask your students to focus on the *nosotros* and *vosotros* forms.
- a. All the forms have changed *e-i*; the *nosotros* and *vosotros* forms have changed in the same way as the rest.
- b. The *e* of the *nosotros* and *vosotros* forms changes to *i* for verbs like this.

4.13   **Instructor:** If your students are feeling rather frustrated about remembering all the details, try having them fill in the *yo, tú, él/ella/Ud.*, and *ellos/ellas/Uds.* forms first; then complete the *nosotros* form afterward. That way, students have to think about only one spelling change at a time.
- a. me divierta
- b. te diviertas
- c. se divierta
- d. nos divirtamos
- e. se diviertan

4.14   **Instructor:** If your students have difficulty remembering the reason behind the spelling changes, illustrate what happens if the *u* is missing. Do not ask your student(s) to copy or create the improperly spelled forms. If the forms are spelled without the *u* (*page*), they are pronounced PAH-hay, which does not sound like the infinitive. The addition of the *u* changes the sound of the *g* to a hard sound, and you get PAH-gay.
- a. The letter *u* is added.
- b. The *u* is added to preserve the sound of the infinitive, to keep the hard *g* sound.

4.15
- a. juegue
- b. juegues
- c. juegue
- d. juguemos
- e. jueguen

4.16   **Instructor:** If your student(s) can't remember the answers to the following two questions, direct them to look back to the lessons on the preterit or the imperative. Make sure your students have the correct answers to these questions BEFORE they continue.
- a. The *z* changes to *c*.
- b. The *c* changes to *qu*.
- c. The *g* changes to *j*.

4.17
1.
- a. rece
- b. reces
- c. reces
- d. recemos
- e. recen

2.
- a. me choque
- b. te choques
- c. se choque
- d. nos choquemos
- e. se choquen

3.
- a. escoja
- b. escojas
- c. escoja
- d. escojamos
- e. escojan

4.18

	Yo	Nosotros
a.	busque	busquemos
b.	trague	traguemos
c.	empiece	empecemos
d.	pague	paguemos
e.	escoja	escojamos
f.	niegue	neguemos
g.	ruegue	roguemos
h.	toque	toquemos
i.	pratique	pratiquemos
j.	llegue	lleguemos

4.19 a. They are switched, or flipped, from the present indicative tense.
    b. 1. Work off the *yo* stem of the present tense.
        2. Switch, or flip, the verb form endings.
        3. Make any necessary stem or spelling changes.

4.20 **Instructor:** Most students will see where this is going and write the forms out in their entirety. This is fine, as long as you check that ALL the forms are spelled correctly in the end.
Your students' work should look like this:
    a. tenga
    b. tengas
    c. tenga
    d. tengamos
    e. tengan

4.21 **Instructor:** You and/or your student(s) may wish to compile this list together. Sample list provided:
    a. venir – vengo
    b. salir – salgo
    c. traer – traigo
    d. poner – pongo
    e. conocer – conozco
    f. torcer – tuerzo
    g. escoger – escojo
    h. hacer – hago
    i. conducir – conduzco
    j. traducir – traduzco

4.22

	Yo	**Uds.**
a.	ponga	pongan
b.	diga	digan
c.	traiga	traigan
d.	salga	salgan
e.	escoja	escojan
f.	conduzca	conduzcan
g.	haga	hagan
h.	aparezca	aparezcan
i.	tuerza	tuerzan
j.	caiga	caigan

4.23 a. vayan
    b. sepa
    c. estén
    d. dé
    e. sepamos
    f. sean
    g. seas
    h. vayas
    i. estemos
    j. sea
    k. vaya
    l. sepas
    m. esté
    n. sea
    o. vayamos

4.24 a. Mi amigo prefiere que vayamos al cine el sábado.
    b. Mi hermana prefiere que yo no sea impaciente con ella.
    c. El jefe prefiere que los empleados no vayan a casa temprano.
    d. Yo prefiero que mi hija vea una película interesante.
    e. Nosotros preferimos que los jóvenes estén juntos para la cena.
    f. Los padres prefieren que su hijo se dé cuenta del valor de la educación.
    g. Tu abuela prefiere que sepas la genealogía de la familia.
    h. Papá prefiere que yo le dé cinco dólares a mi hermano.
    i. Los profesores prefieren que seamos estudiosos.
    j. La Sra. de Burgos prefiere que su esposo sepa la fecha del aniversario.

OPTIONAL ACTIVITY C. Answers will vary.

LISTENING EXERCISES IV

Ex 1. a.   pidas
      b.   tenga
      c.   digan
      d.   vayas
      e.   sepa
      f.   duerma
      g.   haga
      h.   se sienta
      i.   demos
      j.   conduzca

Ex 2. a.   practique
      b.   vea
      c.   se divierta
      d.   comience
      e.   escriba
      f.   venga
      g.   sea
      h.   vaya
      i.   dé
      j.   pague

Ex 3. 1.   c.   I prefer that you come at 8:00.
      2.   a.   We hope she plays well.
      3.   c.   It's important that they go to the doctor's office.
      4.   b.   I don't believe that you're telling the truth.
      5.   b.   It's good that you're cooking a good dinner.
      6.   c.   We wish you would return our key.
      7.   a.   You're irritated that he's making so much noise.
      8.   b.   I doubt that he can do it.
      9.   b.   You beg them to clean the room.
     10.   a.   I'm happy they don't have a fever now.

SECTION FIVE

5.1   a.   exige; hagan
      b.   Es; comprendas
      c.   desean; esté
      d.   está; se case
      e.   pido; asista
      f.   dudan; traiga
      g.   no creen; tenga
      h.   espero; puedan
      i.   se pone; diga
      j.   Es; escribas

      f.   I
          S
      g.   S
          I
      h.   I
          S
      i.   I
          S
      j.   S
          I

5.2   a.   *Es importante que haga los ejercicios.*
      b.   Me gusta que visiten el domingo.
      c.   Siento que estés enfermo.
      d.   Queremos que participen en la clase de inglés.
      e.   Es dudoso que veamos el avión pronto.
      f.   Es necesario que llene la solicitud.
      g.   Niegan que vayan al cine por la noche.
      h.   Prefiere que se quiten los zapatos.
      i.   No se permite que lo pongas allí.
      j.   Es bueno que le cuide bien.

5.3   **Instructor:** Complete this with your student(s). Write the responses on the board.
      a.   You prefer Beto not to talk anymore.
      b.   It's important (that) you don't spend too much money today.
      c.   I'm happy (that) you are thinking about returning early.
      d.   I need you to go to the store now.
      e.   We hope (that) she feels better soon.

5.4   a.   I
          S
      b.   I
          S
      c.   S
          I
      d.   I
          S
      e.   S
          I

5.5   a.   Esperamos que ella ayude.
          Esperan que yo ayude.
      b.   Dudas que yo pueda aguantarlo.
          Uds. dudan que ellos puedan aguantarlo.
      c.   Prefiero que mi novio no se vista de tal manera.
          Prefieren que su nieta no se vista de tal manera.
      d.   Le pedimos a Ud. que se calle.
          Les pides (a ellos) que se callen.
      e.   No permiten que yo fume.
          No permitimos que fumen.
      f.   Ella le aconseja que mire ese programa.
          Mis amigos nos aconsejan que miremos ese programa.
      g.   Queremos que se pare.
          Ella quiere que me pare.
      h.   Estamos tristes que llueva.
          Están tristes que llueva.

5.6   a.   Estoy contenta de
      b.   my happiness
      c.   The main clause expresses an emotion (irritated). The sentence is about how the heat made you feel, not the heat itself. Because it discussed your feelings about the heat, the "heat" part needs to be expressed in the subjunctive.

5.7 a. estudie
 b. conduzca
 c. corte
 d. estén
 e. terminen
 f. se caiga
 g. haga
 h. nos mudemos
 i. estés
 j. se porten

5.8 a. Manolo quiere que la profesora lo ayude con la tarea.
 b. Mamá quiere que limpiemos la cocina.
 c. El bebé quiere que alguien le dé leche.
 d. La policía no quiere que el ladrón se escape.
 e. Yo quiero que Mamá devuelva el libro.

5.9 **Adult check.** Answers will vary.
 1. a. Quiere que sus padres le den una bicicleta.
  b. Quiere que sus abuelos le den un cheque.
  c. Quiere que su primo le dé una cámara.
  d. Quiere que su tío le dé discos.
  e. Quiere que Ana le dé un suéter.
 2. a. Espera que Mariana le dé un regalo.
  b. Espera que sus profesores le den buenas notas.
  c. Espera que sus padres estén contentos.
  d. Espera que su hermano no tenga celos.
  e. Espera que los niños se porten bien.
 3. a. Quiere que la recepcionista le diga «Buenos días».
  b. Quiere que Tomás y él trabajen juntos.
  c. Quiere que su jefe le dé un escritorio grande.
  d. Quiere que sus padres le regalen un traje nuevo.
  e. Quiere que su hermana venga a almorzar con él.

5.10 a. *Sugiero que Carlos conduzca lentamente.*
 b. Le pido que vaya a la reunión.
 c. Le aconseja que ella diga la verdad a su mamá.
 d. Le recomiendo que vaya al médico (que tome aspirina).
 e. Le sugiero que compre pantalones nuevos.
 f. Le pido que ella llame a sus amigos.
 g. Le sugiero que vaya a la clínica (que haga una cita con el doctor).
 h. Le aconsejo que obtenga un trabajo.
 i. Le sugiero que pidamos ayuda en la gasolinera.
 j. Le pido que practique más.

5.11 a. You doubt that he'll come on time.
 b. You don't doubt that he'll come on time.
 c. no
 d. because you don't doubt
 e. *No dudas* isn't doubting. If you don't doubt it, you don't need the subjunctive.

5.12 a. I
 b. S
 c. S
 d. S
 e. S
 f. I
 g. I
 h. S
 i. S
 j. S

5.13 a. *duda que puedan oírnos*
 b. niego que salgan pronto
 c. no creen que venga aquí
 d. no crees que sea mejor
 e. niega que se vista mal
 f. duda que funcione bien
 g. no creen que yo lo sienta
 h. no está segura de que terminemos los estudios este año
 i. no cree que te gradúes
 j. no es cierto que nieve pronto

5.14 a. Es importante ser cortés.
Es importante que los jóvenes sean corteses.

b. ¿Es necesario que yo haga una maleta?
¿Es necesario hacer una maleta?

c. No es bueno que salgamos mal en la clase.
No es bueno salir mal en la clase.

d. Es imposible que Nicolás salga a las cinco.
Es imposible salir a las cinco.

e. No es necesario tomar antibióticos para la gripe.
No es necesario que tu niño tome antibióticos para la gripe.

5.15 **Adult check.** Answers will vary.
Sample answers:

a. Es bueno que el chico ayude a la anciana.
b. Es malo que no siga las reglas.
c. Es importante que se gradúe.
d. No es importante que sea rica.
e. Es preciso que tengan cuidado.
f. Es bueno que ahorre dinero.
g. Es bueno que se casen.
h. Es malo que conduzca demasiado rápidamente.
i. Es malo que tenga una pierna rota.
j. Es necesario que tenga una entrevista buena.

LISTENING EXERCISES V

Ex 1
1. b. pueda levantar cien kilos.
2. a. tengan cuidado.
3. a. portarse bien.
4. b. el coche funcione bien.
5. c. estés resfriado.
6. a. tu papá conduce.
7. c. vaya con ellos.
8. b. está sentado se llama Raúl.
9. b. mi esposo obtenga un puesto nuevo.
10. b. no es verdad.

Ex 2 Answers will vary. Check for a similar meaning to the simple answers provided if the student's are different.

1. I want Robert to visit me tomorrow.
2. He doesn't want me to leave.
3. We prefer that you don't speak to Pedro any more.
4. It's good that you are buying this gift for your mother.
5. You don't want me to be sick.
6. They don't let/allow/permit her to go to the concert.
7. It's important that you drive slowly here.
8. I advise you to take the bus.
9. I recommend that she tell her parents the truth.
10. Let's hope/I hope that they all arrive soon.

SECTION SIX

Cultural Investigation

Adult check. Instructor: Decide whether your student(s) should write this research project in outline form, as it has been assigned, or in essay form. The website cited in the final section of the project contains nearly all the information needed to complete this project. It is worthwhile, however, to require the student(s) to use many different sources, including books. For those of you who do not have Internet access at home, this project may be researched in your local library.

Instructor: *Rand McNally's World Almanac* is a good example of an almanac.

SELF TEST KEYS

SELF TEST 1

1.01 1. a. como
2. c. comemos
3. e. comes
4. b. come
5. d. comen

6. j. trabajan
7. g. trabajas
8. h. trabajo
9. f. trabaja
10. i. trabajamos

11. m. vives
12. l. vivimos
13. n. vive
14. o. vivo
15. k. viven

1.02 a. escoge
b. gana
c. subes
d. abrimos
e. sudo
f. vende
g. cubren
h. salimos
i. chiflan
j. hacen

1.03 a. nosotros cantamos
b. yo vendo
c. él sube
d. ellos / ellas corren
e. tú cantas / Ud. canta
f. él lleva
g. Uds. pasan
h. yo describo
i. tú hablas / Ud. habla
j. ella hace

SELF TEST 2

2.01 a. seguir; despertar; perder
b. almorzar; repetir
c. dormir
d. sentir; pedir; poder
e. fregar

2.02 Answers may vary, depending on the verbs chosen. Examples:
a. pedir; pides; pedimos
b. almorzar; almuerzas; almorzamos
c. preferir; prefieres; preferimos

2.03 Answers may vary. Examples:
a. cantar; cantas; cantamos
b. comprender; comprendes; comprendemos
c. escribir; escribes; escribimos

2.04 a. defienden

b. trabajamos
c. sirves
d. traes
e. almuerza
f. pierden
g. repito
h. leen
i. duermo
j. abre

2.05 Answers may vary. Sample composition: Yo desayuno por la mañana. Mi padre sale de la casa a las ocho. Mi madre trabaja en una oficina. Asisto a la escuela con mis hermanas. Jugamos al tenis. Mi hermana no juega bien. Mi padre no come el desayuno. Mis hermanas preparan la cena por la noche. No comemos carne. No miramos la televisión.

2.06   a.   He/She sleeps / You sleep poorly.

b.   You cannot study at a party.

c.   They / You all lose two hats.

d.   We describe the picture/photo.

e.   I open the door for Elena.

f.   Almorzamos en el parque.

g.   Ellos/Ellas viven en la ciudad.

h.   Yo trabajo en una oficina.

i.   Tú juegas al hockey.

j.   Uds beben café.

2.07   1. juego; 2. Visito; 3. prefiero; 4. vivo; 5. camino

2.08   1. nada; 2. lee; 3. mira; 4. trabaja; 5. escribe

2.09   1. lavamos; 2. comemos; 3. caminamos; 4. hacemos; 5. hablamos

SELF TEST 3

3.01   a.   hago

b.   traigo

c.   conduzco

d.   sé

e.   doy

f.   pongo

g.   escojo

h.   salgo

i.   voy

j.   oigo

3.02   Answers may vary. Examples:

a.   Pedro trae los discos compactos a la fiesta.

b.   Yo hago la tarea todos los días.

c.   No, yo no voy a la casa de Carlos todos los sábados.

d.   Sí, (nosotros) tenemos mucha tarea en la clase de matemáticas.

e.   Yo salgo de mi casa a las nueve.

f.   Sí, yo siempre digo la verdad.

3.03   a.   está; están

b.   tengo; tienen

c.   dices; decimos

d.   pongo; ponemos

e.   ven; veo

f.   escoges; escogen

g.   sabe; sé

h.   ofrezco; ofrecemos

i.   eres; son

j.   está; estoy

3.04   a.   vienen

b.   damos

c.   veo

d.   traemos

e.   oye

f.   ponen

g.   conocemos

h.   haces

i.   va

j.   escogen

SELF TEST 4

4.01
1. d. 100
2. p. 70
3. a. 500
4. b. 10
5. e. 90
6. s. 300
7. i. 50
8. m. 600
9. r. 40
10. q. 800
11. o. 20
12. k. 1.000
13. f. 101
14. l. 30
15. c. 900
16. g. 80
17. t. 60
18. n. 400
19. j. 200
20. h. 700

4.02
1. b. noventa y dos
2. c. cincuenta y seis
3. a. ciento cincuenta y cinco

4. b. cuarenta y cinco
5. c. ochocientos setenta y cuatro
6. a. novecientos siete
7. c. setenta y dos
8. b. trece
9. c. mil
10. c. setecientos setenta y siete

4.03
a. setenta y cinco
b. ciento dos
c. mil quince
d. doscientas
e. mil
f. ochenta y dos
g. setecientos sesenta y cuatro
h. un
i. seis mil doscientas cuarenta
j. cien
k. trece
l. un millón de
m. quinientos treinta y ocho
n. novecientos noventa y nueve
o. una

SELF TEST 5

5.01
a. 9:05
b. 7:30
c. 1:00
d. 9:50
e. 6:15
f. 7:45
g. 12:00
h. 4:20
i. 11:45
j. 1:31

5.02
a. Son las ocho y veintiuno de la mañana.
b. Son las seis y uno de la noche.
c. Son las doce. / Es medianoche.
d. Son las once y dieciséis de la mañana.

e. Son las once menos cuarto (quince) de la noche.
f. Es la una y media (treinta) de la tarde.
g. Son las diez menos dieciocho de la noche.
h. Son las cuatro y cuarto (quince) de la mañana.
i. Son las dos y doce de la mañana.
j. Son las seis menos veintitrés de la noche.

5.03
a. el; de
b. Mañana; sábado
c. Hoy; viernes
d. fue; treinta; septiembre
e. es; primero

5.04   a. el doce de julio de 1998

         b. el diecisiete de marzo de 1992

         c. el siete de junio de 1967

         d. el veinticinco de septiembre de 1990

         e. el once de enero de 1911

         f. el treinta y uno de octubre de 1981

         g. el veintiséis de diciembre de 1976

         h. el primero de agosto de 1984

         i. el veintitrés de febrero de 1970

         j. el veintinueve de mayo de 1998

SELF TEST 6

6.01 a. bajo

       b. aburrido

       c. rubio

       d. viejo

       e. paciente

       f. simpático

       g. malo

       h. bien

       i. bonito

       j. irresponsable

6.02 a. pelirroja; pelirrojas; pelirrojos

       b. paciente; paciente; pacientes

       c. franceses; francesas; francés

       d. aburridas; aburrido; aburridos

       e. española; españoles; español

       f. popular; populares; populares

6.03 a. Yo tengo la bolsa azul.

       b. Ellos tienen la hermana rubia.

       c. Nosotros tenemos el libro pequeño.

       d. Yo tengo los amigos listos / inteligentes.

       e. Yo conozco a unos buenos profesores / unos profesores buenos.

6.04 a. un buen juego / un juego bueno

       b. una señora baja

       c. la nueva casa / la casa nueva

       d. los malos perros / los perros malos

       e. los exámenes difíciles

       f. la canción francesa

       g. la escuela vieja

       h. un coche grande

       i. unas estudiantes irritadas

       j. unas malas notas / unas notas malas

SELF TEST 7

7.01 a. telling time

       b. origin

       c. personality trait

7.02 a. location

       b. temporary emotions

7.03 1. a. es

           b. Son

           c. está

       d. es

       e. está

2. f. está

       g. está

       h. es

       i. está

       j. Es

3. k. está

       l. soy

       m. está

n. son

o. son

p. están

4. q. somos

r. son

s. está

t. está

u. es

v. es

5. w. son

x. está

y. estar

z. es

aa. está

SELF TEST 8

8.01 a. cubr*iendo*

b. and*ando*

c. estudi*ando*

d. comprend*iendo*

e. escrib*iendo*

f. perd*iendo*

g. trabaj*ando*

h. viv*iendo*

i. pens*ando*

j. beb*iendo*

8.02 a. me

b. te

c. se

d. nos

e. os

f. se

8.03 a. Me

b. te

c. se

d. te

e. se

8.04 a. él se está poniendo; él está poniéndose

b. Uds. se están afeitando;
Uds. están afeitándose

c. yo me estoy durmiendo;
yo estoy durmiéndome

d. los estudiantes se están sintiendo;
los estudiantes están sintiéndose

e. Ud. se está mirando;
Ud. está mirándose

f. tú te estás divirtiendo;
tú estás divirtiéndote

8.05 1. a. Yo me acuesto.

b. Yo estoy haciendo un examen.

2. a. Concha se baña.

b. Concha está saliendo con su novio.

3. a. Nosotros nos levantamos (a las seis).

b. Nosotros estamos viajando a (México).

4. a. Juan se viste.

b. Juan está hablando con el supervisor.

8.06 a. están estudiando

b. está viendo

c. estoy leyendo

d. estoy trayendo

e. estamos dando

f. te estás acostando/estás acostándote

g. nos estamos vistiendo/estamos
vistiéndonos

h. estás diciendo

i. está pidiendo

j. están volviendo

SELF TEST 1

1.01 1. h. darle de comer
 2. d. pintar
 3. g. escuchar
 4. i. barrer
 5. a. cocinar
 6. c. correr
 7. j. bañar
 8. b. dibujar
 9. e. los quehaceres
 10. f. el pasatiempo

1.02 a. the novels
 b. to clean
 c. to attend to
 d. to ride a horse
 e. to make the bed

1.03 a. jugar a los deportes
 b. poner la mesa
 c. preparar
 d. pasearse
 e. escuchar la radio

1.04 a. escribir
 b. trabaja
 c. nadamos
 d. pasatiempo
 e. la cama
 f. mirando / viendo
 g. conduzco
 h. corres
 i. estudian
 j. quitamos

SELF TEST 2

2.01 a. acaba de hacer
 b. acabas de pasar
 c. acaba de leer
 d. acaba de lavar
 e. acaban de escribir

2.02 a. Acabo de barrer la cocina.
 b. Acaba de leer esa novela.
 c. Hace ocho horas que estudiamos.
 d. Hace cincuenta años que no están allí.
 e. Hace cinco minutos que haces la cama.
 f. Acabamos de estudiar esa lección.

2.03 Answers may vary.
 1. a. Acabamos de visitar el museo.
  b. Hace (dos horas) que visitamos el museo.
 2. a. Acabo de leer mi libro de historia.
  b. Hace (una hora) que leo mi libro de historia.

 3. a. Mis padres acaban de pasearse (se acaban de pasear) por la plaza.
  b. Hace (media hora) que se pasean por la plaza.
 4. a. Acabas de tomar el autobús.
  b. Hace (diez minutos) que tomas el autobús.

2.04 a. Acabo de hablar con ella.
 b. Hace muchos años que Uds. trabajan aquí.
 c. Hace un mes que ella dice eso.
 d. Ella acaba de llegar a su casa.
 e. Acabas de comprar un coche nuevo.
 f. Hace veinte minutos que miramos/vemos la película.

SELF TEST 3

3.01
  a. fue
  b. trabajaste
  c. dijimos
  d. escogí
  e. nadaron
  f. describió
  g. estuve
  h. conoció
  i. pusiste
  j. detuvimos

3.02
  a. ella descansó
  b. ellos/ellas huyeron
  c. hice
  d. perdimos
  e. volviste
  f. fueron
  g. anduvimos
  h. repitió
  i. dormí
  j. ofreciste

3.03
  1. a. puso   b. pusieron
  2. a. tocó   b. toqué
  3. a. se vistió   b. se vistieron   c. me vestí
  4. a. di   b. dio   c. dieron
  5. a. fue   b. fuimos   c. fuiste

3.04
  1. a. estudié
     b. Almorcé
     c. Anduve
     d. Terminé
     e. bebimos
  2. a. Tuve
     b. fui
     c. pude
     d. fueron
     e. Montamos
  3. a. se levantó
     b. se preparó
     c. Fuimos
     d. gustó
     e. volvimos

3.05
  Look for five complete sentences. Answers will vary.
  Examples:
  Yo fui a la playa.
  Yo nadé en el mar.

3.06
  Look for preterit tense. Look for five complete sentences. Answers will vary.
  Examples:
  Yo tuve un examen en la clase de inglés.
  Yo comí en la cafetería.

SELF TEST 4

4.01 a. estaba
    b. estabas
    c. estaba
    d. estábamos
    e. estaban

4.02 a. dormía
    b. dormías
    c. dormía
    d. dormíamos
    e. dormían

4.03 a. entendía
    b. entendías
    c. entendía
    d. entendíamos
    e. entendían

4.04 a. se sentía
    b. empezaban
    c. trabajaba
    d. gustaba
    e. ibas
    f. eran
    g. gastábamos
    h. querían
    i. caían
    j. decías

4.05 a. jugabas
    b. recibía
    c. hacías
    d. se divertían
    e. íbamos
    f. estaba
    g. tenían
    h. te lavabas
    i. era
    j. me llamaba
    k. creíamos
    l. trabajábamos
    m. hablaban
    n. veían
    o. huía

4.06 1. a. cortaba el césped
      b. se pasea / camina
    2. a. quitaban la mesa
      b. escuchan la radio
    3. a. lavaba los platos
      b. miro / veo la televisíon
    4. a. hacían la tarea / estudiaban
      b. montan en bicicleta.
    5. a. preparaba la comida / cocinaba
      b. habla por teléfono

NO SELF TEST FOR SECTIONS 5 or 6.

SELF TEST 7

LISTENING EXERCISES

7.01 a. el Sr. Ramírez
    b. Chamo
    c. el Sr. Ramírez
    d. Chamo
    e. Chamo
    f. el Sr. Ramírez
    g. el Sr. Ramírez
    h. Chamo
    i. el Sr. Ramírez
    j. el Sr. Ramírez

7.02 a. Buenos días.
    b. ¿Cómo está Ud.?
    c. Adiós.
    d. ¿Cómo se llama?
    e. tú
    f. Hasta mañana.
    g. ¿Me hablas?
    h. Buenas tardes.
    i. ¿Qué tal?
    j. ¿Canta Ud.?

SELF TEST 1

1.01 a. al comedor
      b. a la cocina
      c. al baño
      d. al garaje
      e. al comedor/a la cocina
      f. al baño
      g. al dormitorio
      h. a la sala/al dormitorio
      i. al jardín/al garaje
      j. al comedor/ a la cocina

1.02 1. c. the fork
      2. h. the bathroom scales
      3. b. the (large) pot
      4. f. the kitchen sink
      5. a. the bathroom sink
      6. j. the rug
      7. i. the backpack
      8. e. the tool
      9. g. the plant
      10. d. the pencil sharpener

1.03 a. el armario/el ropero
      b. el gabinete
      c. la estufa/el horno
      d. el refrigerador
      e. el sillón/el sofá
      f. la cama
      g. la manguera
      h. la lámpara
      i. la bañera
      j. la sartén

1.04 1. b. the stapler
      2. e. the curtain
      3. f. the shelf, stand, case
      4. g. the table
      5. c. the portrait
      6. a. the easy chair
      7. i. the (hard) chair
      8. d. the (student's) desk

      9. j. the (board) eraser
      10. h. the tablecloth

1.05 a. the bathroom
      b. the fireplace; home
      c. the oven
      d. the garden
      e. the flag
      f. the pencil
      g. the knife
      h. the TV set
      i. the kitchen
      j. the mirror

1.06 a. el estéreo
      b. la cinta adhesiva
      c. la videograbadora
      d. la cama
      e. el sofá
      f. la ducha
      g. el escritorio
      h. la cuchara
      i. el gabinete
      j. la ventana

1.07 a. My jacket is in the bedroom closet.
      b. They use a (large) pot to cook the eggs on the stove.
      c. Jorge needs his tools from the garage.
      d. Please set the table with forks, spoons and knives.
      e. The easy chair/armchair is next to the lamp.

1.08 a. El mantel está en el gabinete.
      b. Ella tiene una cama y una cómoda en el dormitorio.
      c. ¿Puedes poner ese libro en el estante?
      d. Necesito una mesa de noche en mi dormitorio.
      e. Los vasos están en el fregadero.

1.09 a. No tiene lavaplatos/horno de microondas.
       b. Está debajo de la ventana.
       c. No, está junto a la cocina.
       d. El refrigerador es nuevo.
       e. No. La estufa está en buenas condiciones.

1.010 a. El baño es blanco.
       b. No, no hay alfombra.
       c. Se ponen las toallas en los estantes pequeños.
       d. El espejo es bastante grande.
       e. La ventana está a la derecha de la ducha.

1.011 a. Están en la sala.
       b. Es grande.
       c. No hay muebles.
       d. Ofrece una chimenea y una ventana grande.
       e. Sugiere añadir un sillón, algunas cortinas, algunos estantes y un retrato.

1.012 **Adult check.** The student may write a slightly longer paragraph. Sample composition: El dormitorio es mi cuarto favorito. Tiene una cama. Tiene una mesa de noche cerca de la cama. Tiene un armario muy grande. Es mi cuarto favorito porque es azul.

NO SELF TEST FOR SECTION 2.

SELF TEST 3A

3A.01 a. la ducha
       b. el fregadero
       c. la manguera
       d. la bañera
       e. el sacapuntas
       f. la toalla
       g. la mochila
       h. la olla
       i. la videograbadora
       j. el cortacésped

3A.02 a. No, es una flor.
       b. No, es un crayón.
       c. No, es una toalla.
       d. No, es un lavabo.
       e. No, es una pizarra.
       f. No, es una alfombra.
       g. No, es una bandera.
       h. No, es una olla.
       i. No, es una estufa.
       j. No, es una ducha.

3A.03 Answers may vary. Possible answers:
       a. el jabón, una toalla, la bañera, etc.
       b. una sartén, la estufa, etc.
       c. el comedor/la cocina/una silla
       d. el dormitorio/la cama
       e. jardín
       f. la tiza
       g. una olla/la estufa
       h. el baño/la ducha/el jabón
       i. un vaso/una taza/agua
       j. el garaje

3A.04 a. apagamos
       b. preferiste
       c. huyó
       d. cubrieron
       e. comencé
       f. encontraron
       g. estuvimos
       h. fui
       i. vio
       j. se durmió
       k. vivieron
       l. dijo

m. fue
n. se divirtió
o. saqué
p. vendió
q. me moví
r. quisieron
s. pusiste
t. trajeron

3A.05 a. nosotros/nosotras
b. tú
c. yo
d. ellos/ellas/Uds.
e. ellos/ellas/Uds.
f. él/ella/Ud.
g. él/ella/Ud.
h. yo
i. nosotros/nosotras
j. ellos/ellas/Uds.
k. tú
l. él/ella/Ud.
m. yo
n. tú
o. nosotros/nosotras

3A.06 a. veían
b. trabajaban
c. eran
d. cantaban
e. vivían
f. mostraban
g. ponían
h. creían
i. iban
j. tenían

3A.07 a. quería
b. comían
c. era/iba
d. creían
e. andaba
f. pagaba
g. trabajabas
h. encontraba
i. dormíamos
j. hablaba
k. daba
l. ponían
m. veías
n. vendías
o. escribía

3A.08 a. you were going
b. we were eating
c. she was calling
d. I was selling
e. they were seeing
f. Ud. hablaba
g. íbamos
h. estaba/era
i. dabas
j. pedían, mandaban

SELF TEST 3B

3B.01   a.   yo supe
        b.   no quise
        c.   Tenía
        d.   No podíamos
        e.   tuvo
        f.   no sabías
        g.   pudo
        h.   no querían
        i.   teníamos

3B.02   a.   visitaba
        b.   sacó
        c.   iba
        d.   escribía
        e.   podías
        f.   vieron
        g.   dije
        h.   trabajaban
        i.   subió
        j.   cocinaba

3B.03   a.   leía
        b.   prestaba
        c.   estaba
        d.   hacía
        e.   levanté
        f.   participábamos
        g.   Había
        h.   llegó
        i.   Cortaba
        j.   comenzó

3B.04   **Instructor: Changes only are bolded.** Some verb forms will be the same for the present and preterit tenses and will not be changed.

        a.   **Eran** las dos de la tarde cuando **oí** el trueno. Terminamos el picnic muy de prisa. Subimos al coche y **fuimos** a casa.

        b.   Al aprender que Consuelo no **tenía** suficiente dinero, **abriste** la billetera. Le **diste** a ella unos diez dólares para pagar la cuenta. Ella te **dio** muchas gracias, porque **estaba** muy preocupada.

        c.   Mi hermano **se duchaba**. Papá **se afeitaba**. El bebé todavía **dormía**. De repente **hubo** un ruido tremendo. **Vino** de la cocina. Mamá **se cayó** y **rompió** el jarro de jugo.

        d.   **Hacía** buen tiempo. La temperatura **era** setenta y cinco grados. Ud. **llevaba** la ropa ligera y las sandalias favoritas. **Había** música popular en la radio. **Iba** a la playa en su coche. Un conejo **corrió** tras la carreterra. **Trató** de evitarlo. Se **chocó** con un árbol. Afortunadamente, no **se hizo daño**.

        e.   El paquete **llegó** a las tres y cuarto. El cartero **llevó** el paquete a la puerta. Le **di** gracias al cartero. No **sabía** lo que **podía** ser. **Era** muy grande. Pero **tenía** que esperar. El paquete **era** para Chela.

3B.05   Cuando **recibimos** la noticia del compromiso de mi hermano, mi madre **quería** dar una fiesta grande. **Había** mucho que preparar. A mamá siempre le **gustaban** las fiestas grandísimas. **Pasamos** tres días preparando la lista de invitados. **Escribimos** cincuenta invitaciones. **Invitamos** a todos los parientes. El menú **fue** difícil de preparar. No **queríamos** gastar demasiado dinero, pero **sabíamos** que una buena comida **era** importante. Mamá **dividió** los quehaceres: yo **tuve** que limpiar la casa. Mi hermano **trabajó** con mi papá en el jardín y **cortó** el césped. Mamá, por supuesto, **cocinó** todo. Ella **fue** al supermercado todos los días durante las dos últimas semanas. En la fiesta **tuvimos** mucho éxito. **Había** música; no **sabía** que mi abuelo **podía** cantar tan bien. La comida **fue** excelente; nadie **tenía** hambre después de la comida. Mi hermano y su prometida **se sentían** muy honrados. Nosotros **estábamos** cansados después.

3B.06 1. c. fue a pie

        2. b. cuarenta y cinco

        3. c. unos amigos

        4. b. triste

        5. a. la bañera

3B.07 a. Era el siete de julio.

        b. Hacía mucho calor.

        c. Las puso en una mochila.

        d. Pasó unos veinte minutos.

        e. No, no tenía dinero para nadar.

        f. Eran las dos y cuarto.

        g. Se sentía desilusionado.

        h. Decidió pasar unas horas en la bañera.

        i. Llevó un sandwich, un refresco y una revista al baño.

        j. Fue tranquilo y agradable.

3B.08 a. por

        b. por

        c. Para

        d. para

        e. para

        f. por

        g. por

        h. Para

        i. por

        j. por

        k. por

        l. para

        m. para

        n. para

        o. por

3B.09 a. A causa de

        b. porque

        c. a causa de

        d. porque

        e. porque

        f. a causa de

        g. Porque

        h. porque

        i. a causa de

        j. a causa de

3B.010 a. pero

        b. pero

        c. sino

        d. pero

        e. sino

        f. pero

        g. sino que

        h. sino que

        i. pero

        j. pero

SELF TEST 1

1.01 **Instructor:** The choices for the clothing will vary with each student. As long as the choices are logical to your seasonal conditions and are spelled accurately, the individual responses should be accepted.

Sample answer:
En julio las personas llevan (tienen) (prefieren) shorts, camisetas, tenis y una gorra o un sombrero.

1.02
a. la/una mochila
b. el/un cinturón
c. los/unos zapatos de tacones altos
d. la/una camisa
e. el/un vestido
f. el/un paraguas
g. el/un traje de baño
h. la/una chaqueta
i. la/una bolsa
j. los/unos calcetines

1.03
a. sucios
b. viejos
c. caro
d. estrecha
e. roja
f. floja
g. de color café
h. está arrugado
i. elegante
j. largos

1.04
a. un sombrero nuevo/un nuevo sombrero
b. un vestido fino
c. una camisa arrugada
d. la ropa informal
e. unos pantalones largos
d. unos zapatos apretados
f. una corbata fea
g. una pulsera cara
h. un traje formal
j. una falda sucia

1.05 **Instructor:** The new suggestions may vary, but all should be logical to the situation.
a. No, jeans y una camiseta
b. Sí
c. Sí
d. No, un traje de baño
e. No, la ropa formal
f. No, un vestido, un traje
g. Sí
h. Sí
i. No, los complementos informales
j. Sí

1.06
a. el sombrero, la gorra
b. los zapatos/los tenis
c. los guantes
d. el cinturón
e. las medias, los calcetines
f. el collar (de oro, de plata), la bufanda
g. el anillo
h. el pendiente, el arete
i. una camisa, una camiseta
j. la pulsera

SELF TEST 2

2.01 a. Son los vestidos de las señoras.
    b. Son las galletas de los niños.
    c. Es el anillo de Ud.
    d. Son los mapas de la clase.
    e. Es la tarea de la profesora de inglés.
    f. Es la tarjeta de ti.
    g. Son los pendientes de Uds.
    h. Es el periódico de mí.
    i. Es la foto de Elena.
    j. Es la bicicleta de él.

2.02 a. Prefiero visitar a su primo.
    b. No puedes usar nuestro coche.
    c. Nosotros perdimos su anillo.
    d. Escucha su disco.
    e. Escribí una carta a mi amigo.
    f. ¿Por qué estás llevando sus botas?
    g. Los chicos caminaron por su césped.
    h. ¿Estás mirando su examen?
    i. ¿Son tus hermanos?
    j. Aprendiste mucho de nuestra familia.

2.03 a. Son los zapatos suyos.
    b. Es la calculadora tuya.
    c. Son los calcetines míos.
    d. Es la camisa suya.
    e. Son las cadenas suyas.
    f. Es la revista nuestra.

2.04 a. Sí, leí las suyas.
    b. Sí, vi el nuestro/el suyo.
    c. Sí, escribí el suyo.
    d. Sí, llamé a la mía.
    e. Sí, hablé con los suyos.
    f. Sí, comprendieron el mío.
    g. Sí, preferimos la suya.
    h. Sí, vieron a la tuya.
    i. Sí, perdieron los tuyos/los suyos.
    j. Sí, encontraron los suyos.

SELF TEST 3

3.01 a. leyendo
     b. durmiendo
     c. estudiando
     d. pidiendo
     e. trayendo
     f. prefiriendo
     g. aprendiendo
     h. huyendo
     i. creyendo
     j. escribiendo

3.02 a. estudiar
     b. llorando
     c. hablando
     d. comer
     e. gritando
     f. Jugar
     g. hablar
     h. sentando
     i. terminar
     j. Vestirse

3.03 a. fumar
     b. cocinar
     c. Estudiar
     d. Hablar
     e. Sintiéndome
     f. notando
     g. buscando
     h. Salir
     i. poner
     j. divirtiéndonos

NO SELF TEST FOR SECTIONS 4 AND 5.

SELF TEST 1

1.01 1. c. El redactor
      2. b. la goma
      3. b. traducir
      4. a. salir
      5. c. la papelera
      6. b. contadora
      7. c. habla
      8. a. Escribe a máquina
      9. c. prepara
      10. c. sello

1.02 a. to draw
      b. to print
      c. the (computer) keyboard
      d. to travel
      e. the research
      f. to produce
      g. the notebook
      h. the window
      i. the artist
      j. to revise, correct

1.03 Answers may vary.
      a. comunicarse con
      b. el escritor/la escritora
      c. el sobre
      d. la pantalla
      e. enseñar
      f. componer
      g. mantener
      h. programar
      i. el contador/la contadora
      j. la papelera

1.04 Answers may vary.
      a. revisar; leer
      b. escribir; investigar
      c. calcular; llamar por teléfono
      d. programar; crear
      e. componer; imprimir
      f. comunicarse; dirigir su propio negocio
      g. pintar; escultar
      h. archivar; copiar
      i. dibujar; diseñar

1.05 a. Escribe; Copia
      b. diseñó; creó
      c. El contador; El editor
      d. investiga; lee
      e. la pantalla; el esquemático

1.06 1. g
      2. i
      3. a
      4. h
      5. b
      6. e
      7. c
      8. d
      9. f

SELF TEST 2

2.01 Answers may vary.
a. Se pone la computadora en la mesa.
b. Se pone el sofá cerca de la ventana.
c. Se puede estudiar en la biblioteca.
d. Se pone un teléfono cerca del escritorio.
e. No se puede escuchar la radio durante la clase.
f. Se abre la tienda a las nueve.
g. Se puede nadar en la piscina por la noche.
h. Se cierra el gimnasio a las cinco y media.
i. Se publican las revistas en dos meses.
j. Se habla español aquí.

2.02 a. El lápiz está en la papelera.
b. El aula está arriba, cerca de la oficina.
c. El teléfono está a la derecha de la planta.
d. El escritorio está delante de la ventana.
e. La copiadora está lejos de la puerta.
f. El diccionario está encima del estante de libros.
g. La calculadora está debajo de los papeles.
h. El sofá está al lado de la lámpara.
i. Los sobres están a la izquierda de las cartas.
j. La computadora está frente al archivador.

2.03 Answers may vary. Examples:
a. Carlos pone los archivos en el archivador.
b. (Mi tío) trabaja arriba en la oficina de ingenieros.
c. Puedo usar una máquina de escribir.
d. No, la secretaria usa la computadora.
e. No, no es necesario usar un sobre para mandar una carta por correo electrónico.

2.04 Answers may vary. Examples:
a. Se puede ahorrar mucho dinero porque no es necesario comprar gasolina.
b. Se puede cuidar a los niños en casa.
c. Se puede vestirse de ropa informal todos los días.
d. Se puede dirigir su propio negocio.
e. Se puede comunicar con los clientes por teléfono y por correo electrónico.

2.05 Answers will vary. Examples:
a. La computadora está encima del escritorio.
b. El archivador está al lado de la computadora.
c. El escritorio está delante de la ventana.
d. El teléfono está cerca de la impresora.
e. El estante de libros está frente a la puerta.

NO SELF TEST FOR SECTIONS 3, 4, 5, OR 6.

SELF TEST 1

1.01 1. c. to advance
2. f. to draft
3. e. the insurance
4. h. the schedule
5. b. to be successful
6. g. the objective
7. i. the salary
8. j. the opportunity
9. a. the position
10. d. available

1.02 1. g. to make an appointment
2. i. to hire
3. b. to form
4. e. to treat
5. a. absent
6. j. to be in order
7. d. the level
8. c. the address
9. f. the career
10. h. the reference

1.03 a. to prepare
b. the aptitude
c. the resumé
d. the job offer
e. the confidence

1.04 a. el gerente
b. el apellido
c. describir
d. el mínimo
e. ganar
f. competitivo

1.05 a. *la entrevista / la cita*
b. el aspirante
c. capacitar
d. un contrato
e. el nombre de pila
f. la meta / el objetivo
g. avanzar
h. el puesto / el empleo
i. cambiar
j. estable / fijo
k. una comisión / un sueldo
l. compensado

1.06 a. Hay oportunidades para avanzar en la compañía.
b. El empleado está disponible.
c. El aspirante tiene mucha experiencia.
d. Mis referencias están en el cuaderno.
e. El aspirante necesita tener una entrevista con el gerente.
f. La dirección está en el currículum vitae.
g. Él busca un empleo en las ofertas de empleo del periódico.
h. La compañía ofrece vacaciones compensadas.
i. Me interesa un sueldo con una comisión.

NO SELF TEST FOR SECTION 2.

SELF TEST 3

3.01 1. b. cleaner than
2. c. the strongest
3. b. the least amusing
4. c. worse than
5. a. as long as
6. b. meaner than
7. b. the least difficult class
8. b. the darkest
9. c. older than
10. a. smaller than

3.02 a. heavier than
b. angrier than
c. as calm as
d. less wide than/narrower than
e. less expensive than/cheaper than
f. the most timid girl in
g. the fullest wastebasket in
h. the hardest (least easy) exam in
i. the sickest children in
j. as tall as

3.03 a. No, los pantalones rojos son más largos que los pantalones de color café.
b. No, la manzana verde es más pequeña (menos grande) que la manzana roja.
c. Sí, la princesa es más bonita que el jugador de hockey.
d. No, el chico está tan triste como la chica.

e. No, un chico es tan joven como el otro.
f. No, el limón es menos delicioso que el helado.
g. No, el coche blanco está más limpio que el coche azul.
h. No, el chico rubio es menos simpático que el chico con pelo moreno.
i. Sí, hace mejor tiempo el lunes que el sábado.
j. No, el traje verde es menos fino que el traje negro.

3.04 a. el menor
b. el más rápido
c. las frutas más deliciosas
d. el quehacer menos aburrido
e. la profesión más exigente

3.05 1. h
2. a
3. e
4. c
5. j
6. b
7. i
8. d
9. f
10. g

NO SELF TEST FOR SECTIONS 4 OR 5.

SELF TEST 1

1.01　1.　f.　to board
　　　　2.　d.　to take off
　　　　3.　h.　to land
　　　　4.　b.　the flight
　　　　5.　i.　to park
　　　　6.　a.　the airplane
　　　　7.　j.　to stand in line
　　　　8.　c.　the newsstand
　　　　9.　e.　the customs
　　　　10.　g.　the gate

1.02　a.　to say good-bye
　　　　b.　the parking lot
　　　　c.　to get on / to board
　　　　d.　the foreign country
　　　　e.　the check-in counter

1.03　a.　la azafata / el auxiliar de vuelo
　　　　b.　el horario
　　　　c.　llegar con retraso
　　　　d.　el aeropuerto
　　　　e.　la sala de equipaje

1.04　a.　abrocharse el cinturón de seguridad
　　　　b.　la cafetería
　　　　c.　el estacionamiento
　　　　d.　con retraso
　　　　e.　facturan
　　　　f.　hacer cola
　　　　g.　El piloto
　　　　h.　la tienda de recuerdos
　　　　i.　la aduana / el control de pasaportes
　　　　j.　la tarjeta de embarque

SELF TEST 2

2.01　1.　cambiar
　　　　　　a. cambiaré
　　　　　　b. cambiarán
　　　　　　c. cambiará
　　　　2.　atender
　　　　　　a. atenderás
　　　　　　b. atenderemos
　　　　　　c. atenderán
　　　　3.　ser
　　　　　　a. seremos
　　　　　　b. será
　　　　　　c. serán
　　　　4.　venir
　　　　　　a. vendrán
　　　　　　b. vendrá
　　　　　　c. vendré
　　　　5.　decir
　　　　　　a. dirán
　　　　　　b. dirás
　　　　　　c. dirá

　　　　6.　sentirse
　　　　　　a. me sentiré
　　　　　　b. se sentirán
　　　　　　c. nos sentiremos
　　　　7.　tener
　　　　　　a. tendrás
　　　　　　b. tendrá
　　　　　　c. tendrán
　　　　8.　preferir
　　　　　　a. preferirán
　　　　　　b. preferiré
　　　　　　c. preferirá
　　　　9.　irse
　　　　　　a. nos iremos
　　　　　　b. se irán
　　　　　　c. te irás
　　　　10.　hacer
　　　　　　a. hará
　　　　　　b. haré
　　　　　　c. harán

2.02 1. jugar
       a. Juego el sábado.
       b. Voy a jugar el sábado.
       c. Jugaré el sábado.
   2. escribir una carta
       a. Escribe una carta mañana.
       b. Va a escribir una carta mañana.
       c. Escribirá una carta mañana.
   3. llamar a Consuelo
       a. Llamas a Consuelo pronto.
       b. Vas a llamar a Consuelo pronto.
       c. Llamarás a Consuelo pronto.
   4. devolver los libros
       a. Devuelven los libros el martes.
       b. Van a devolver los libros el martes.
       c. Devolverán los libros el martes.
   5. decir el secreto
       a. No decimos el secreto hasta las cinco.
       b. No vamos a decir el secreto hasta las cinco.
       c. No diremos el secreto hasta las cinco.

2.03 Answers will vary.
   a. Jugaré al fútbol después de las clases.
   b. Yo prepararé la cena esta noche en mi casa.
   c. Tendré veinte años en 2012.
   d. Sí, mi hermano(a) asistirá a la universidad.
   e. Las clases terminarán a las tres y media.
   f. Mis padres celebrarán su aniversario el cinco de agosto.
   g. Mi familia viajará a Nueva York este verano.
   h. Tendré mucha tarea en la clase de ciencias este fin de semana.
   i. Nos acostaremos a las diez esta noche.
   j. Mis abuelos se levantarán muy temprano mañana.

2.04 a. sabrías   sabríamos
      b. mentirías   mentiríamos
      c. dibujarías   dibujaríamos
      d. harías   haríamos

      e. llevarías   llevaríamos
      f. te pondrías   nos pondríamos
      g. dirías   diríamos
      h. tendrías   tendríamos
      i. vendrías   vendríamos
      j. cuidarías   cuidaríamos

2.05 a. necesitaría
      b. pensarían
      c. iríamos
      d. gustaría
      e. querría
      f. vendría
      g. quitarían
      h. ayudaría
      i. dirían
      j. comerías

2.06 Answers will vary.
      a. Llamaría a los bomberos.
      b. Se lo daría a mi familia.
      c. Un policía podría ayudarme.
      d. Estudiaríamos mucho.
      e. Conducirían muy lentamente.
      f. Hablaría con él / ella.
      g. Se los pediría a mi mamá / a mi amigo.
      h. Cocinaríamos la cena y limpiaríamos la casa.
      i. Me daría una mala nota.
      j. Llamarían al mecánico.

2.07 1.   a. no trataría
      2.   a. leeré
      3.   b. no tendrían
      4.   c. no podrían
      5.   b. estarán aquí
      6.   c. ¿no sabrías?
      7.   a. te veremos
      8.   b. vendría
      9.   a. no irían
      10. c. no lloverá

SELF TEST 1

1.01 1. e
      2. a
      3. j
      4. f
      5. c
      6. i
      7. d
      8. b
      9. g
      10. h

1.02 a. el motor
      b. pedir prestado
      c. la rueda
      d. virar, doblar
      e. dirigir
      f. parar
      g. prestar atención

1.03 a. the trunk
      b. the tank
      c. to obey
      d. to crash into
      e. the bumper
      f. the windshield
      g. to signal
      h. the oil

1.04 1. b. llevar
      2. c. funcionar
      3. b. señalar
      4. b. proteger
      5. c. dirigir
      6. a. aumentar la velocidad
      7. c. quitar
      8. b. proteger
      9. c. llenar
      10. b. avisar

1.05 a. Lleno el tanque.
      b. Para obedecer la ley, él reduce la velocidad.
      c. Tocas la bocina/el claxon.
      d. No para el coche.
      e. Necesité un préstamo, porque compré un coche.
      f. El motor no funciona.
      g. Los faros iluminan la calle.
      h. Ella cambia el aceite del coche.
      i. ¡Usa los frenos! ¡Párate!
      j. No prestaron atención. Se chocaron con una casa.

1.06 a. pedir prestado
      b. alquilar/arrendar
      c. la llanta
      d. prestar atención
      e. limpiar/lavar
      f. cambiar (el aceite)
      g. virar
      h. señalar
      i. proteger
      j. la ventanilla

SELF TEST 2–4

4.01　a.　jugado; played
　　　b.　comprendido; understood
　　　c.　sido; been
　　　d.　visto; seen
　　　e.　dado; given
　　　f.　resuelto; resolved
　　　g.　vivido; lived
　　　h.　estudiado; studied
　　　i.　cubierto; covered
　　　j.　escrito; written
　　　k.　corrido; run
　　　l.　muerto; died
　　　m.　creído; believed
　　　n.　secado; dried
　　　o.　preferido; preferred

4.02　a.　(la niña) está sentada
　　　b.　(la puerta) está cerrada
　　　c.　(el regalo) está abierto
　　　d.　(el plato) está roto
　　　e.　(el chico) está desilusionado
　　　f.　(el televisor) está apagado
　　　g.　(el edificio) está destruido
　　　h.　(el pan) está quemado

4.03　1.　a.　te has sentido
　　　　　b.　no nos hemos sentido
　　　　　c.　se habían sentido
　　　2.　a.　había charlado
　　　　　b.　no han charlado
　　　　　c.　habías charlado
　　　3.　a.　habían puesto
　　　　　b.　había puesto
　　　　　c.　no he puesto
　　　4.　a.　no has dicho
　　　　　b.　ha dicho
　　　　　c.　no habían dicho
　　　5.　a.　había repetido
　　　　　b.　he repetido
　　　　　c.　no has repetido

　　　6.　a.　habíamos ido
　　　　　b.　había ido
　　　　　c.　hemos ido
　　　7.　a.　habías vuelto
　　　　　b.　he vuelto
　　　　　c.　ha vuelto

4.04　a.　han estado; habían estado
　　　b.　has sido; habías sido
　　　c.　nos hemos vestido; nos habíamos vestido
　　　d.　te has acostado; te habías acostado
　　　e.　ha impreso; había impreso
　　　f.　he hecho; había hecho
　　　g.　ha encendido; había encendido
　　　h.　han salido; habían salido
　　　i.　he sabido; había sabido
　　　j.　se han casado; se habían casado

4.05　a.　había muerto
　　　b.　había gustado
　　　c.　habías podido
　　　d.　había hablado
　　　e.　habíamos nadado
　　　f.　habías terminado
　　　g.　habían tenido
　　　h.　habías puesto
　　　i.　había plantado
　　　j.　habías hecho

4.06　a.　Chela no ha lavado los platos. Se había cortado la mano.
　　　b.　El hijo de Raúl no le ha dado de comer al perro. Había terminado la tarea.
　　　c.　No has devuelto el libro a la biblioteca. Se había reventado la llanta de la bicicleta.
　　　d.　El estudiante no ha escrito la tarea. Había tenido dolor de cabeza.
　　　e.　Yo no te he llamado. Había hecho mucho trabajo en casa.

    f.   Los primos no han servido el café. No habían lavado las tazas.

    g.   Tu hermano mayor no ha cortado la hierba. No había comprado gasolina.

    h.   Rita y su amiga no han leído la novela. Habían visto un programa interesante en la televisión.

    i.   La editora no ha revisado el artículo. No había tenido tiempo.

    j.   El mecánico no ha reparado mi coche. Había ido al hospital con su esposa.

4.07   a.   el primer día
         b.   la octava persona
         c.   la sexta vez
         d.   la tercera clase
         e.   el noveno problema
         f.   el décimo dedo
         g.   la cuarta película
         h.   el quinto examen
         i.   la segunda hermana
         j.   la primera clase
         k.   el séptimo día
         l.   el tercer coche/carro/auto(móvil)

NO SELF TEST FOR SECTIONS 5 or 6.

SELF TEST 1

1.01 1. i
      2. d
      3. f
      4. a
      5. c
      6. h
      7. g
      8. b
      9. e
      10. j

1.02 1. g
      2. e
      3. h
      4. j
      5. a
      6. c
      7. i
      8. b
      9. d
      10. f

1.03 a. Memorial Day
      b. the ring
      c. to join / get together
      d. to have a barbecue
      e. the faith
      f. the toys
      g. Thanksgiving Day

1.04 a. el matrimonio / la boda
      b. las flores
      c. el remolque
      d. el Salvador
      e. el conejito / conejo
      f. la serpiente
      g. el aniversario de boda
      h. la luna de miel

1.05 a. el padre / el pastor / el cura
      b. los invitados
      c. hacer una barbacoa
      d. el trébol
      e. el conejito / el conejo
      f. el Día de San Valentín
      g. respetar / honrar
      h. la corneta
      i. un soldado
      j. la piñata
      k. una pareja
      l. los novios / los esposos
      m. el aniversario
      n. el Día de la Independencia
      o. un culto

1.06 a. una cesta
      b. Jesús
      c. corazones
      d. El altar
      e. los invitados de honor / los novios
      f. las invitacones
      g. fé
      h. los esposos
      i. las sepulturas / las tumbas
      j. Voy de vacaciones
      k. la cruz
      l. un milagro
      m. torta / helado
      n. la luna de miel
      o. El Año Nuevo

NO SELF TEST FOR SECTIONS 2, 3, or 4

SELF TEST 5

5.01   1.   c
       2.   e
       3.   i
       4.   a
       5.   j
       6.   g
       7.   d
       8.   h
       9.   f
       10. b

5.02   a.   antes
       b.   hoy mismo
       c.   más pronto
       d.   ya
       e.   anteayer

5.03   a.   meanwhile
       b.   at that time, then
       c.   after
       d.   nowadays
       e.   tonight

5.04   1.   c.   más pronto
       2.   a.   anoche
       3.   b.   Ya no
       4.   a.   esta noche
       5.   c.   más temprano
       6.   a.   Todavía
       7.   c.   pasado mañana
       8.   b.   próxima
       9.   b.   cuando
       10. c.   mientras

5.05   a.   Me gusta el negro.
       b.   Necesito el grande.
       c.   Conozco a la morena.
       d.   Recibió las malas.
       e.   Lleva los flojos.
       f.   Son los falsos.
       g.   Comimos una ligera.
       h.   Vivo junto al alto.

5.06   a.   el próximo
       b.   anteayer
       c.   Cuándo
       d.   ahora mismo
       e.   Ya
       f.   después
       g.   Ya no
       h.   temprano
       i.   esta noche
       j.   antes de

SELF TEST 6

		Tú	**Ud.**	**Uds.**
6.01	1.	¡Realiza!	¡Esté!	¡Pongan!
	2.	¡Sube!	¡Recoja!	¡Alcancen!
	3.	¡Está!	¡Pague!	¡Vayan!
	4.	¡Devuelve!	¡Describa!	¡Sepan!
	5.	¡Sé!	¡Salga!	¡Vístanse!

		Tú	**Ud.**	**Uds.**
	6.	¡No tomes!	¡No se vaya!	¡No expliquen!
	7.	¡No digas!	¡No vea!	¡No crean!
	8.	¡No des!	¡No vuele!	¡No mueran!
	9.	¡No te acuestes!	¡No oiga!	¡No entiendan!
	10.	¡No tengas!	¡No cuide!	¡No saquen!

		a	b	c
6.02	1.	¡No comiences!	¡No comience!	¡No comiencen!
	2.	¡Juega!	¡Juegue!	¡Jueguen!
	3.	¡Busca!	¡Busque!	¡Busquen!
	4.	¡No pienses!	¡No piense!	¡No piensen!
	5.	¡Estudia!	¡Estudie!	¡Estudien!
	6.	¡Escúchala!	¡Escúchela!	¡Escúchenla!
	7.	¡No vivas!	¡No viva!	¡No vivan!
	8.	¡No los pierdas!	¡No los pierda!	¡No los pierdan!
	9.	¡Haz!	¡Haga!	¡Hagan!
	10.	¡Trae!	¡Traiga!	¡Traigan!

6.03
a. Vuelve
b. Regresa
c. Toma
d. Espera
e. Diles

c. ¡No jueguen al básquetbol!
¡Corran!
d. ¡Mande una tarjeta a su amiga!
¡No mande flores a su amiga!
e. ¡Compren un perro!
¡No compren un gato!
f. ¡Sal a las cuatro!
¡No salgas a las nueve!

6.04
a. ¡No se ponga el vestido rojo!
¡Póngase el negro!
b. ¡No estudies las matemáticas!
¡Estudia el inglés!

NO SELF TEST FOR SECTION 1.

SELF TEST 2

2.01   1.   e
        2.   g
        3.   b
        4.   j
        5.   h
        6.   a
        7.   d
        8.   f
        9.   c
       10. i

2.02   1.   b
        2.   e
        3.   j
        4.   g
        5.   h
        6.   c
        7.   i
        8.   d
        9.   f
       10. a

2.03   a.   the nausea, vomiting
        b.   the ambulance
        c.   Hope you get well soon!
        d.   the wishes, desires
        e.   the medical exam
        f.   the flu
        g.   the injuries, wounds
        h.   the prescription
        i.   to rest
        j.   the wrist

2.04   a.   la pierna rota/fracturada
        b.   Pobrecito!
        c.   la contusión
        d.   guardar cama/quedarse en cama
        e.   estornudar
        f.   el resfriado
        g.   los síntomas
        h.   el diagnóstico
        i.   el dolor de cabeza
        j.   el hueso

2.05   (English provided for the instructor only.)
        1.   el yeso (the cast)
        2.   tomarle el pulso (to take someone's pulse)
        3.   la enfermera (the nurse)
        4.   tomarle la temperatura, el termómetro (to take someone's temperature, the thermometer)
        5.   los pañuelos de papel (the kleenex)
        6.   la venda (the [ace] bandage)
        7.   tomarle la tensión arterial (to take someone's blood pressure)
        8.   el estetoscopio, auscultar (the stethoscope, to listen)
        9.   la aspirina, las pastillas (the aspirin, the pills)
       10. las muletas (the crutches)

2.06   Answers will vary somewhat. Sample answers:
        a.   aspirina
        b.   fiebre
        c.   vomitó
        d.   el hospital
        e.   La cura
        f.   ambulancia
        g.   jarabe
        h.   un diagnóstico
        i.   el consultorio del médico
        j.   mejore pronto

2.07   1.   Guardo cama/Me quedo en cama cuando tengo un resfriado.
        2.   La enfermera no receta antibióticos.
        3.   El médico examina las heridas graves en la sala de emergencias.
        4.   Tengo náuseas. ¡Voy a vomitar!
        5.   Manolito lleva una curita sobre el corte.
        6.   La enfermera da puntos en el corte profundo.
        7.   Ella se cayó y recibió una contusión en las pierna.
        8.   Lleva una venda en el tobillo.
        9.   Algunos síntomas de la gripe son tos, náuseas y fiebre.
       10. ¡Pobrecito! Tienes bronquitis.

SELF TEST 3

3.01 a. que
    b. lo que
    c. que
    d. quien
    e. que
    f. lo que
    g. que
    h. que
    i. cuyos
    j. que
    k. lo que
    l. lo que
    m. que
    n. quien

f. El estudiante cuyos esfuerzos son grandes tendrá mucho éxito.

g. Mi padre, que vive cerca de la universidad, es profesor de matemáticas.

h. Pasaba mucho tiempo escuchando la música cuyas melodías me calmaban.

i. Elena, que llama a su familia todos los sábados, vive lejos de su casa.

j. ¿De quién es el coche que está estacionado en mi césped?

k. Trajo al perro que encontró en la calle.

l. Escribimos lo que consideramos importante.

m. Su tío, que es muy divertido, siempre tiene una cita los viernes.

3.02 **Instructor:** Although this is a "test," your student(s) may wish to work out what the final sentence would be, in English, before completing the Spanish sentence. It would be acceptable for you to work out the final sentence with them, although the author suggests you leave the final choice of relative pronouns up to the individual student(s).

Answers will vary. Possible answers:
a. La biblioteca, que tiene muchos libros, ofrece los libros a toda la gente.

b. La televisión que está en la basura no funciona.

c. Como lo que me gusta comer.

d. Mi amigo Juan, que es muy inteligente, recibe una beca de la universidad.

e. La policía no encontró al ladrón que se escapó.

SELF TEST 4

4.01 a. alcance
      b. juegues
      c. pierdan
      d. vaya
      e. tengas
      f. dé
      g. duerman
      h. guste
      i. suba
      j. cuentes

4.02 a. participe
          se vista
          pierda
      b. se caigan
          abran
          ayuden
      c. salgamos
          estudiemos
          nos conozcamos
      d. soliciten
          se diviertan
          coman
      e. prefiera
          ponga
          brinque
      f. subas
          conduzcas
          devuelvas
      g. empecemos
          nos sentemos
          vivamos
      h. lea
          vea
          esté
      i. enciendan
          apaguen
          funcionen
      j. desayunes
          seas
          huyas

4.03 a. saquen
      b. pasees

      c. me quede
      d. salgamos
      e. alce
      f. tengas
      g. vean
      h. vaya
      i. creamos
      j. piense
      k. quiera
      l. seas
      m. escriban
      n. dé
      o. juguemos

4.04 a. quite
      b. dé
      c. te acuestes
      d. se maquillen
      e. esté
      f. archive
      g. facture/haga
      h. pague/compre
      i. traiga/dé
      j. cierres

4.05 Answers will vary. Sample answers:
      a. Sí, (No, no) es importante que estudie.
      b. Sí, (No, no) es necesario que mi madre cocine para mí.
      c. Es malo que un amigo diga una mentira.
      d. Sí, (No, no) es necesario que una persona gane un sueldo grande.
      e. Sí, (No, no) es preferible que me bañe todos los días.
      f. Sí, (No, no) es dudoso que existan los marcianos.
      g. Sí, (No, no) es poco probable que sea presidente algún día.
      h. Sí, (No, no) es bueno que termine la tarea.
      i. Sí, (No, no) es necesario que obedezca las leyes.
      j. Sí, (No, no) es raro que asistamos a una obra de teatro.

SELF TEST 5

5.01   a.   escriba
      b.   comiencen
      c.   me caiga
      d.   nos vayamos
      e.   quieras
      f.   lleguen
      g.   recen
      h.   no diga
      i.   encuentre
      j.   pasemos

5.02   a.   den
      b.   busquemos
      c.   ponga
      d.   pidas
      e.   salgamos
      f.   tenga
      g.   comprendas
      h.   vuelvas
      i.   sea
      j.   se acuesten

5.03   a.   Prefiero que no eches el balón.
      b.   No creen que el mundo sea redondo.
      c.   Es imposible que eso ocurra ahora.
      d.   Te pido que vengas conmigo.
      e.   Nuestros padres nos piden que ayudemos con los quehaceres.
      f.   No permite que llamen por teléfono después de las nueve de la noche.
      g.   Quiero que lo hagas para mí.
      h.   Está desilusionada de que no se diviertan.
      i.   ¿Dudas que no arregle el coche?
      j.   Ojalá que todos asistan a la reunión.

5.04   1.   quiero; deje
      2.   Es; escriban
      3.   pide; imprima
      4.   aconsejan; ahorren
      5.   gusta; charle
      6.   estoy; tiene
      7.   Es; sepa
      8.   pide; vaya
      9.   niego; exista
      10.   creen; está

5.05   a.   Espero que te sientas mejor mañana.
      b.   Quiere que le mostremos la tarea a ella.
      c.   ¿Quién recomienda que coman más frutas?
      d.   Nos dice que no escribamos con lápiz.
      e.   ¿No quieres que yo oiga la historia (el cuento)?
      f.   Es importante que Marcos ponga la mesa.
      g.   Ojalá que sus amigos no lean la carta.
      h.   ¡No queremos que le dé el dinero a él!
      i.   Susana no piensa que Jorge esté en casa ahora.
      j.   Creo que es un hombre bueno (un buen hombre).

TEST KEYS

1.
   1. j
   2. c
   3. e
   4. f
   5. h
   6. b
   7. i
   8. d
   9. g
   10. a

2.
   1. a. Está contenta.
   2. b. Estamos aburridos.
   3. d. Somos mujeres.
   4. d. Soy joven.
   5. a. ¡Estoy soprendida!

3.
   a. Los hombres y las mujeres bailan el tango.
   b. Yo quiero hablar.
   c. Tú sales a las cinco en punto.
   d. Uds. escriben una tarea muy larga.
   e. Consuelo no le da las gracias a la cajera.
   f. Nosotros tenemos trece años.
   g. El profesor está caminando al museo.
   h. Tú padre se mira en el espejo antes de salir.
   i. Tú eres mexicano(a).
   j. Tus amigas juegan al tenis los domingos.

4.
   a. estoy hablando; estamos hablando
   b. me estoy afeitando/estoy afeitándome; nos estamos afeitando/estamos afeitándonos
   c. estoy cubriendo; estamos cubriendo
   d. estoy comprendiendo; estamos comprendiendo
   e. estoy dando; estamos dando
   f. me estoy poniendo/estoy poniéndome; nos estamos poniendo/estamos poniéndonos
   g. estoy durmiendo; estamos durmiendo

5.
   a. f; Son las nueve menos veinte.
   b. v
   c. v
   d. f; Son las once y diez.
   e. f; Es la una y cuarto (quince).
   f. v
   g. f; Es la una y diez.
   h. f; Son las once.
   i. f; Son las diez y catorce.
   j. f; Son las doce/Es mediodía/ Es medianoche.

6.
   a. ciento cincuenta
   b. doscientos noventa y nueve
   c. setecientos
   d. mil
   e. cincuenta y seis
   f. ochocientos treinta y cinco
   g. novecientos
   h. noventa y seis
   i. setenta y tres
   j. ciento uno

7.
   a. 1,701
   b. 467
   c. 10,000
   d. 585
   e. 114
   f. 2,343
   g. 799
   h. 50
   i. 178
   j. 913

8.
   a. Carlos y Jorge juegan al básquetbol.
   b. Yo me lavo.
   c. Él pone la mesa.
   d. Margarita está aburrida.
   e. Uds. van al centro.
   f. Mis hermanos se están acostando (están acostándose).
   g. Tú y yo nos estamos divirtiendo (estamos divirtiéndonos) mucho.

h. Mi padre y yo nos estamos despertando (estamos despertándonos) temprano.

i. Los camareros están sirviendo las bebidas.

j. Yo no estoy durmiendo toda la noche.

9.
a. el 25 de abril
b. el 18 de agosto
c. el 8 de febrero
d. el 12 de septiembre
e. el primero de enero
f. el 23 de octubre
g. el 19 de mayo
h. el 1 de julio

10.
a. el doce de junio de 1999
b. el once de enero de 1998
c. el primero de noviembre de 2007
d. el treinta de julio de 1996
e. el quince de marzo de 1990
f. el nueve de octubre de 1991
g. el veintiséis de diciembre de 2003

11.
Answers may vary.
Examples:
Topic A.
Me llamo Carlos Gómez. Tengo 15 años.
Topic B.
Me levanto a las siete. Me visto bien.

1.
1. b. preterit
2. c. present progressive
3. d. imperfect
4. b. preterit
5. a. present
6. d. imperfect
7. b. preterit
8. b. preterit
9. a. present
10. c. present progressive

2.
a. 7
b. 3
c. 10
d. 4
e. 6
f. 1
g. 5
h. 9
i. 2
j. 8

Reading Comprehension

3.
1. a. before the interview
2. b. he drove
3. a. about twenty minutes
4. c. the secretary
5. c. can't tell

4.
1. b. a car accident
2. b. after
3. c. the drivers could not see well
4. b. 6
5. a. that no one was seriously hurt

5.
a. Hace tres meses que Pablo canta en español.
b. Hace diez minutos que Inés charla por teléfono.
c. Hace poco tiempo que mis abuelos viven en Florida.
d. Hace cinco años que nosotros vamos a esa playa.
e. Hace muchos años que yo hablo italiano.

6.
a. perdían
b. se encontraba
c. dormíamos
d. pescaba
e. eras
f. tenía
g. dábamos
h. iban
i. sabía
j. veías

7.
a. me morí   se murieron
b. charlé   charlaron
c. creí   creyeron
d. me vestí   se vistieron
e. cubrí   cubrieron
f. empecé   empezaron
g. llegué   llegaron
h. construí   construyeron
i. pedí   pidieron
j. marqué   marcaron

8. Answers may vary.
a. Yo nací...
b. Él/Ella nació...
c. Me vestí...
d. (Mi hermana) puso la mesa anoche.
e. Mis clases empezaron...
f. Mis clases terminaron...
g. Yo preparé (Mi madre preparó) la cena anoche.
h. Mi familia miró la televisión...
i. Desayuné...
j. Yo leí (Mi padre/Mi madre leyó) el periódico esta mañana.

9.
a. vieron
b. fuiste
c. supe
d. dijimos
e. leyeron
f. trajo
g. prefirieron
h. condujimos
i. anduve

      j.   diste

      k.   fue

      l.   tuvieron

    m.   me acerqué

      n.   pagaron

      o.   pudiste

10.   a.   Acabamos de jugar al básquetbol.

      b.   Acaban de leer una buena novela.

      c.   Jorge acaba de dar la respuesta correcta.

      d.   Acaban de comprar un coche nuevo.

      e.   Acabo de darle cinco dólares a mi amiga.

11.   **Adult check.**

       Answers may vary.

       Examples:

       Juan lavó el coche.

       La madre cocinó.

       Ana cuidó al bebé.

       José cortó la césped.

       El padre escuchó la radio.

       María reparó la televisión.

       Miguel trabajó en el jardín.

12.   **Adult check.**

       Answers may vary.

       Examples:

       Hacía buen tiempo.

       El señor vendía periódicos.

       La señora compraba un periódico.

       Las mujeres se paseaban con su perro.

       La madre y su hijo salían de la tienda.

       La familia estaba en el coche.

       Los jóvenes montaban en motocicleta.

1.
   a. el baño
   b. la sala
   c. la cocina
   d. el jardín
   e. el comedor
   f. el dormitorio
   g. el baño
   h. el garaje
   i. la cocina
   j. el dormitorio

2.
   a. 4
   b. 2
   c. 7
   d. 3
   e. 5
   f. 6
   g. 9
   h. 1
   i. 8

3.
   a. past
   b. recently began, continues still
   c. past
   d. recently occurred
   e. recently occurred
   f. present
   g. past
   h. recently began, continues still
   i. past
   j. present

4.
   1. b. muy mal tiempo
   2. a. por la noche
   3. a. el viento
   4. c. tres días
   5. b. hablar a la oficina del periódico

5.
   1. a. los muebles
   2. c. $150
   3. c. a las nueve
   4. b. los niños
   5. c. $500

6.
   a. por
   b. para
   c. para
   d. para
   e. por
   f. por
   g. Para
   h. para
   i. para
   j. por

7.
   a. A causa de
   b. pero
   c. porque
   d. a causa de
   e. sino
   f. porque
   g. pero
   h. sino que
   i. porque
   j. pero

8.
   a. Era el diecinueve de noviembre. Iba a la casa de mis abuelos cuando me paré para comprar gasolina para mi coche. Hacía mucho frío. Después de pagar la gasolina, traté de arrancar el motor pero no arrancó. Llamé a mi esposo. Tenía que esperar mientras mi esposo venía a ayudarme.

   b. Carolina asistió a la fiesta de MariCarmen. Era su cumpleaños. Le trajo un regalo bonito. Caminó cinco cuadras a la casa de MariCarmen. Muchas amigas ya estaban en la fiesta. Carolina charló con muchas personas. Se divirtió mucho.

    c.   Cuando éramos jóvenes, íbamos a la casa de nuestra tía por dos semanas cada verano. Nadábamos en el lago y jugábamos en el bosque cerca de su casa. Mi tía era una mujer muy generosa y divertida. Ella siempre cocinaba bien para nosotros. Ella podía contar buenos chistes también. El día que ella se murió, yo sabía que mi niñez, de una manera, terminó con ella.

9.   a.   Ella iba a Madrid, pero el tren no llegó.

    b.   Leí el libro el sábado y escribí la tarea el domingo.

    c.   No pudieron ir a la fiesta, porque no tenían un coche.

    d.   Mientras lavaba al bebé, el gato se cayó en la bañera.

    e.   No encontré las llaves, pero encontré veinticinco centavos.

    f.   El artista pintó un retrato, pero a la señora (mujer) no le gustaba.

    g.   Para un hombre viejo, el corrió muy rápidamente.

    h.   Creían que oyeron una voz en la cocina.

    i.   Cuando tenía quince años, trabajaba en el jardín.

    j.   Hacía mal tiempo.

1.
1. a. a scarf   d. dirty
2. c. a suit   d. fine
3. c. a sweater   d. big
4. c. earrings   d. expensive
5. a. a suit   d. pretty/yellow
6. a. socks   d. light green
7. b. a T-shirt   d. casual, informal
8. a. a bag/purse   d. old
9. b. high-heeled shoes d. big
10. a. boots   d. tight

2.
1. c. your
2. b. mine
3. a. his
4. a. your
5. a. their
6. b. her
7. c. yours (friendly)
8. a. our
9. a. my
10. a. all of your

3.
1. d
2. e
3. i
4. a
5. h
6. c
7. j
8. f
9. g
10. b

4.
a. una gorra
b. los calcetines
c. la blusa
d. la camisa
e. la falda
f. los aretes
g. un cinturón
h. un sombrero
i. un short
j. una cadena de oro

5.
a. viejo
b. formal
c. larga
d. claro
e. sucio
f. bajos
g. fea
h. baratos
i. pequeña
j. estrecha

6. Possible answers:
a. Tengo una camisa arrugada.
b. Llevo una corbata roja/larga/estrecha.
c. Me pongo un vestido elegante/formal/larga.
d. Llevo pantalones flojos/azules/grandes.
e. Compro una falda corta/púrpura.
f. Me pongo un collar caro/elegante.

7.
a. los pijamas
b. los guantes
c. el traje
d. los tenis
e. los vaqueros/los jeans
f. el traje de baño
g. el anillo
h. el sombrero/la gorra
i. la billetera/la bolsa/la cartera
j. la mochila

8.
a. The children put on new sneakers/tennis shoes.
b. For my birthday, my grandma buys me underwear.
c. This blouse is rather tight, isn't it?
d. I obtain/get light brown stockings.
e. The gold earrings are very expensive.
f. Compra los zapatos finos.
g. Se pone una bufanda barata.
h. Voy a traer el paraguas viejo.
i. Ud. tiene una falda bonita.
j. Llevan pantalones informales.

9.   a. Sí, es suya.
      b. Sí, traje el mío.
      c. Sí, necesito la suya.
      d. Sí, tengo la tuya.
      e. Sí, escribí las suyas.
      f. Sí, tiene el nuestro.

10.   a. Obtienen su dinero en el banco.
      b. No puedo ver nuestra prima.
      c. Consiguen sus frutas del mercado.
      d. Traigo mi traje.
      e. Pierden sus guantes.
      f. Tus papeles están sobre la mesa.

11.   **Instructor:** Answers for each question may be given in any order.
      a. la chaqueta de mí, mi chaqueta, la chaqueta mía, la mía
      b. las camisas de Pablo, sus camisas, las camisas suyas, las suyas
      c. el coche/carro de nosotros, nuestro coche/carro, el coche/carro nuestro, el nuestro
      d. los trajes de ti, tus trajes, los trajes tuyos, los tuyos

12.   a. jugando   h. queriendo
      b. escribiendo   i. sintiéndose
      c. trayendo   j. diciendo
      d. viniendo   k. creyendo
      e. encontrando   l. pidiendo
      f. yendo   m. perdiendo
      g. durmiendo   n. leyendo

13.   a. llegar
      b. Ir de compras
      c. quitando
      d. Aprender
      e. gritando
      f. cayéndose
      g. buscando
      h. jugar
      i. oír
      j. hablando

14.   1. a. to offer help in choosing gifts
      2. c. There are many unknowns to consider.
      3. a. a hat
      4. c. Everyone needs socks.
      5. c. Take the person shopping with you.

1. Answers may vary.
    a. el documento, el archivador
    b. el papel, el lápiz, la computadora
    c. el libro, los artículos
    d. la computadora, los artículos,
    e. la calculadora, el bolígrafo
    f. el teléfono, el correo electrónico

2. a. el editor
    b. el jefe/el hombre de negocios
    c. investigar
    d. el escritor/el autor
    e. la copiadora/la impresora
    f. revisar
    g. comunicarse
    h. un esquemático
    i. el programador
    j. la silla
    k. el teléfono/la computadora
    l. enseñar
    m. un bolígrafo/un lápiz
    n. el estante de libros
    o. ahorrar

3. 1. c. sobre el
    2. a. al lado de
    3. a. a la derecha de
    4. b. debajo del
    5. b. al lado del
    6. c. dentro de
    7. a. entre el
    8. c. delante de
    9. b. a la izquierda del
    10. a. cerca de
    11. b. detrás de

4. 1. b. You put it here for me.
    2. a. I'm going to give them to her.
    3. b. I didn't do it.
    4. c. How much did you pay them?
    5. a. She's helping us.
    6. b. I write it to them.
    7. c. Why didn't she give them to you?
    8. a. I can't hear you (informal).
    9. c. Are you going to pass it to me?
    10. c. They don't want to watch it for us.

5. a. Te lo leo.
    b. Se las escribimos.
    c. Nos lo conduce.
    d. No la quiero.
    e. No me lo dan.
    f. Se las vas a reparar. / Vas a reparárselas.
    g. Te la compra.
    h. Se los traigo.
    i. ¿Se la puedes hacer? / ¿Puedes hacérsela?
    j. Me la está mostrando ahora. / Está mostrándomela ahora.

6. a. No se usa el teléfono aquí. / No se puede usar el teléfono aquí.
    b. Se habla español en esta clase.
    c. No se dicen mentiras aquí.
    d. Se saben los hechos del crimen.
    e. No se come carne en nuestra casa.
    f. No se sale / se puede salir por esta puerta.
    g. Se abre el gimnasio a las nueve.
    h. No se escribe con lápiz.
    i. Se mandan las noticias por correo electrónico.
    j. No se puede pasar / se pasa por ese campo.

1. a. la dirección   address
    b. el número de teléfono   phone number
    c. la educación   education
    d. el nombre de pila   first name
    e. el objetivo   objective
    f. las referencias   references
    g. el apellido   last name
    h. la experiencia profesional   professional experience

2. a. El currículum vitae
    b. Las referencias
    c. ganar
    d. requieren
    e. La oferta de empleo
    f. la oficina ejecutiva
    g. un aumento
    h. disponibles
    i. Los beneficios
    j. avanzar

3. Answers may vary. Examples:
    a. Unos beneficios son las vacaciones compensadas, una comisión generosa y un horario flexible.
    b. Un aspirante tiene una entrevista con el gerente o el jefe.
    c. Una jornada típica dura ocho horas.
    d. El empleado puede continuar su educación, capacitarse o puede avanzar en la compañía con buenos objetivos y metas.
    e. Los documentos necesarios son el currículum vitae, las cartas de referencia y la solicitud.
    f. Él pone una oferta de empleo en el periódico.
    g. El empleado trabaja bien, cumple (completes) sus metas y no tiene muchas ausencias.
    h. El aspirante lee la oferta de empleo en el periódico.
    i. Puede hablar con el gerente. Puede buscar en el periódico a ver las ofertas de empleo de otros puestos.
    j. Necesito buscar en los anuncios del periódico para ver las ofertas de empleo.

4. Answers may vary. Examples:
    a. más grande que
    b. tanto como
    c. menos cómoda que
    d. más fácil que
    e. mejores que
    f. tan alta como
    g. tantos perros como
    h. mayores que
    i. menos interesante que
    j. menor que

5. Answers may vary. Examples:
    a. Osvaldo es mayor que Ricardo. / Ricardo es menor que Osvaldo.
    b. Luz sale mejor en el examen que su amiga. / Su amiga sale peor en el examen que Luz.
    c. La ruta a la casa de mi abuela es más corta (menos larga) que la ruta a la casa de mi tío. / La ruta a la casa de mi tío es más larga (menos corta) que la ruta a la casa de mi abuela.
    d. El bebé hace más ruido en la iglesia que mi hermano. / Mi hermano hace menos ruido en la iglesia que el bebé.
    e. Yo duermo menos horas que Rosita. / Rosita duerme más horas que yo.
    f. Mi mamá y mi papá limpian más frecuentemente que mi hermana. / Mi hermana limpia menos frecuentemente que mi mamá y mi papá.
    g. Esta mochila contiene más libros que esa mochila. / Esa mochila contiene menos libros que esta mochila.
    h. Alfredo tiene más hambre que yo. / Yo tengo menos hambre que Alfredo.
    i. Me gusta jugar a los videojuegos más que (me gusta) lavar los platos. / Me gusta lavar los platos menos que (me gusta) jugar a los videojuegos.
    j. Luis trabaja más horas por semana que Carlos. / Carlos trabaja menos horas por semana que Luis.

6.
   a. Tomás es el menor del grupo.
   b. El árbol es la planta más alta del jardín.
   c. El negro es el coche menos barato (más caro) de todos.
   d. Febrero es el mes más corto del año.
   e. El león es el animal más feroz del grupo.
   f. El baño es el cuarto menos grande de la casa.
   g. El helado es la comida más deliciosa de todas.
   h. Catalina recibe la peor nota de todos los estudiantes. / Mario recibe la mejor nota de todos los estudiantes.
   i. El señor es el paciente menos enfermo del hospital.

7.   Answers may vary. Examples:
   1. a. El zapato rojo es más bajo que el zapato negro.
      b. El zapato azul es el más grande de todos.
   2. a. La maleta gris es más grande que la maleta azul.
      b. La maleta azul es la más pequena de todas.
   3. a. Antonio es mas bajo que Ramón.
      b. José es el más alto de todos.
   4. a. El dormitorio está menos limpio que la cocina.
      b. La cocina es el cuarto más limpio de la casa.
   5. a. La torta de chocolate es menos grande que la torta de boda.
      b. La torta de chocolate es la más pequeña de todas.
   6. a. El carro negro es más grande que el rojo.
      b. El carro negro es el más grande de todos.

8.   Answers may vary. Examples:
   1. a. No juega nadie. (Nadie juega.)
      b. No one plays.
   2. a. No hay ningún vaso en la cocina.
      b. There is no glass in the kitchen.
   3. a. No sonríe nunca. (Nunca sonríe.)
      b. He/She never smiles.
   4. a. No pide ni pollo ni sopa.
      b. He/She doesn't ask for either chicken or soup. (He/She asks for neither chicken nor soup.)
   5. a. No tiene ningún problema.
      b. He/She doesn't have a (any) problem. (He/She has no problem.)

9.
   a. no; nada
   b. no; tampoco
   c. no; ninguna
   d. no; nunca
   e. no; nadie
   f. no; nada/ninguna
   g. no; ningún
   h. no; nadie
   i. no; ninguna
   j. no, nadie

10.   Translation:

   Mr. Acosta needed a new car. He spent the day comparing various brands and models. He liked the first one. It was his favorite color, green, and it was more elegant than his old car.

   The next car was blue and prettier, but it cost much more money than the green one. He didn't want to buy such an expensive car. He looked at two more, a red one and a white one. The red one was slower than the others, and the white car used the most gas of all of them. He was ready to forget the idea of buying a new car, because he couldn't find the perfect car.

Suddenly, he found the perfect car. It was smaller than the green one, but it wasn't the smallest one of all. This one was green also, but a darker green than the first one. It used less gas than the white car. He decided to buy it. He spent a little more than he wanted, but he was satisfied.

Comprehension questions. Answers may vary.
Examples:

a. Miró cinco coches.

b. Eran de los colores verde, azul, rojo y blanco.

c. Quería olvidarse de la idea de comprar un coche nuevo.

d. El coche perfecto era más pequeña que el primer coche verde.

e. No costaba demasiado. No usaba tanta gasolina como el blanco.

f. Porque el segundo coche costaba demasiado.

g. Compró un coche verde oscuro. Usaba menos gasolina que el carro blanco. No era el coche más pequeño de todos.

h. El Sr. Acosta gastó un poco más dinero que quería.

1. 1. b. we would bring
    2. a. she will look for
    3. b. I won't go
    4. a. you would put
    5. c. you will comb
    6. a. it would rain
    7. b. I would be
    8. c. we will say good-bye
    9. a. I will check
    10. b. we wouldn't have

2. | **el futuro** | **el condicional** |
    |---|---|
    | a. repetirán | repetirían |
    | b. jugaré | jugaría |
    | c. serás | serías |
    | d. tendrán | tendrían |
    | e. sabrá | sabría |
    | f. diremos | diríamos |
    | g. volverás | volverías |
    | h. pondré | pondría |
    | i. cambiará | cambiaría |
    | j. harán | harían |

3. El jueves **hará** sol. **Iremos** al aeropuerto en coche. **Tendremos** que estacionar nuestro coche muy lejos del aeropuerto. **Tendremos** mucho tiempo, y por eso **iremos** a pie del estacionamiento al aeropuerto. No **llevaremos** muchas maletas. Primero, **haremos** cola para obtener los boletos. La señora **facturará** las maletas para nosotros. Nos **dirigirá** al horario. Al leerlo, **sabremos** que nuestro vuelo **llegará** a tiempo. **Esperaremos**. **Pasaremos** unos minutos en la tienda de recuerdos. Mi hermano **comprará** un periódico. **Escogeré** un chicle. Por fin, **podremos** subir al avión. **Presentaremos** las tarjetas de embarque. **Buscaremos** nuestros asientos. **Estarán** al fondo del avión. Nos **sentaremos** y nos **abrocharemos** los cinturones de seguridad. El avión **despegará** sin problemas. El vuelo **será** perfecto. Me **alegraré** de aterrizar a tiempo.

4. a. estaría
    b. saldría
    c. Iríamos
    d. asistiría
    e. comprarías
    f. haría
    g. dirías
    h. saldrían
    i. me divertiría
    j. estacionaría

5. Answers will vary. Examples:
    a. cortaría el césped
    b. esperaría/haría cola
    c. buscaría el equipaje
    d. lavaríamos los platos
    e. repararías el coche
    f. compraría más helado
    g. pondrían la mesa
    h. quitaría la mesa
    i. montarían en bicicleta / se divertirían
    j. nadarían

6. a. la maleta/el equipaje/el aeropuerto
    b. bajar/desembarcar
    c. la cafetería
    d. la puerta
    e. facturar
    f. obtiene
    g. internacional
    h. con retraso
    i. al fondo
    j. un quiosco/una tienda

7. 1. b. el piloto
    2. a. desembarcar
    3. c. de la aduana
    4. c. aterrizar
    5. b. el equipaje
    6. a. encontrar
    7. b. el aeropuerto
    8. b. abrocharse
    9. c. el estacionamiento
    10. a. la parte delantera

8.
   a. El avión aterriza al aeropuerto internacional.
   b. Viajamos al extranjero.
   c. Uds. se preparan para el despegue.
   d. La tienda de recuerdos está cerca de la puerta número doce.
   e. Puedes pedir ayuda a la azafata / al auxiliar de vuelo.
   f. Favor de presentar la tarjeta de embarque al abordar / subir al avión.
   g. Después de bajar / desembarcar del avión, pasará por la aduana.
   h. Obtendremos nuestros boletos en el mostrador de facturación.
   i. El avión llega con retraso.
   j. Vamos a encontrar nuestros asientos y abrocharnos los cinturones de seguridad.

9.
Optional translation example.

What a day! I got up early because I was going to the airport. I was leaving for my cousins' house in Argentina. I made all the preparations. But when I arrived at the airport, I couldn't find a parking space. I had to park the car at the back of the lot. After walking for about 25 minutes, I approached the check-in counter in order to obtain my boarding pass. I was very worried because I had to wait in a very long line, and my flight was leaving in 30 minutes. Finally, the bags were checked and I got the boarding pass. Now I only had about 10 minutes to find Gate #31. I ran because I was near Gate #4.

Upon boarding the plane, I found out that my seat was at the rear of the plane. I don't like sitting there. Also I had to sit next to a rather strange man. He talked during the whole flight. I was so happy to arrive in the city of Buenos Aires!

I went through passport inspection without any problems, thank God. Since my cousins never get anywhere on time, I went to the baggage room to wait. I wasn't calm for very long. My luggage didn't arrive! I asked an employee for help, but he couldn't find them. I was exhausted from the stress. The only good thing that happened from this situation is that I had a good excuse to buy a lot of things while I was visiting.

Answers may vary.

a. Es una mujer. Estaba "rendida".
b. Va a Sudamérica. Va a la Argentina.
c. Visita a la familia / los primos.
d. El día es muy malo. Tiene muchos problemas.
e. Está lejos. Es el número treinta y uno.
f. No, no puede descansar porque un hombre le habla durante todo el vuelo.
g. No puede encontrar las maletas.
h. Se siente cansada y no muy contenta.
i. Es optimista. Ella encuentra lo bueno de perder el equipaje porque tiene una excusa para comprar muchas cosas.
j. Estaría muy enojado(a) / frustrado (a).

1.
   a. mantenido
   b. escrito
   c. comprada
   d. recomendada
   e. muertas
   f. llenado
   g. cortado
   h. cerrada
   i. vista
   j. cubierto(a)

2.
   1. a. we have left
   2. b. you have had (friendly)
   3. c. they have suffered
   4. a. I have been able
   5. a. Has he drunk it?
   6. b. we have described
   7. c. They haven't taken it off.
   8. a. you've gone
   9. c. he has attracted
   10. c. we have broken

3.
   a. he cubierto
   b. has visto
   c. hemos cambiado
   d. se han vestido
   e. han corrido
   f. se ha despertado
   g. he dicho
   h. ha pedido
   i. hemos vivido
   j. ha terminado

4.
   a. he comido
   b. ha asistido
   c. han gustado
   d. han oído
   e. ha dado
   f. han perdido
   g. ha salido
   h. Ha puesto
   i. han leído
   j. has dicho

5.
   a. habías sido; habían sido
   b. habías pronunciado; habían pronunciado
   c. habías abierto; habían abierto
   d. habías cuidado; habían cuidado
   e. te habías divertido; se habían divertido
   f. habías acabado; habían acabado
   g. habías leído; habían leído
   h. habías pescado; habían pescado
   i. no te habías maquillado; no se habían maquillado
   j. habías dormido; habían dormido

6.
   a. has jugado
   b. han querido
   c. hemos visto
   d. he mostrado
   e. has sido
   f. se ha puesto
   g. no han pensado
   h. hemos ido/sido
   i. has leído
   j. he dado
   k. te has divertido
   l. hemos dormido
   m. ha abierto
   n. he conocido
   o. hemos dicho

7.
   a. habían salido
   b. habías andado
   c. había dado
   d. habíamos hablado
   e. habían sabido
   f. había corrido
   g. había sacado
   h. no habíamos creído
   i. habían tenido
   j. habías descrito
   k. había hecho
   l. habían costado
   m. habías seguido
   n. habías roto
   o. habíamos conversado

8. The day began early. I had heard the barking of my dog, Little Bone, when I was still in bed. I got up in order to let him go out. It was very cold. I opened the door and Little Bone left in a hurry. I followed him to the garden/back yard. Suddenly, I believed/thought I had heard a strange "click" when the door closed. I was right. The door had locked itself automatically! I was still outside the house! (And I was wearing only my pajamas.) I was about to panic when I remembered…

9. **Adult check.** Example composition: Recordé que mi vecino tenía una llave. No podía decidir si debería despertarlo. Todavía era muy temprano. No había ninguna ventana abierta. Tenía que visitar a mi vecino. Huesito fue conmigo. Cruzamos la calle. Cuando soné el timbre, su perro empezó a ladrar también. ¡Qué ruido! Mi vecino abrió la puerta. Antes de explicar lo que me había pasado, el perro de mi vecino salió de su casa y los dos perros comenzaron a luchar. Le dije gracias al vecino y tomé la llave. Tenía tanto frío. Regresé a casa con mi perro.

1.
   1. d
   2. h
   3. a
   4. i
   5. c
   6. j
   7. b
   8. e
   9. f
   10. g

2.
   1. j
   2. d
   3. g
   4. i
   5. f
   6. c
   7. a
   8. e
   9. h
   10. b

3. **Adult check.** Answers may vary. Sample answers:

   a. No, me levanté a las seis y media ayer.
   b. No, estudiamos las ciencias mañana.
   c. No, fui al cine anoche.
   d. No, me cepillo los dientes después de cenar.
   e. No, pienso estudiar más tarde.
   f. No, almorcé con mi familia anteayer.
   g. No, generalmente me acuesto temprano los lunes.
   h. No, les escribimos una carta el domingo próximo.
   i. No, ya no funciona bien.
   j. No, voy a hacer la tarea pronto (ahora).

4.
   a. después
   b. En ese momento
   c. Antes de
   d. Ya
   e. el viernes próximo
   f. Todavía
   g. temprano
   h. Todavía no
   i. ahora mismo; más tarde
   j. hoy día

5.
   1. c. los platos
   2. c. la falda
   3. a. los huevos
   4. b. el perro
   5. a. la herramienta
   6. b. las frutas
   7. c. el presidente
   8. a. las estudiantes
   9. b. el plato
   10. a. un disco

6.
   a. Quiero la negra. Quiero los negros.
   b. Patricio compró la blanca. Patricio compró las blancas.
   c. No me gusta la americana. No me gusta el americano.
   d. ¿Pueden ver las altas? ¿Pueden ver el alto?
   e. Está saliendo con las rubias. Está saliendo con el rubio.
   f. Veo los interesantes. Veo la interesante.
   g. Comemos las frescas. Comemos la fresca.
   h. ¿Dónde están los azules? ¿Dónde está la azul?
   i. Venderemos el viejo. Venderemos las viejas.
   j. Compró las grandes. Compró la grande.

7.
   a. tú
   b. Uds.
   c. tú
   d. Ud.
   e. tú
   f. Ud.
   g. Uds.
   h. tú
   i. Ud.
   j. tú

8.
   a. ¡No se paren!
   b. ¡No asistas a las clases!
   c. ¡No tengas prisa!
   d. ¡No los miren!
   e. ¡No dobles a la derecha!
   f. ¡No vaya más rápidamente!
   g. ¡No te duermas!
   h. ¡No se la muestren a ella!
   i. ¡No me la digas!
   j. ¡No monte en bicicleta!

9.
   a. Llámala
   b. No salga
   c. Háblenles
   d. Lávate
   e. Ayúdelas
   f. Contéstalo
   g. Hazla
   h. No los traigan
   i. Ponla
   j. No te cortes

10.

	Tú	Ud.	Uds.
a.	pide	pida	pidan
b.	da	dé	den
c.	levántate	levántese	levántense
d.	haz	haga	hagan
e.	no mires	no mire	no miren
f.	sé	sea	sean
g.	no duermas	no duerma	no duerman
h.	paga	pague	paguen
i.	no leas	no lea	no lean
j.	ve	vaya	vayan
k.	ven	venga	vengan
l.	saca	saque	saquen
m.	di	diga	digan
n.	oye	oiga	oigan
o.	comienza	comience	comiencen

11.
   a. el Día de San Patricio
   b. el Día de Acción de Gracias
   c. el Día de la Independencia
   d. la Navidad
   e. la Nochebuena
   f. el Día Conmemorativo de los Caídos en la Guerra
   g. el Día de San Valentín
   h. la Nochevieja
   i. el Día de Año Nuevo
   j. la Pascua

1.
   a. que
   b. quien
   c. que
   d. que
   e. que
   f. que
   g. que
   h. quien
   i. que
   j. quien

2.
   a. que
   b. cuya
   c. lo que
   d. que
   e. lo que
   f. cuyos
   g. que
   h. que
   i. lo que
   j. quienes

3.   Answers will vary. Sample answers:
   a. Leo lo que me gusta leer.
   b. Beto es el chico que ganó la copa.
   c. Los primos Jorge y Josefa, que tienen diez años, viajan a España.
   d. Las manzanas que compras son deliciosas.
   e. La puerta que no funciona es reparada por su padre.
   f. La madre de Felipe, que es abogada, trabaja mucho.
   g. Una librería, cuyos precios son buenos, vende muchos libros.
   h. El niño que se lava mucho es sano.
   j. No sabía que éste era el cuaderno que querías.
   j. La cámara de Felipe, que está rota, está con el técnico.

4.
   a. sea
   b. cantemos
   c. beban
   d. muestre
   e. piense
   f. pongamos
   g. duerman
   h. vuelva
   i. tenga
   j. conduzcas
   k. traiga
   l. jueguen
   m. lleguemos
   n. busque
   o. vaya
   p. sepa
   q. vengas
   r. empiecen
   s. demos
   t. esté

5.
   a. puedas
   b. necesite
   c. salgan
   d. compre
   e. está
   f. comes
   g. se diviertan
   h. impriman
   i. vayas
   j. gana

6.   Answers will vary. Sample answers:
   a. Let's hope that doesn't happen.
   b. We ask her to bring the drinks. (We ask that she brings the drinks.)
   c. Who is advising them to wash the floor?
   d. It's preferable that the young people dress formally for this party.
   e. I recommend that you don't watch TV tonight.
   f. Are you sad that Manolo isn't here?
   g. I doubt that she is going to do it.
   h. It's important that you remember the subjunctive forms.
   i. Do your parents want you to read this book?
   j. Generally, he doesn't believe that these stories are true.

7. a.   Es bueno que Uds. lleguen a tiempo
         normalmente.
    b.   Su esposa no le permite que mire el
         fútbol americano todos los domingos.
    c.   Sugiere que yo escriba el ensayo en la
         computadora.
    d.   ¡Te digo que te pares!
    e.   Ojalá (Esperamos) que se sienta mejor.
    f.   No me gusta que vayas a casa a pie
         después de la película.
    g.   ¿Quieres que te ayude?
    h.   Tomás está contento que su hermana se
         quede en casa esta noche.
    i.   Muchas personas prefieren que su
         médico sea honesto con ellos.
    j.   Es necesario que Ud. escriba ese cheque
         hoy.